디딤돌수학 개념연산 중학 1-2

펴낸날 [초판 1쇄] 2021년 10월 4일 [초판 5쇄] 2024년 7월 5일
펴낸이 이기열
펴낸곳 (주)디딤돌 교육
주소 (03972) 서울특별시 마포구 월드컵북로 122 청원선와이즈타워
대표전화 02-3142-9000
구입문의 02-322-8451
내용문의 02-336-7918
팩시밀리 02-335-6038
홈페이지 www.didimdol.co.kr
등록번호 제10-718호

1 눈으로 이해되는 개념

디딤돌수학 개념연산은 보는 즐거움이 있습니다.
핵심 개념과 연산 속 개념, 수학적 개념이
이미지로 빠르고 쉽게 이해되고, 오래 기억됩니다.

● 핵심 개념의 이미지화

핵심 개념이 이미지로 빠르고 쉽게
이해됩니다.

● 연산 개념의 이미지화

연산 속에 숨어있던 개념들을 이미지로
드러내 보여줍니다.

● 수학 개념의 이미지화

개념의 수학적 의미가 간단한 이미지로
쉽게 이해됩니다.

Ⅲ 통계

Ⅱ 원의 성질

2 손으로 익히는 개념

디딤돌수학 개념연산은 문제를 푸는 즐거움이 있습니다.
학생들에게 가장 필요한 개념을 충분한 문항과 촘촘한 단계별 구성으로
자연스럽게 이해하고 적용할 수 있게 합니다.

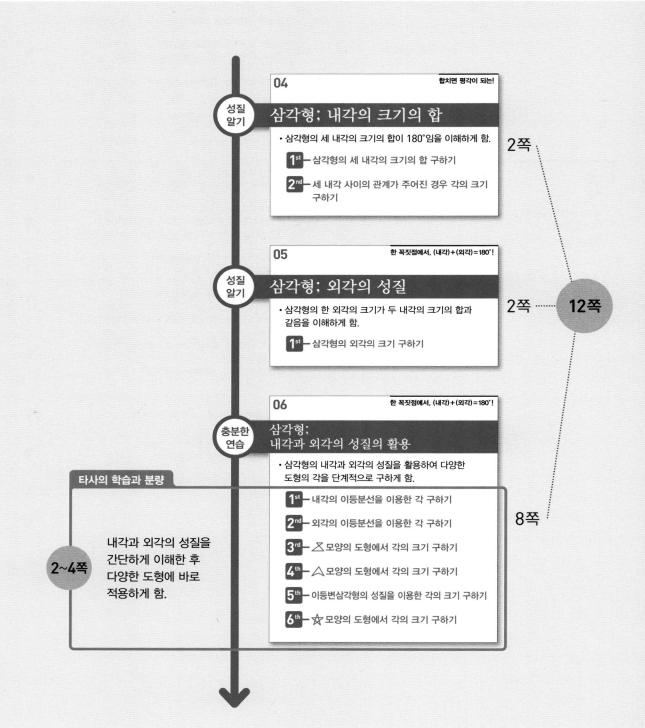

성질
알기

04　　　　　　　　　　　합치면 평각이 되는!

삼각형; 내각의 크기의 합

• 삼각형의 세 내각의 크기의 합이 180°임을 이해하게 함.

1st — 삼각형의 세 내각의 크기의 합 구하기

2nd — 세 내각 사이의 관계가 주어진 경우 각의 크기 구하기

2쪽

성질
알기

05　　　　　　　한 꼭짓점에서, (내각)+(외각)=180°!

삼각형; 외각의 성질

• 삼각형의 한 외각의 크기가 두 내각의 크기의 합과 같음을 이해하게 함.

1st — 삼각형의 외각의 크기 구하기

2쪽

12쪽

충분한
연습

06　　　　　　　한 꼭짓점에서, (내각)+(외각)=180°!

삼각형; 내각과 외각의 성질의 활용

• 삼각형의 내각과 외각의 성질을 활용하여 다양한 도형의 각을 단계적으로 구하게 함.

1st — 내각의 이등분선을 이용한 각 구하기

2nd — 외각의 이등분선을 이용한 각 구하기

3rd — ⋏ 모양의 도형에서 각의 크기 구하기

4th — ⋀ 모양의 도형에서 각의 크기 구하기

5th — 이등변삼각형의 성질을 이용한 각의 크기 구하기

6th — ☆ 모양의 도형에서 각의 크기 구하기

8쪽

타사의 학습과 분량

내각과 외각의 성질을
간단하게 이해한 후
다양한 도형에 바로
적용하게 함.

2~4쪽

3 머리로 발견하는 개념

디딤돌수학 개념연산은 개념을 발견하는 즐거움이 있습니다.
생각을 자극하는 질문들과 추론을 통해 개념을 발견하고
개념을 연결하여 통합적 사고를 할 수 있게 합니다.

우와!
이것은 연산인가 수학인가!

● **내가 발견한 개념**

문제를 풀다보면 실전 개념이
저절로 발견됩니다.

● **개념의 연결**

나열된 개념들을 서로 연결하여
통합적 사고를 할 수 있게 합니다.

3/2 학습 계획표

I 삼각비

수학은 개념이다!

디딤돌수학

개념연산

중 **1** $\dfrac{1}{2}$

👁 눈으로
✋ 손으로 개념이 발견되는 디딤돌 개념연산
🧠 머리로

디딤돌

이미지로 이해하고 문제를 풀다 보면
개념이 저절로 발견되는 디딤돌수학 개념연산

---

① 이미지로 개념 이해

핵심이 되는 개념을 이미지로
먼저 이해한 후 개념과 정의를
읽어보면 딱딱한 설명도 이해가 쏙!
원리확인 문제로 개념을
바로 적용하면 개념을 확인!

② 단계별·충분한 문항

문제를 풀기만 하면
저절로 실력이 높아지도록
구성된 단계별 문항!
문제를 풀기만 하면
개념이 자신의 것이 되도록
구성된 충분한 문항!

③ 내가 발견한 개념

문제 속에 숨겨져 있는
실전 개념들을 발견해 보자!
숨겨진 보물을 찾듯이 놓치기
쉬운 실전 개념들을 내가 발견하면
흥미와 재미는 덤! 실력은 쑥!

④ 개념모음문제

문제를 통해 이해한 개념들은
개념모음문제로 한 번에 정리!
개념의 활용과 응용력을 높이자!

발견된 개념들을 연결하여
통합적 사고를 할 수 있는 디딤돌수학 개념연산

5 그림으로 보는 개념

연산속에 숨어있던 개념을
가장 적절한 이미지를 통해
눈으로 확인해 보자.
개념이 쉽게 확인되고 오래 기억되며
개념의 의미는 더 또렷이 저장!

6 개념 간의 연계

개념의 단원 안에서의 연계와
다른 단원과의 연계,
초·중·고 간의 연계를 통해
통합적 사고를 얻게 되면
흥미와 동기부여는 저절로 쭈욱~!

7 개념을 확인하는 TEST

충분한 학습을 한 후
개념의 이해 정도를 확인하여
부족한 부분이 없는지
개념을 점검해보자!

1

점·선·면·각!
기본 도형

선

면

각

선과 선이 만나서 각이 생긴다.

선과 선이 만나서 점이 생긴다.

면과 면이 만나서 선이 생긴다.

선과 면이 만나서 점이 생긴다.

모든 도형의 기본!

내가 지나간 자리는 선이 되고

내가 지나간 자리는 면이 되지.

01 점, 선, 면

점이 연속적으로 움직이면 선이 되고, 선이 연속적으로 움직이면 면이 돼. 이와 같이 선은 무수히 많은 점으로 이루어져 있고, 면은 무수히 많은 선으로 이루어져 있어.

따라서 모든 도형은 점, 선, 면으로 이루어져 있기 때문에 점, 선, 면을 도형의 기본 요소라 해!

서로 다른 두 점을 곧게 지나는 선들!

원래 난 한없이 뻗어야 익!익!

이건 책이니까 좀 참아.

직선 AB ➡ $\overleftrightarrow{AB}$

반직선 AC ➡ $\overrightarrow{AC}$

선분 AB ➡ $\overline{AB}$

02 직선, 반직선, 선분

직선 AB는 서로 다른 두 점 A, B를 지나 한없이 곧게 뻗은 선이고, 기호로 $\overleftrightarrow{AB}$와 같이 나타내.

반직선 AC는 점 A에서 시작하여 점 C의 방향으로 나가는 직선의 일부분이고, 기호로 $\overrightarrow{AC}$와 같이 나타내지.

또한 선분 AB는 직선 AB 위의 점 A에서 점 B까지의 부분이고, 기호로 $\overline{AB}$와 같이 나타내!

두 점 사이의 가장 짧은 선!

점 A와 점 B 사이의 거리 ➡ $\overline{AB}$

$$\overline{AM} = \overline{BM} = \frac{1}{2}\overline{AB}$$

03 두 점 사이의 거리

두 점 A, B를 잇는 선은 무수히 많지만 이 중에서도 길이가 가장 짧은 것은 선분 AB야. 이때 선분 AB 의 길이를 두 점 A, B 사이의 거리라 해.

한편 선분 AB 위의 한 점 M에 대하여 $\overline{AM} = \overline{BM}$일 때, 점 M을 선분 AB의 중점이라 해. 이때 점 M은 선분 AB를 이등분하므로 $\overline{AM} = \overline{BM} = \frac{1}{2}\overline{AB}$야!

두 반직선으로 이루어진 도형!

각 AOB = ∠AOB

04 각

두 반직선 OA와 OB로 이루어진 도형을 각 AOB 라 하고, 이것을 기호로 ∠AOB와 같이 나타내.

한편 ∠AOB에서 꼭짓점 O를 중심으로 변 OA가 변 OB까지 회전한 양을 ∠AOB의 크기라 해!

마주 보는 각!

∠a의 맞꼭지각은 ∠c ➡ ∠a = ∠c

∠b의 맞꼭지각은 ∠d ➡ ∠b = ∠d

05 맞꼭지각

두 직선이 한 점에서 만날 때 생기는 네 각 ∠a, ∠b, ∠c, ∠d를 두 직선의 교각이라 해. 이때 ∠a와 ∠c, ∠b와 ∠d처럼 서로 마주 보는 각을 맞꼭지각이라 하지. 맞꼭지각의 크기는 서로 같아!

두 직선이 직각으로 만날 때!

두 직선이 직각으로 만나!
$$\overleftrightarrow{AB} \perp \overleftrightarrow{CD}$$

l은 선분 AB의 수직이등분선!
$$l \perp \overline{AB}$$
$$\overline{AM} = \overline{BM}$$

06 수직과 수선

두 직선 AB와 CD의 교각이 직각일 때, 두 직선은 직교한다고 하고, 기호로 $\overleftrightarrow{AB} \perp \overleftrightarrow{CD}$와 같이 나타내. 이때 두 직선은 서로 수직이고 한 직선은 다른 직선 의 수선이야.

한편 직선 l이 선분 AB의 중점 M을 지나면서 선분 AB에 수직일 때, 직선 l을 선분 AB의 수직이등분 선이라 해!

모든 도형의 기본!

점, 선, 면

내가 지나간 자리는 선이 되고

내가 지나간 자리는 면이 되지.

- **도형의 기본**
  - (1) 도형의 기본 요소: 점, 선, 면
  - (2) 점이 움직인 자리는 선이 되고, 선이 움직인 자리는 면이 된다.
  - 참고 선은 무수히 많은 점으로 이루어져 있고, 면은 무수히 많은 선으로 이루어져 있다.

직선

곡선

평면   곡면

- **도형의 종류**
  - (1) 평면도형: 삼각형, 원과 같이 한 평면 위에 놓여 있는 도형
  - (2) 입체도형: 직육면체, 원기둥과 같이 한 평면 위에 있지 않은 도형

평면도형   입체도형

- **교점과 교선**
  - (1) 교점: 선과 선 또는 선과 면이 만나서 생기는 점
  - (2) 교선: 면과 면이 만나서 생기는 선

교점

교점

교선
(직선)

교선
(곡선)

1ˢᵗ 도형 이해하기

● 다음 설명 중 옳은 것은 ○표, 옳지 않은 것은 ×표를 ( ) 안에 써넣으시오.

1 점, 선, 면을 도형의 기본 요소라 한다.
（   ）

2 점이 움직인 자리는 면이 된다. （   ）

3 면은 무수히 많은 선으로 이루어져 있다.
（   ）

4 교점은 선과 선이 만날 때만 생긴다. （   ）

5 면과 면이 만나면 교선이 생긴다. （   ）

6 한 평면 위에 있는 도형은 입체도형이다.
（   ）

7 삼각형, 사각형, 오각뿔은 평면도형이다.
（   ）

2ⁿᵈ — 입체도형과 평면도형 구분하기

8 다음 도형을 **보기**에서 모두 고르시오.

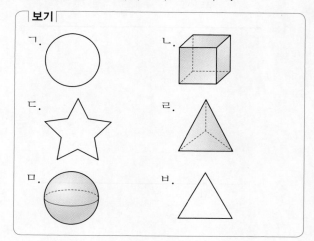

ㄱ.

ㄴ.

ㄷ.

ㄹ.

ㅁ.

ㅂ.

(1) 평면도형

(2) 입체도형

3ʳᵈ — 교점과 교선 이해하기

● 오른쪽 그림과 같은 직육면체에서 다음을 구하시오.

9 모서리 BC와 모서리 CG의 교점

10 모서리 AE와 모서리 EH의 교점

11 모서리 AD와 면 CGHD의 교점

12 모서리 GH와 면 AEHD의 교점

13 면 ABCD와 면 BFGC의 교선

14 면 ABFE와 면 AEHD의 교선

● 다음 그림과 같은 입체도형에서 교점과 교선의 개수를 각각 구하시오.

15

→ 교점: ☐ 개

교선: ☐ 개

16

→ 교점: ☐ 개

교선: ☐ 개

17

→ 교점: ☐ 개

교선: ☐ 개

18

→ 교점: ☐ 개

교선: ☐ 개

☺ **내가 발견한 개념**   교점, 교선의 개수와 같은 의미는?

입체도형에서

- (교점의 개수)=(☐☐☐ 의 개수)

- (교선의 개수)=(☐☐☐ 의 개수)

개념모음문제

19 오른쪽 그림과 같은 입체도형에 대한 **보기**의 설명 중 옳은 것만을 모두 고른 것은?

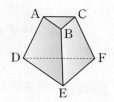

보기

ㄱ. 교점은 모두 6개이다.

ㄴ. 교선은 모두 6개이다.

ㄷ. 모서리 BE와 모서리 EF의 교점은 꼭짓점 B 이다.

ㄹ. 면 ABC와 면 ABED가 만나서 생기는 교선 은 모서리 AB이다.

① ㄱ, ㄴ   ② ㄱ, ㄷ   ③ ㄱ, ㄹ

④ ㄴ, ㄷ   ⑤ ㄷ, ㄹ

서로 다른 두 점을 곧게 지나는 선들!

직선, 반직선, 선분

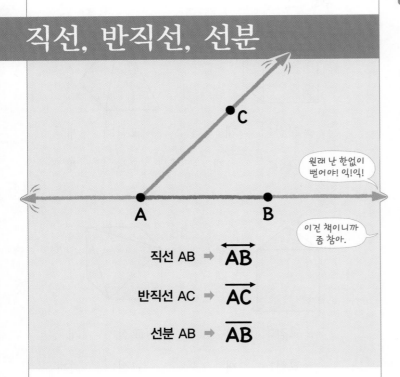

원래 난 한없이 뻗어야! 익!익!

이건 책이니까 좀 참아.

직선 AB ➡ $\overleftrightarrow{AB}$

반직선 AC ➡ $\overrightarrow{AC}$

선분 AB ➡ $\overline{AB}$

• **직선의 결정**: 한 점 A를 지나는 직선은 무수히 많지만 서로 다른 두 점 A, B를 지나는 직선은 오직 하나뿐이다.

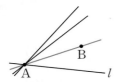

참고 보통 점은 영어 알파벳 대문자 A, B, C, …로 나타내고, 직선은 알파벳 소문자 l, m, n, …으로 나타낸다.

• **직선** AB($\overleftrightarrow{AB}$): 서로 다른 두 점 A, B를 지나 한없이 곧게 뻗은 선
• **반직선** AB($\overrightarrow{AB}$): 직선 AB 위의 점 A에서 시작하여 점 B의 방향으로 뻗은 직선의 일부분
• **선분** AB($\overline{AB}$): 직선 AB 위의 점 A에서 점 B까지의 부분

원리확인 다음 표를 완성하시오.

	도형	기호	읽는 방법
직선	A B	$\overleftrightarrow{AB}$ ($\overleftrightarrow{BA}$)	직선 AB (직선 BA)
반직선	A B		
	A B		
선분	A B		

● 다음 그림을 기호로 나타내시오.

1

M N

2

M N

3

M N

4

M N

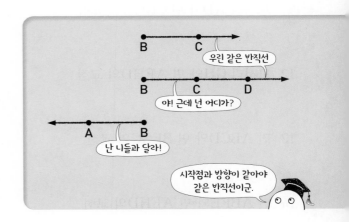

우린 같은 반직선

야! 근데 넌 어디가?

난 니들과 달라!

시작점과 방향이 같아야 같은 반직선이군.

● 다음 기호를 주어진 그림 위에 나타내시오.

5 $\overrightarrow{AB}$

6 $\overrightarrow{BC}$

7 $\overrightarrow{BA}$

8 $\overline{AC}$

9 $\overrightarrow{BC}$

10 $\overline{BC}$

● 다음 기호를 주어진 그림 위에 나타내고, ☐ 안에 두 그림이 같으면 ＝, 다르면 ≠를 써넣으시오.

11 $\overrightarrow{AB}$
$\overleftrightarrow{CD}$

→ $\overrightarrow{AB}$ ☐ $\overrightarrow{CD}$

12 $\overleftarrow{AC}$
$\overrightarrow{BC}$

→ $\overrightarrow{AC}$ ☐ $\overrightarrow{BC}$

13 $\overrightarrow{AC}$
$\overrightarrow{CA}$

→ $\overrightarrow{AC}$ ☐ $\overrightarrow{CA}$

14 $\overline{AC}$
$\overline{CA}$

→ $\overline{AC}$ ☐ $\overline{CA}$

15 $\overrightarrow{BD}$

$\overrightarrow{CD}$

→ $\overrightarrow{BD}$ ☐ $\overrightarrow{CD}$

16 $\overrightarrow{DA}$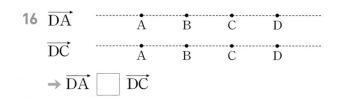

$\overrightarrow{DC}$

→ $\overrightarrow{DA}$ ☐ $\overrightarrow{DC}$

• 다음 ☐ 안에 = 또는 ≠를 써넣으시오.

17 $\overleftrightarrow{AB}$ ☐ $\overleftrightarrow{BA}$

18 $\overline{AB}$ ☐ $\overline{BA}$

19 $\overrightarrow{AB}$ ☐ $\overrightarrow{BA}$

• 다음 그림을 보고, ☐ 안에 알맞은 것을 보기에서 골라 써넣으시오.

┌─ 보기 ┐

$\overrightarrow{CA}$ $\overrightarrow{BA}$ $\overline{BA}$ $\overrightarrow{AB}$

$\overrightarrow{BC}$ $\overrightarrow{CB}$ $\overline{CB}$ $\overrightarrow{BC}$

20 $\overline{AC}=$ ☐

21 $\overleftrightarrow{AC}=$ ☐

22 $\overrightarrow{CA}=$ ☐

23 $\overrightarrow{AC}=$ ☐

24 $\overline{BC}=$ ☐

25 $\overline{AB}=$ ☐

개념모음문제

26 오른쪽 그림과 같이 직선 l 위에
세 점 P, Q, R가 차례로 있을 때,
다음 중 옳은 것을 모두 고르면?

(정답 2개)

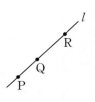

① $\overrightarrow{PQ} \neq \overrightarrow{QP}$ ② $\overrightarrow{PQ} = \overrightarrow{QR}$

③ $\overline{PQ} = \overline{QR}$ ④ $\overline{PR} = \overline{RP}$

⑤ $\overrightarrow{RP} = \overrightarrow{RQ}$

2ⁿᵈ 직선의 개수 구하기

- 다음 그림에서 주어진 점을 모두 지나는 직선을 긋고, 그 개수를 구하시오.

27 한 점 A를 지나는 직선

28 두 점 A, B를 지나는 서로 다른 직선의 개수

> 😊 **내가 발견한 개념**　　　　　점에 대한 직선의 개수는?
>
> - 한 점을 지나는 직선은 (무수히 많다. 오직 하나뿐이다.)
> - 서로 다른 두 점을 지나는 직선 오직 ☐ 뿐이므로 두 점은 한 직선을 결정함을 알 수 있다.

- 주어진 그림에 대하여 다음을 구하시오.

한 직선 위에
있지 않은 세 점 →

A •
　　　　• C
B •

29 두 점을 지나는 직선의 개수

30 두 점을 지나는 반직선의 개수

31 두 점을 지나는 선분의 개수

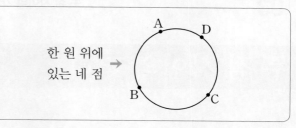

한 원 위에
있는 네 점 →

32 두 점을 지나는 서로 다른 직선의 개수

33 두 점을 지나는 서로 다른 반직선의 개수

34 두 점을 지나는 서로 다른 선분의 개수

> 😊 **내가 발견한 개념**　　　두 점을 지나는 반직선의 개수는?
>
> (두 점을 지나는 반직선의 개수)
> =(두 점을 지나는 직선의 개수)× ☐

개념모음문제

35 오른쪽 그림과 같이 직선 l 위에 네 점 P, Q, R, S가 있을 때, 이 중 두 점으로 만들 수 있는 서로 다른 직선의 개수를 a, 반직선의 개수를 b, 선분의 개수를 c라 할 때, $a+b+c$의 값은?

•——•——•——•—— l
P　Q　R　S

① 10　　　② 13　　　③ 15
④ 18　　　⑤ 20

두 점 사이의 거리

점 A와 점 B 사이의 거리 ➡ $\overline{AB}$

$$\overline{AM} = \overline{BM} = \frac{1}{2}\overline{AB}$$

• **두 점 A, B 사이의 거리**: 서로 다른 두 점 A와 B를 잇는 무수히 많은 선 중에서 길이가 가장 짧은 선인 선분 AB의 길이

두 점 A, B 사이의 거리

참고 기호 $\overline{AB}$는 선분 AB를 나타내기도 하고, 그 선분의 길이를 나타내기도 한다.
  • 두 선분 AB, CD의 길이가 같다. ➡ $\overline{AB}=\overline{CD}$
  • 선분 AB의 길이는 3 cm이다. ➡ $\overline{AB}=3$ cm

• **$\overline{AB}$의 중점**: 선분 AB 위의 한 점 M에 대하여 $\overline{AM}=\overline{BM}$일 때, 점 M을 선분 AB의 중점이라 한다.

선분 AB의 중점

참고 선분의 중점과 삼등분점을 표현하는 여러 가지 방법

선분의 중점	(그림)	① $\overline{AM}=\overline{BM}=\frac{1}{2}\overline{AB}$ ② $\overline{AB}=2\overline{AM}=2\overline{MB}$
선분의 삼등분점	(그림)	① $\overline{AM}=\overline{MN}=\overline{NB}=\frac{1}{3}\overline{AB}$ ② $\overline{AM}=\overline{MN}=\overline{NB}$ $\quad=\frac{1}{2}\overline{AN}$ $\quad=\frac{1}{2}\overline{MB}$ ③ $\overline{AN}=\overline{MB}=\frac{2}{3}\overline{AB}$

1st 두 점 사이의 거리 구하기

• 다음 그림을 보고, □ 안에 알맞은 수를 써넣으시오.

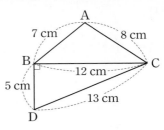

1 두 점 A, B 사이의 거리
  ➡ $\overline{AB}=$ □ cm

2 두 점 B, C 사이의 거리
  ➡ $\overline{BC}=$ □ cm

3 두 점 B, D 사이의 거리
  ➡ $\overline{BD}=$ □ cm

4 두 점 C, D 사이의 거리
  ➡ $\overline{CD}=$ □ cm

5 두 점 A, C 사이의 거리
  ➡ $\overline{AC}=$ □ cm

• 아래 그림을 보고, 다음 두 점 사이의 거리를 구하시오.

6 두 점 A, B

7 두 점 B, C

8 두 점 C, A

9 두 점 D, A

10 두 점 C, D

2nd ─ 선분의 중점 이해하기

• 다음 그림에서 점 M이 선분 AB의 중점일 때, ☐ 안에 알맞은 수를 써넣으시오.

11

(1) $\overline{AM} = \boxed{}\ \overline{AB} = \boxed{}$ (cm)

(2) $\overline{BM} = \boxed{}\ \overline{AB} = \boxed{}$ (cm)

(3) $\overline{AB} = \boxed{}\ \overline{AM} = \boxed{}\ \overline{BM}$

12

(1) $\overline{AM} = \boxed{}\ \overline{AB} = \boxed{}$ (cm)

(2) $\overline{BM} = \boxed{}\ \overline{AB} = \boxed{}$ (cm)

13

(1) $\overline{BM} = \overline{AM} = \boxed{}$ (cm)

(2) $\overline{AB} = \boxed{}\ \overline{AM} = \boxed{}$ (cm)

14

(1) $\overline{AM} = \overline{BM} = \boxed{}$ (cm)

(2) $\overline{AB} = \boxed{}\ \overline{BM} = \boxed{}$ (cm)

● 다음 □ 안에 알맞은 수를 써넣으시오.

15 점 M은 선분 AB의 중점, 점 N은 선분 AM의
중점, $\overline{MB}=12$ cm

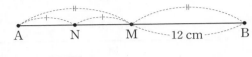

(1) $\overline{AM}=$ □ (cm)

(2) $\overline{NM}=$ □ $\overline{AM}=$ □ (cm)

(3) $\overline{AB}=$ □ $\overline{AM}=$ □ (cm)

16 점 M은 선분 AB의 중점, 점 N은 선분 AM의
중점, $\overline{AB}=30$ cm

(1) $\overline{MB}=$ □ $\overline{AB}=$ □ (cm)

(2) $\overline{AN}=$ □ $\overline{AM}$

= □ × $\overline{AB}$

= □ $\overline{AB}=$ □ (cm)

(3) $\overline{NB}=\overline{AB}-\overline{AN}$

= □ − □

= □ (cm)

17 점 M은 선분 AB의 중점, 점 N은 선분 MB의
중점, $\overline{AB}=28$ cm

(1) $\overline{MB}=$ □ $\overline{AB}=$ □ (cm)

(2) $\overline{MN}=$ □ $\overline{MB}$

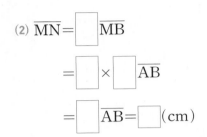

= □ × □ $\overline{AB}$

= □ $\overline{AB}=$ □ (cm)

(3) $\overline{AN}=\overline{AM}+\overline{MN}=\overline{MB}+\overline{MN}$

= □ (cm)

(4) $\overline{AB}=$ □ $\overline{MB}=2\times$ □ $\overline{MN}=$ □ $\overline{MN}$

18 점 M은 선분 AB의 중점, 점 N은 선분 BC의
중점, $\overline{MN}=8$ cm

(1) $\overline{MB}=$ □ $\overline{AB}$, $\overline{BN}=$ □ $\overline{BC}$

(2) $\overline{MN}=\overline{MB}+\overline{BN}=$ □ $\overline{AB}+$ □ $\overline{BC}$

= □ $(\overline{AB}+\overline{BC})=$ □ $\overline{AC}$

(3) $\overline{AC}=$ □ $\overline{MN}=$ □ (cm)

19 다음 그림에서 점 M은 선분 AB의 중점이고, 점 N은 선분 MB의 중점이다. $\overline{AB}=12$ cm일 때, $\overline{MN}$의 길이를 구하시오.

20 다음 그림에서 점 M은 선분 AB의 중점이고, 점 N은 선분 AM의 중점이다. $\overline{NM}=5$ cm일 때, $\overline{AB}$의 길이를 구하시오.

21 다음 그림에서 점 M은 선분 AB의 중점이고, 점 N은 선분 MB의 중점이다. $\overline{AB}=40$ cm일 때, $\overline{AN}$의 길이를 구하시오.

22 다음 그림에서 점 M은 선분 AB의 중점이고, 점 N은 선분 BC의 중점이다. $\overline{MN}=11$ cm일 때, $\overline{AC}$의 길이를 구하시오.

3rd — 삼등분점 이해하기

23 다음 그림에서 두 점 M, N은 선분 AB의 삼등분점이다. $\overline{AB}=18$ cm일 때, □ 안에 알맞은 수를 써넣으시오.

(1) $\overline{AB}=\boxed{}\overline{NB}$

(2) $\overline{MN}=\boxed{}\overline{AB}=\boxed{}$(cm)

(3) $\overline{AN}=\boxed{}\overline{MN}=\boxed{}$(cm)

24 다음 그림에서 두 점 M, N이 선분 AB의 삼등분점일 때, 다음 선분의 길이를 구하시오.

(1) $\overline{MN}$

(2) $\overline{MB}$

(3) $\overline{AB}$

개념모음문제

25 오른쪽 그림에서 두 점 B, C가 선분 AD의 삼등분점일 때, 다음 중 옳지 <u>않은</u> 것을 모두 고르면?

(정답 2개)

① $\overline{AD}=3\overline{CD}$ ② $\overline{AB}=\overline{CD}$

③ $\overline{AB}=\dfrac{1}{3}\overline{BD}$ ④ $\overline{CD}=\dfrac{1}{2}\overline{AC}$

⑤ $2\overline{AC}=\dfrac{2}{3}\overline{AD}$

04
각

두 반직선으로 이루어진 도형!

$$각\ AOB = \angle AOB$$

- **각 AOB**: 한 점 O에서 시작하는 두 반직선 OA, OB로 이루어진 도형
  → $\angle AOB$, $\angle BOA$, $\angle O$, $\angle a$
  참고 $\angle AOB$는 도형으로서 각 AOB를 나타내기도 하고 그 각의 크기를 나타내기도 한다.
- **각 AOB의 크기**: $\overrightarrow{OA}$가 꼭짓점 O를 중심으로 $\overrightarrow{OB}$까지 회전한 양
- **각의 분류**
  (1) 평각($180°$): 각의 두 변이 꼭짓점을 중심으로 반대쪽에 있고 한 직선을 이룰 때의 각
  (2) 직각($90°$): 평각의 크기의 $\frac{1}{2}$인 각
  (3) 예각: 크기가 $0°$보다 크고 $90°$보다 작은 각
  (4) 둔각: 크기가 $90°$보다 크고 $180°$보다 작은 각

(평각)$=180°$ (직각)$=90°$

$0°<$(예각)$<90°$ $90°<$(둔각)$<180°$

원리확인 다음 각이 예각이면 '예', 둔각이면 '둔', 직각이면 '직', 평각이면 '평'을 ( ) 안에 써넣으시오.

❶ $90°$ ( )   ❷ $42°$ ( )

❸ $109°$ ( )   ❹ $180°$ ( )

❺ $12°$ ( )   ❻ $157°$ ( )

1st — 각 이해하기

● 다음 설명 중 옳은 것은 ○표, 옳지 않은 것은 ✕표를 ( ) 안에 써넣으시오.

1 $\angle AOB$와 $\angle BOA$는 다른 각을 나타낸다.
( )

2 기호 $\angle AOB$는 도형으로서 각을 나타내기도 하고 각의 크기를 나타내기도 한다. ( )

3 평각의 크기는 $90°$이다. ( )

4 예각은 $0°$와 $90°$ 사이의 각이다. ( )

5 둔각은 $90°$보다 크거나 같고 $180°$보다 작은 각이다. ( )

6 평각의 크기의 $\frac{1}{2}$인 각은 직각이다. ( )

7 직각의 크기는 $90°$이다. ( )

● 아래 그림에서 네 점 A, B, C, D를 사용하여 각을 나타낼 때, 다음 □ 안에 알맞은 각을 써넣으시오.

8 ∠a → [   ] 또는 [   ]

9 ∠b → [   ] 또는 [   ]

10 ∠c → [   ] 또는 [   ]

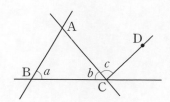

11 ∠a → [   ] 또는 [   ]

12 ∠b → [   ] 또는 [   ]

13 ∠c → [   ] 또는 [   ]

● 다음 그림을 보고 각을 평각, 직각, 예각, 둔각으로 분류하시오.

14 ∠AOD

15 ∠AOC

16 ∠BOC

17 ∠AOE

18 ∠BOD

19 ∠BOE

20 ∠COE

21 ∠EOA

😊 **내가 발견한 개념**   각을 분류해 봐!

• (직각)=[   ]°   • ([   ])=180°

• 0°<([   ])<90°   • [   ]°<(둔각)<[   ]°

● 다음 그림에서 x의 값을 구하시오.

22

직각의 크기는 90°야.

→ $x+50=$ ☐ 이므로 $x=$ ☐

23

24

25

26

27

28

29

직선이 주어지면 평각을 떠올려! 평각의 크기는 180°야.

→ $x+43=$ ☐ 이므로 $x=$ ☐

30

31

32

33

$5x° + 5°$ $2x° + 35°$

34

$2x° - 25°$ $4x° - 5°$

35

$3x°$ $x°$ $2x°$

∠AOB=45°일 때

난 각 AOB

⇒ ∠a=45°

난 각 AOB의 크기

⇒ $a°=45°$에서 a=45

● 평각의 크기는 180°임을 이용하여 다음 그림에서
∠x, ∠y, ∠z의 크기를 각각 구하시오.

36 ∠x : ∠y : ∠z = 2 : 3 : 4

➡ ∠x = 180° × $\dfrac{\boxed{}}{2+3+4}$ = $\boxed{}$°

∠y = 180° × $\dfrac{\boxed{}}{2+3+4}$ = $\boxed{}$°

∠z = 180° × $\dfrac{\boxed{}}{2+3+4}$ = $\boxed{}$°

37 ∠x : ∠y : ∠z = 5 : 8 : 2

38 ∠x : ∠y : ∠z = 3 : 1 : 2

39 ∠x : ∠y : ∠z = 7 : 6 : 5

05

맞꼭지각

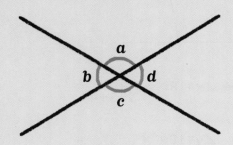

∠a의 맞꼭지각은 ∠c ➡ ∠a = ∠c

∠b의 맞꼭지각은 ∠d ➡ ∠b = ∠d

- **교각**: 두 직선이 한 점에서 만날 때 생기는 4개의 각
  ➡ ∠a, ∠b, ∠c, ∠d
- **맞꼭지각**: 두 직선이 한 점에서 만날 때 생기는 4개의 각 중 서로 마주 보는 두 각
  ➡ ∠a와 ∠c, ∠b와 ∠d
- **맞꼭지각의 성질**: 맞꼭지각의 크기는 서로 같다.
  ➡ ∠a=∠c, ∠b=∠d

(참고) 평각은 서로 다른 두 직선이 한 점에서 만나 이루어지는 각이 아니므로 맞꼭지각에서 제외한다.

맞꼭지각의 크기는 정말 같을까?

두 직선이 한 점에서 만날 때

∠a+∠b=180°
또 ∠b+∠c=180° 이므로
∠a=∠c

1st 맞꼭지각 구하기

● 아래 그림에 대하여 다음 각의 맞꼭지각을 구하시오.

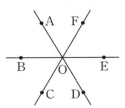

1 ∠AOB

2 ∠AOF

3 ∠BOD

4 ∠DOF

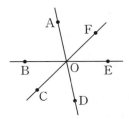

5 ∠AOE

6 ∠BOF

7 ∠COD

8 ∠EOF

우린 맞꼭지각이 아니야!

난 두 직선이 만난 게 아니고

난 직선이 하나니까.

2ⁿᵈ — 맞꼭지각의 성질을 이용하여 각의 크기 구하기

• 다음 그림에서 ∠x 또는 ∠x, ∠y의 크기를 각각 구하시오.

• 다음 그림에서 x의 값을 구하시오.

9

10

11

12

13

14

15

16

17

18

😊 내가 발견한 개념　　　　　　　　　　　맞꼭지각을 찾아봐!

→ ∠a + ☐ = ☐

● 다음 그림에서 $\angle x$, $\angle y$의 크기를 각각 구하시오.

19

평각을 이용해~

➡ $\angle x =$ [＿＿＿]$^\circ$ (맞꼭지각)

$130^\circ + \angle y =$ [＿＿＿]$^\circ$ 이므로 $\angle y =$ [＿＿＿]$^\circ$

20

21

22

23

24

25

26

27

28

● 다음 그림에서 x의 값을 구하시오.

29

→ $x+70+50=$ ☐ 이므로 $x=$ ☐

30

31

32

33

34

35

36

😊 내가 발견한 개념   ∠a의 맞꼭지각을 찾아봐!

→ ∠a+∠b+∠$c=$ ☐

개념모음문제

37 오른쪽 그림에서
$x+y$의 값은?

① 90   ② 93
③ 100   ④ 103
⑤ 110

06

두 직선이 직각으로 만날 때!

수직과 수선

두 직선이 직각으로 만나!

$$\overleftrightarrow{AB} \perp \overleftrightarrow{CD}$$

l은 선분 AB의 수직이등분선!

$$l \perp \overline{AB}$$
$$\overline{AM} = \overline{BM}$$

- **직교**: 두 선분 AB, CD의 교각이 직각일 때, 이 두 선분은 서로 직교한다고 한다. → $\overline{AB} \perp \overline{CD}$
- **수직과 수선**: 직교하는 두 선분은 서로 수직이라 하고, 한 선분을 다른 선분의 수선이라고 한다.
- **수직이등분선**: 선분 AB의 중점 M을 지나고 선분 AB에 수직인 직선 l을 선분 AB의 수직이등분선이라고 한다.
- **수선의 발**: 직선 l 위에 있지 않은 점 P에서 직선 l에 수선을 그어 생기는 교점 H를 수선의 발이라고 한다.
- **점과 직선 사이의 거리**: 직선 l 위에 있지 않은 점 P에서 직선 l에 내린 수선의 발 H까지의 거리, 즉 점 P와 직선 l 사이의 거리는 선분 PH의 길이이다.

  참고 점 P에서 직선 l에 그을 수 있는 여러 선분 중에서 길이가 가장 짧은 선분이 $\overline{PH}$이다.

점 P와 직선 l 사이의 거리

수선의 발

원리확인 오른쪽 그림에서 ∠AOC=90° 일 때, □ 안에 알맞은 것을 써넣으시오.

❶ $\overleftrightarrow{AB}$ □ $\overleftrightarrow{CD}$

❷ 점 C에서 $\overleftrightarrow{AB}$에 내린 수선의 발은 점 □ 이다.

❸ $\overline{AO}=\overline{BO}$이면 $\overleftrightarrow{CD}$는 $\overleftrightarrow{AB}$의 □ 이다.

1st — 직교와 수선 이해하기

● 다음 그림과 같은 사다리꼴 ABCD에 대한 설명 중 옳은 것은 ○표, 옳지 않은 것은 ×표를 ( ) 안에 써넣으시오.

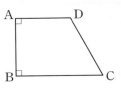

1 $\overline{AB} \perp \overline{CD}$　　　　　　　(　)

2 $\overline{AD}$와 직교하는 선분은 $\overline{AB}$이다.　(　)

3 $\overline{AD}$의 수선은 $\overline{CD}$이다.　　　　(　)

4 $\overline{AB}$는 $\overline{BC}$의 수선이다.　　　　(　)

● 다음 도형에서 $\overline{AB}$의 수선을 모두 찾아 $\overline{AB}$와 직교함을 기호 ⊥을 사용하여 나타내시오.

5

→ $\overline{AB}$ □ $\overline{AD}$, $\overline{AB} \perp$ □

6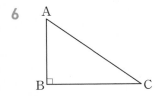

2ⁿᵈ — 수직이등분선 이해하기

● 다음 그림에서 직선 PM은 선분 AB의 수직이등분선이다.
$\overline{\text{AM}}=5$ cm일 때, □ 안에 알맞은 것을 써넣으시오.

7 $\overline{\text{AB}}\perp$ □

8 $\overline{\text{AB}}$의 수선은 □ 이다.

9 $\overline{\text{BM}}=$ □ (cm)

10 $\angle\text{AMP}=$ □ °

11 $\angle\text{BMP}=$ □ °

☺ 내가 발견한 개념   용어와 뜻을 바르게 연결해 봐~

직각 •   • 두 선분이 직각으로 만나는 것

수직 •   • 크기가 90°인 각

직교 •   • 두 선분이 이루는 각의 크기가 직각인 것

수선 •   • 서로 직교하는 두 선분에서 한 선분을
                      다른 선분을 기준으로 부르는 것

3ʳᵈ — 수선의 발과 점과 직선 사이의 거리 이해하기

● 다음 그림의 네 점 A, B, C, D에서 직선 l에 내린 수선의
발을 각각 A′, B′, C′, D′이라 할 때, 물음에 답하시오.
(단, 모눈 한 칸의 길이는 모두 1이다.)

12 (1) A′, B′, C′, D′을 각각 그림 위에 나타내시오.

(2) 네 점 A, B, C, D와 직선 l 사이의 거리를 차
례로 구하시오.

(3) 네 점 A, B, C, D 중 직선 l과의 거리가 가장
가까운 점을 구하시오.

(4) 네 점 A, B, C, D 중 직선 l과의 거리가 가장
먼 점을 구하시오.

13 (1) A′, B′, C′, D′을 각각 그림 위에 나타내시오.

(2) 네 점 A, B, C, D와 직선 l 사이의 거리를 차
례로 구하시오.

(3) 네 점 A, B, C, D 중 직선 l과의 거리가 같은
두 점을 구하시오.

(4) 네 점 A, B, C, D 중 직선 l과의 거리가 가장
먼 점을 구하시오.

● 아래 그림을 보고, 다음을 구하시오.

14

(1) 점 A에서 $\overline{CD}$에 내린 수선의 발

(2) 점 A와 $\overline{CD}$ 사이의 거리

(3) 점 A와 $\overline{BC}$ 사이의 거리

15

A
17 cm
8 cm
10 cm
B
H
C

(1) 점 A에서 $\overline{BC}$에 내린 수선의 발

(2) 점 A와 $\overline{BC}$ 사이의 거리

16

A
10 cm
13 cm
D
5 cm
B
12 cm
C

(1) 점 B에서 $\overline{CD}$에 내린 수선의 발

(2) 점 B와 $\overline{CD}$ 사이의 거리

● 아래 그림과 같은 직육면체에 대하여 다음을 구하시오.

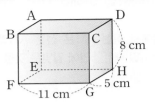

17 점 A에서 $\overline{BC}$에 내린 수선의 발

18 점 H에서 $\overline{FG}$에 내린 수선의 발

19 점 C와 $\overline{AD}$ 사이의 거리

20 점 G와 $\overline{EF}$ 사이의 거리

수학에서의 거리는 항상 최단 거리를 말해!

점과 점 사이　　점과 선 사이　　선과 선 사이

개념모음문제

21 오른쪽 그림과 같은 사 다리꼴 ABCD에 대한 다음 설명 중 옳지 <u>않은</u> 것을 모두 고르면?

(정답 2개)

① 점 C에서 $\overline{AB}$에 내린 수선의 발은 점 B이다.
② $\overline{CD}$와 수직으로 만나는 선분은 $\overline{AD}$, $\overline{BC}$이다.
③ $\overline{AB}$와 직교하는 선분의 개수는 2이다.
④ 점 D와 $\overline{AB}$ 사이의 거리는 6 cm이다.
⑤ 점 D와 $\overline{BC}$ 사이의 거리는 15 cm이다.

TEST 1. 기본 도형

1 오른쪽 그림과 같은 입체도형에서 교점의 개수를 a, 교선의 개수를 b라 할 때, $2a+b$의 값을 구하시오.

2 아래 그림과 같이 직선 l 위에 4개의 점 A, B, C, D가 있다. 다음 중 같은 것끼리 짝지은 것을 모두 고르면? (정답 2개)

① $\overrightarrow{BC}$와 $\overrightarrow{BC}$
② $\overrightarrow{AC}$와 $\overrightarrow{CD}$
③ $\overline{AC}$와 $\overline{BD}$
④ $\overrightarrow{AC}$와 $\overrightarrow{CA}$
⑤ $\overrightarrow{CA}$와 $\overrightarrow{CB}$

3 다음 그림에서 두 점 M, N은 각각 $\overline{AB}$, $\overline{BC}$의 중점이고, $\overline{MN}=15$ cm일 때, $\overline{AC}$의 길이를 구하시오.

4 오른쪽 그림에서 ∠COD의 크기는?

① 68°
② 70°
③ 72°
④ 74°
⑤ 76°

5 오른쪽 그림에서 $x+y$의 값을 구하시오.

6 아래 그림에 대한 다음 설명 중 옳지 <u>않은</u> 것은?

① $\overline{AB}$와 $\overline{BC}$의 교점은 점 B이다.
② $\overline{BC}$의 수선은 $\overline{AB}$와 $\overline{CD}$이다.
③ 점 B에서 $\overline{CD}$에 내린 수선의 발은 점 C이다.
④ 점 A와 $\overline{CD}$ 사이의 거리는 10 cm이다.
⑤ 점 D와 $\overline{BC}$ 사이의 거리는 4 cm이다.

2

점·선·면의,
위치 관계

도대체 우리는 만날 수 있는 거야? 없는 거야?

점은 직선 또는 평면 위에 있거나, 있지 않거나!

직선 *l* 위에 있다.

l

직선과 평면 위에 있지 않다.

평면 *P* 위에 있다.

P

01 점과 직선, 점과 평면의 위치 관계

점과 직선의 위치 관계는 두 가지 경우가 있어. 점이 직선 위에 있는 경우와 점이 직선 위에 있지 않는 경우야!

마찬가지로 점과 평면의 위치 관계도 두 가지 경우가 있어. 점이 평면 위에 있는 경우와 점이 평면 위에 있지 않은 경우야!

두 직선은 만나거나, 만나지 않거나!

❶ 한 점에서 만난다.

l
m
교점이 1개

만난다.

❷ 일치한다.

l, m
교점이 무수히 많다.

❸ 평행하다.
(*l* ∥ *m*)

l
m
교점이 없다.

만나지 않는다.

02 평면에서 두 직선의 위치 관계

한 평면 위에서 두 직선은 *l, m*의 위치 관계는 다음 세 가지 경우가 있어.

① 한 점에서 만난다.

② 일치한다.

③ 평행하다.

평면에서 두 직선이 만날 때는 두 직선이 한 점에서 만나는 것과 일치하는 경우가 있고, 만나지 않는 경우는 평행할 때야.

두 직선 *l, m*이 평행할 때 이것을 기호로 *l* ∥ *m*과 같이 나타내!

두 직선은 한 평면 위에 있거나, 있지 않거나!

❶ 한 점에서 만난다.

❷ 일치한다.

두 직선 *l*과 *m*은 한 평면 위에 있어!

❸ 평행하다. ($l /\!/ m$)

❹ 꼬인 위치에 있다.

두 직선 *l*과 *m*은 한 평면 위에 있지 않아!

만난다.

만나지 않는다.

직선과 평면이 만나거나, 만나지 않거나!

❶ 한 점에서 만난다.

❷ 포함된다.

❸ 평행하다. ($l /\!/ P$)

만난다.

만나지 않는다.

공간에서 두 평면은 만나거나, 만나지 않거나!

❶ 한 직선에서 만난다.

❷ 일치한다. ($P = Q$)

❸ 평행하다. ($P /\!/ Q$)

만난다.

만나지 않는다.

03 공간에서 두 직선의 위치 관계

공간에서 두 직선의 위치 관계는 평면에서 두 직선의 위치 관계에 꼬인 위치에 있는 경우가 추가된 거야!
공간에서 두 직선이 만나지도 않고 평행하지도 않을 때가 있어. 이때의 두 직선을 꼬인 위치에 있다고 해. 꼬인 위치에 있는 두 직선은 한 평면 위에 있지 않아!

04 공간에서 직선과 평면의 위치 관계

공간에서 직선 *l*과 평면 *P*의 위치 관계는 다음 세 가지 경우가 있어.
① 한 점에서 만난다.
② 포함된다.
③ 평행하다.
공간에서 직선과 평면이 만날 때는 공간과 직선이 한 점에서 만나거나 직선이 공간에 포함될 때이고, 만나지 않는 경우는 평행할 때야.
직선 *l*과 평면 *P*가 평행할 때, 이것을 기호로 $l /\!/ P$ 와 같이 나타내!

05 공간에서 두 평면의 위치 관계

공간에서 두 평면 *P*, *Q*의 위치 관계는 다음 세 가지 경우가 있어.
① 한 직선에서 만난다.
② 일치한다.
③ 평행하다.
공간에서 두 평면이 만날 때는 두 평면이 한 직선에서 만나거나 일치할 때이고, 만나지 않을 경우는 평행할 때야.
두 평면 *P*, *Q*가 평행할 때, 이것을 기호로 $P /\!/ Q$와 같이 나타내!

01

점은 직선 또는 평면 위에 있거나, 있지 않거나!

점과 직선, 점과 평면의 위치 관계

직선 *l* 위에 있다.

직선과 평면 위에 있지 않다.

평면 *P* 위에 있다.

P

- **점과 직선의 위치 관계**

  (1) 점 A는 직선 *l* 위에 있다.

  (2) 점 B는 직선 *l* 위에 있지 않다.

  참고 '점 B가 직선 *l* 위에 있지 않을 때 점 B는 직선 *l* 밖에 있다.'라고도 한다.

  •B

  A

  l

- **점과 평면의 위치 관계**

  (1) 점 A는 평면 *P* 위에 있다.

  (2) 점 B는 평면 *P* 위에 있지 않다.

  참고 '점 B가 평면 *P* 위에 있지 않을 때 점 B는 평면 *P* 밖에 있다.'라고도 한다.

  B•

  A• *P*

원리확인 다음 그림에 대하여 옳은 것에 ○표를 하시오.

❶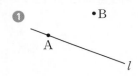
•B

A

l

(1) 점 A는 직선 *l* 위에 (있다, 있지 않다).

(2) 점 B는 직선 *l* 위에 (있다, 있지 않다).

❷
B•

A•

P

(1) 점 A는 평면 *P* 위에 (있다, 있지 않다).

(2) 점 B는 평면 *P* 위에 (있다, 있지 않다).

1ˢᵗ — 점과 직선, 점과 평면의 위치 관계 이해하기

● 아래 그림에서 다음을 구하시오.

1 직선 *l* 위에 있는 점 ➡ 점 ⬜ , 점 ⬜

2 직선 *m* 위에 있는 점

3 직선 *l* 위에 있지 않은 점

4 직선 *m* 위에 있지 않은 점

5 두 직선 *l*, *m* 위에 동시에 있는 점

6 두 직선 *l*, *m* 중 어느 직선 위에도 있지 않은 점

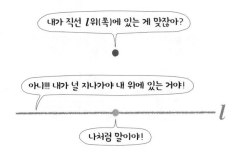

내가 직선 *l* 위(쪽)에 있는 게 맞잖아?

아니!!! 내가 널 지나가야 내 위에 있는 거야!

l

나처럼 말이야!

● 다음 그림의 삼각뿔에 대하여 옳은 것에 ○표를 하시오.

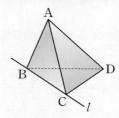

7 점 A는 직선 l 위에 (있다, 있지 않다).

8 점 B는 직선 l 위에 (있다, 있지 않다).

9 점 C는 직선 l 위에 (있다, 있지 않다).

10 점 D는 직선 l 위에 (있다, 있지 않다).

● 아래 그림을 보고 다음을 구하시오.

11 평면 P 위에 있는 점

12 평면 P 위에 있지 않은 점

● 아래 그림과 같은 삼각기둥에 대하여 다음을 구하시오.

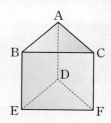

13 꼭짓점 A를 지나는 모서리

14 모서리 EF 위에 있는 꼭짓점

15 면 ADFC 위에 있는 꼭짓점

16 면 ABC 위에 있지 않은 꼭짓점

17 꼭짓점 D와 꼭짓점 E를 동시에 포함하는 면

개념모음문제

18 오른쪽 그림과 같이 직선 l 이 평면 P 위에 있을 때, 다섯 개의 점 A, B, C, D, E에 대하여 다음 **보기** 중 옳은 것만을 모두 고른 것은?

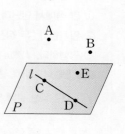

보기
ㄱ. 평면 P 위에 있는 점은 3개이다.
ㄴ. 직선 l 위에 있지 않은 점은 2개이다.
ㄷ. 평면 P 위에 있지 않은 점은 점 A, 점 B, 점 E이다.
ㄹ. 점 E는 평면 P 위에 있지만 직선 l 위에 있지는 않다.

① ㄱ, ㄴ　　② ㄱ, ㄷ　　③ ㄱ, ㄹ
④ ㄴ, ㄷ　　⑤ ㄷ, ㄹ

😊 내가 발견한 개념　　　　　　정과 직선, 점과 평면의 위치 관계는?

• 한 점이 직선 위에 있다.
→ 직선이 그 점을 (지난다, 지나지 않는다).
• 한 점이 평면 위에 있다.
→ 평면이 그 점을 (포함한다, 포함하지 않는다).

평면에서 두 직선의 위치 관계

❶ 한 점에서 만난다.

교점이 1개

만난다.

❷ 일치한다.

l, m

교점이 무수히 많다.

❸ 평행하다.
(*l∥m*)

l

m

만나지 않는다.

교점이 없다.

• **두 직선의 평행:** 한 평면 위에 있는 두 직선 *l*, *m*이 만나지 않을 때, 두 직선 *l*, *m*은 평행하다고 한다. 이것을 기호로 *l∥m*과 같이 나타 낸다.

• **평면에서 두 직선의 위치 관계:** 한 평면 위에 있는 두 직선 *l*, *m*의 위치 관계는 다음 세 가지 경우가 있다.
① 한 점에서 만난다.
② 일치한다.(두 직선이 같다.)
③ 평행하다.(*l∥m*)

참고 평면이 하나로 결정되는 경우

한 직선 위에 있지 않은 세 점	한 직선과 그 직선 밖의 한 점
한 점에서 만나는 두 직선	서로 평행한 직선

서로 다른 두 점 또는 한 직선 위에 있는 세 점은 하나의 평면을 결정 하지 못한다.

1st ─ 평면에서 두 직선의 위치 관계 이해하기

● 다음 그림에 대하여 옳은 것에 ○표를 하시오.

1 직선 *k*와 직선 *l*은
(한 점에서 만난다, 만나지 않는다, 일치한다).

2 직선 *k*와 직선 *n*은
(한 점에서 만난다, 평행하다, 일치한다).

3 선분 AB와 선분 BD는
(한 점에서 만난다, 만나지 않는다, 일치한다).

4 선분 AC와 선분 BD는
(한 점에서 만난다, 평행하다, 일치한다).

5 선분 CD와 선분 DC는
(한 점에서 만난다, 평행하다, 일치한다).

😊 **내가 발견한 개념**   평면에서 두 직선의 알맞은 위치 관계에 선을 그어 봐!

평면에서 두 직선이 •
만나지 않는다.

• 두 직선은
평행하지 않다.

평면에서 두 직선이 •
한 점에서 만난다.

• 두 직선은
평행하다.

● 아래 그림과 같은 평행사변형 ABCD에 대하여 다음을 모두 구하시오.

6 변 AB와 한 점에서 만나는 변

7 변 BC와 한 점에서 만나는 변

8 변 AD와 평행한 변

● 아래 그림과 같은 직사각형 ABCD에 대하여 다음을 모두 구하시오.

9 변 AB와 한 점에서 만나는 변

10 변 BC와 수직으로 만나는 변

11 변 BC와 평행한 변

● 아래 그림과 같은 정팔각형에서 각 변을 연장한 직선에 대하여 다음을 구하시오.

각 변을 연장한 직선을 그려서 확인해.

12 직선 AB와 평행한 직선

13 직선 AH와 한 점에서 만나는 직선

14 직선 BC와 만나지 않는 직선

15 교점이 D인 두 직선

☺ 내가 발견한 개념 ─── 평면에서 두 직선의 위치 관계의 교점의 개수는?

• 교점이 ☐ 개: 평행하다.

• 교점이 ☐ 개: 한 점에서 만난다.

• 교점이 ☐ 개 이상: 일치한다.

개념모음문제

16 오른쪽 그림의 사다리꼴 ABCD에 대한 다음 설명 중 옳지 <u>않은</u> 것을 모두 고르면? (정답 2개)

① $\overline{AB}$ ∥ $\overline{DC}$

② $\overline{AD}$ ∥ $\overline{BC}$

③ $\overline{AB}$ ⊥ $\overline{DC}$

④ $\overline{BC}$ ⊥ $\overline{AB}$

⑤ $\overline{AD}$와 $\overline{AB}$는 한 점에서 만난다.

우리가 안 만날 것 같지?

우리는 한없이 곧게 벋는 선이니까 한 점에서 반드시 만나!

나 평면도 한없이 벋어 나가지!

책에 싣다 보니 유한한 형태로 그려진 것일 뿐!

두 직선은 한 평면 위에 있거나, 있지 않거나!

공간에서 두 직선의 위치 관계

❶ 한 점에서 만난다.

만난다.

❷ 일치한다.

두 직선 *l*과 *m*은 한 평면 위에 있어!

❸ 평행하다. (*l* // *m*)

만나지 않는다.

❹ 꼬인 위치에 있다.

두 직선 *l*과 *m*은 한 평면 위에 있지 않아!

• **꼬인 위치**: 공간에서 두 직선이 서로 만나지도 않고 평행하지도 않을 때, 두 직선은 꼬인 위치에 있다고 한다. 이때 두 직선은 한 평면 위에 있지 않다.

• **공간에서 두 직선의 위치 관계**: 공간에서 두 직선 *l*, *m*의 위치 관계는 다음 네 가지 경우가 있다.
① 한 점에서 만난다.   ② 일치한다.
③ 평행하다. (*l* // *m*)   ④ 꼬인 위치에 있다.

원리확인 다음 그림과 같은 정육면체에서 색칠한 두 모서리의 위치 관계로 알맞은 것끼리 연결하시오.

 •

• 한 점에서 만난다.

 •

• 일치한다.

 •

• 평행하다.

 •

• 꼬인 위치에 있다.

● 다음 위치 관계를 만족시키는 모서리를 모두 구하고, 주어진 직육면체 위에 모두 나타내시오.

1 모서리 AB와 한 점에서 만나는 모서리

입체도형에서 위치 관계를 말할 때에는 각 모서리를 직선으로 생각한다.

→ $\overline{AD}$, ☐ , ☐ , ☐

2 모서리 BC와 한 점에서 만나는 모서리

3 모서리 CG와 한 점에서 만나는 모서리

4 모서리 EH와 한 점에서 만나는 모서리

5 모서리 AB와 평행한 모서리

→ $\overline{CD}$, ☐ , ☐

6 모서리 BF와 평행한 모서리

7 모서리 FG와 평행한 모서리

8 모서리 DH와 평행한 모서리

9 모서리 AB와 꼬인 위치에 있는 모서리

→ $\overline{DH}$, ☐ , ☐ , ☐

10 모서리 CG와 꼬인 위치에 있는 모서리

11 모서리 FG와 꼬인 위치에 있는 모서리

12 모서리 DH와 꼬인 위치에 있는 모서리

😊 **내가 발견한 개념** 공간에서 두 직선의 위치 관계는?

• 공간에서 두 직선이 만난다.

→ (한 점에서 만난다, 일치한다, 평행하다, 꼬인 위치에 있다).

• 공간에서 두 직선이 만나지 않는다.

→ (한 점에서 만난다, 일치한다, 평행하다, 꼬인 위치에 있다).

• 공간에서 두 직선이 한 평면 위에 있다.

→ (한 점에서 만난다, 일치한다, 평행하다, 꼬인 위치에 있다).

● 아래 주어진 입체도형에 대하여 다음을 모두 구하시오.

13 삼각뿔

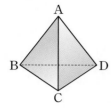

(1) 모서리 AC와 한 점에서 만나는 모서리

(2) 모서리 BC와 꼬인 위치에 있는 모서리

(3) 모서리 CD와 만나지도 않고 평행하지도 않는
모서리

14 삼각기둥

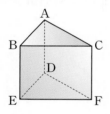

(1) 모서리 AC와 한 점에서 만나는 모서리

(2) 모서리 BE와 평행한 모서리

(3) 모서리 EF와 꼬인 위치에 있는 모서리

15 사각뿔

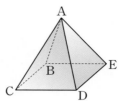

(1) 모서리 BE와 한 점에서 만나는 모서리

(2) 모서리 AE와 꼬인 위치에 있는 모서리

(3) 모서리 CD와 만나지도 않고 평행하지도 않는
모서리

16 사각기둥

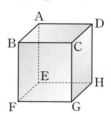

(1) 모서리 BC와 한 점에서 만나는 모서리

(2) 모서리 GH와 평행한 모서리

(3) 모서리 BF와 꼬인 위치에 있는 모서리

17 직육면체

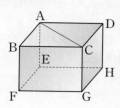

(1) 선분 AC와 한 점에서 만나는 모서리

(2) 모서리 BC와 평행한 모서리

(3) 선분 AC와 꼬인 위치에 있는 모서리

18 잘라 낸 입체도형

직육면체를 세 꼭짓점 A, B, E를 지나는 평면으로 잘라 낸거야!

(1) 모서리 AE와 한 점에서 만나는 모서리

(2) 모서리 EF와 평행한 모서리

(3) 모서리 CG와 꼬인 위치에 있는 모서리

● 아래 그림과 같은 오각기둥에서 각 모서리를 연장한 직선을 그을 때, 다음 설명 중 옳은 것은 ○표, 옳지 않은 것은 ×표를 ( ) 안에 써넣으시오.

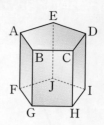

19 직선 AF와 직선 CH는 평행하다.　(　)

20 직선 BC는 직선 IJ는 꼬인 위치에 있다.

(　)

21 직선 AB와 직선 CD는 만나지 않는다.　(　)

22 직선 GH와 직선 FJ는 한 점에서 만난다.

(　)

23 직선 AE와 꼬인 위치에 있는 직선은 6개이다.

(　)

😊 내가 발견한 개념　　　공간에서 두 직선의 위치 관계의 교점의 개수는?

• 교점이 [　] 개: 평행하거나 꼬인 위치에 있다.

• 교점이 [　] 개: 한 점에서 만난다.

• 교점이 [　] 개 이상: 일치한다.

개념모음문제

24 다음 중 옳은 것을 모두 고르면? (정답 2개)

① 만나지 않는 두 직선은 한 평면 위에 있지 않다.

② 한 평면 위에서 두 직선이 만나면 한 점에서 만난다.

③ 한 평면 위에 있는 두 직선이 만나지 않으면 평행하다.

④ 꼬인 위치에 있는 두 직선은 한 평면 위에 있지 않다.

⑤ 서로 다른 두 직선을 포함하는 평면은 항상 존재한다.

04

직선과 평면이 만나거나, 만나지 않거나!

공간에서 직선과 평면의 위치 관계

❶ 한 점에서 만난다.

만난다.

❷ 포함된다.

❸ 평행하다. (*l* // *P*)

만나지 않는다.

• 공간에서 직선과 평면의 위치 관계: 공간에서 직선 *l*과 평면 *P*의 위치 관계는 다음 세 가지 경우가 있다.

① 한 점에서 만난다.　② 포함된다.　③ 평행하다. (*l* // *P*)

(참고) 공간에서 직선 *l*과 평면 *P*가 서로 평행할 때, 이것을 기호로 *l* // *P*와 같이 나타낸다.

• 직선과 평면의 수직: 직선 *l*과 평면 *P* 가 한 점 H에서 만나고, 직선 *l*이 점 H를 지나는 평면 *P* 위의 모든 직선과 서로 수직일 때, 직선 *l*은 평면 *P*와 서로 수직이다 또는 서로 직교한다고 한다. → *l* ⊥ *P*

점 A와 평면 *P* 사이의 거리

이때 $\overline{AH}$의 길이를 점 A와 평면 *P* 사이의 거리라 한다.

(원리확인) 다음 그림과 같은 정육면체에서 색칠한 면과 색선의 위치 관계로 알맞은 것끼리 연결하시오.

• 한 점에서 만난다.

• 평행하다.

• 직선이 평면에 포함된다.

1st 공간에서 직선과 평면의 위치 관계 이해하기

● 다음 위치 관계를 만족시키는 면 또는 모서리를 모두 구하고, 주어진 정육면체 위에 나타내시오.

1 면 ABCD와 한 점에서 만나는 모서리

입체도형에서 위치 관계를 말할 때는 각 모서리는 직선으로, 각 면은 평면으로 확장하여 생각한다.

→ $\overline{AE}$, ☐ , ☐ , ☐

2 면 ABFE와 한 점에서 만나는 모서리

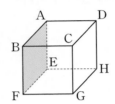

3 면 BFGC와 한 점에서 만나는 모서리

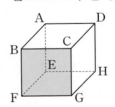

4 면 CGHD와 한 점에서 만나는 모서리

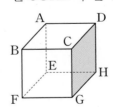

5 면 AEHD와 한 점에서 만나는 모서리

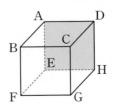

6 면 ABCD와 평행한 모서리

→ $\overline{\text{EF}}$, ☐ , ☐ , ☐

7 면 ABFE와 평행한 모서리

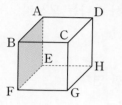

8 면 BFGC와 평행한 모서리

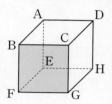

9 면 CGHD와 평행한 모서리

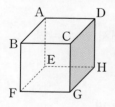

10 면 AEHD와 평행한 모서리

11 모서리 AB를 포함하는 면

→ 면 ABCD, 면 ☐

12 모서리 BF를 포함하는 면

13 모서리 EH를 포함하는 면

14 모서리 BC를 포함하는 면

15 모서리 DH를 포함하는 면

16 모서리 AD와 수직인 면

→ 면 ABFE, 면 [   ]

17 모서리 AE와 수직인 면

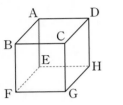

18 모서리 EF와 수직인 면

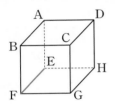

19 모서리 FG와 수직인 면

● 아래 주어진 입체도형에 대하여 다음을 모두 구하시오.

20 삼각기둥

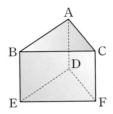

(1) 모서리 AB를 포함하는 면

(2) 면 ABC와 한 점에서 만나는 모서리

(3) 모서리 AD와 평행한 면

(4) 모서리 AD와 수직인 면

21 밑면이 사다리꼴인 사각기둥

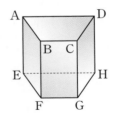

(1) 모서리 CD와 한 점에서 만나는 면

(2) 모서리 AD와 평행한 면

(3) 면 BFGC와 평행한 모서리

(4) 면 EFGH와 수직인 모서리

22 잘라 낸 입체도형

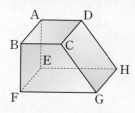

(1) 면 CGHD에 포함되는 모서리

(2) 면 ABFE와 한 점에서 만나는 모서리

(3) 면 BFGC와 수직인 모서리

(4) 모서리 CD와 수직인 면

23 육각기둥

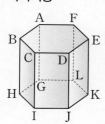

(1) 모서리 BH와 수직인 면

(2) 모서리 AG를 포함하는 면

(3) 면 GHIJKL과 수직인 모서리

(4) 점 A에서 면 GHIJKL에 내린 수선의 발

● 아래 그림과 같은 직육면체에 대한 다음 설명 중 옳은 것은 ○표, 옳지 않은 것은 ×표를 ( ) 안에 써넣으시오.

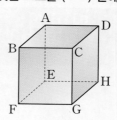

24 모서리 BF와 면 AEHD는 한 점에서 만난다.

( )

25 모서리 EF는 면 EFGH에 포함된다. ( )

26 모서리 CG는 면 EFGH와 수직이다. ( )

27 면 ABCD와 수직인 모서리는 4개이다.

( )

28 모서리 AB와 한 점에서 만나는 면은 4개이다.

( )

😊 내가 발견한 개념 　　　공간에서 직선과 평면의 위치 관계와 교점의 개수는?

• 교점이 [ ] 개: 평행하다.

• 교점이 [ ] 개: 한 점에서 만난다.

• 교점이 [ ] 개 이상: 직선이 평면에 포함된다.

개념모음문제

29 오른쪽 그림과 같은 직육면체에서 면 BFHD와 한 점에서 만나는 모서리의 개수를 a, 모서리 AD와 수직인 면의 개수를 b라 할 때, ab의 값은?

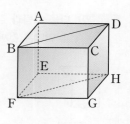

① 12　　② 14　　③ 16

④ 18　　⑤ 20

05

공간에서 두 평면은 만나거나, 만나지 않거나!

공간에서 두 평면의 위치 관계

① 한 직선에서 만난다.

만난다.

② 일치한다. (P=Q)

P, Q

③ 평행하다. (P∥Q)

P

Q

만나지 않는다.

- **공간에서 두 평면의 위치 관계:** 공간에서 두 평면 P, Q의 위치 관계는 다음 세 가지 경우가 있다.
  ① 한 직선에서 만난다.
  ② 일치한다. ($P=Q$)
  ③ 평행하다. ($P∥Q$)
- **두 평면의 수직:** 평면 P가 평면 Q에 수직인 직선 l을 포함할 때, 평면 P와 Q는 서로 수직이다 또는 직교한다고 한다.
  이것을 기호로 $P⊥Q$와 같이 나타낸다.

원리확인 다음 그림과 같은 정육면체에서 색칠한 두 면의 위치 관계로 알맞은 것끼리 연결하시오.

 ·

· 한 직선에서 만난다.

 ·

· 일치한다.

 ·

· 평행하다.

1st — 공간에서 두 평면의 위치 관계 이해하기

● 다음 위치 관계를 만족시키는 면을 모두 구하시오.

1 면 ABCD와 만나는 면

입체도형에서 위치 관계를 말할 때는 직선이나 평면으로 확장해서 생각해야 한다.

→ 면 ABFE, 면 ⬚, 면 ⬚,
면 ⬚

2 면 ABFE와 만나는 면

3 면 BFGC와 만나는 면

4 면 CGHD와 만나는 면

5 면 EFGH와 만나는 면

6 면 ABCD와 평행한 면

→ 면 [ ]

7 면 ABFE와 평행한 면

8 면 BFGC와 평행한 면

9 면 CGHD와 평행한 면

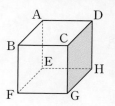

10 면 EFGH와 평행한 면

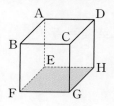

11 면 ABCD와 수직인 면

→ 면 ABFE, 면 [ ], 면 [ ],

　　면 [ ]

12 면 ABFE와 수직인 면

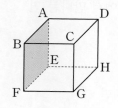

13 면 BFGC와 수직인 면

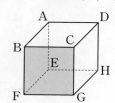

14 면 CGHD와 수직인 면

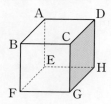

15 면 EFGH와 수직인 면

● 아래 주어진 입체도형에 대하여 다음을 모두 구하시오.

16 삼각기둥

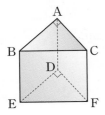

(1) 면 ABC와 평행한 면

(2) 면 BEFC와 한 직선에서 만나는 면

(3) 면 ABED와 수직인 면

17 밑면이 사다리꼴인 사각기둥

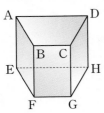

(1) 면 EFGH와 평행한 면

(2) 면 CGHD와 한 직선에서 만나는 면

(3) 면 BFGC와 수직인 면

18 정육각기둥

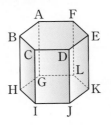

(1) 면 AGLF와 한 직선에서 만나는 면

(2) 면 ABHG와 평행한 면

(3) 면 ABCDEF와 수직인 면

19 삼각기둥

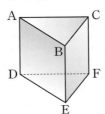

(1) 면 DEF와 평행한 면

(2) 면 BEFC와 면 ADFC의 교선

(3) 모서리 DE를 교선으로 갖는 두 면

20 잘라 낸 입체도형

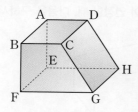

(1) 면 ABCD와 평행한 면

(2) 면 ABFE와 면 AEHD의 교선

(3) 모서리 CG를 교선으로 갖는 두 면

21 오각기둥

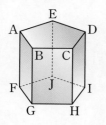

(1) 면 ABCDE와 평행한 면

(2) 면 AFJE와 면 FGHIJ의 교선

(3) 모서리 AF를 교선으로 갖는 두 면

● 아래 그림과 같은 직육면체에 대한 다음 설명 중 옳은 것은 ○표, 옳지 않은 것은 ×표를 ( ) 안에 써넣으시오.

22 면 ABCD와 면 CGHD의 교선은 $\overline{CD}$이다.
( )

23 면 AEHD와 면 CGHD는 평행하다. ( )

24 면 EFGH와 한 직선에서 만나는 면은 4개이다.
( )

25 면 ABFE와 평행한 면은 2개이다. ( )

26 면 ABCD와 면 AEHD는 수직이다. ( )

내가 발견한 개념   공간에서 두 평면의 위치 관계는?

P, Q •   • 평행하다.($P /\!/ Q$)

P Q •   • 일치한다.($P=Q$)

P Q •   • 한 직선에서 만난다.

개념모음문제

27 오른쪽 그림과 같은 정육각기둥에서 면 BHIC와 평행한 면의 개수를 a, 면 GHIJKL과 수직인 면의 개수를 b, 면 DJKE와 한 직선에서 만나는 면의 개수를 c라 할 때, $a+b+c$의 값은?

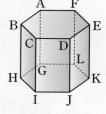

① 9   ② 11   ③ 13

④ 15   ⑤ 17

● 아래 그림과 같이 정육면체를 세 꼭짓점 A, B, E를 지나는 평면으로 자른 입체도형을 보고 다음을 구하시오.

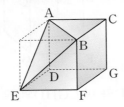

28 모서리 CG와 평행한 모서리

29 모서리 BC와 꼬인 위치에 있는 모서리

30 모서리 AE와 평행한 면

31 모서리 BE를 포함하는 면

32 면 ABC와 평행한 면

33 면 DEFG와 수직인 면

● 아래 그림과 같이 직육면체의 일부를 자른 입체도형에서 모든 모서리의 양 끝을 한없이 연장할 때, 다음을 구하시오.

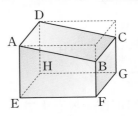

34 직선 CD와 한 점에서 만나는 직선

35 직선 AB와 꼬인 위치에 있는 직선

36 면 ABCD와 한 점에서 만나는 모서리

37 면 BFGC와 평행한 모서리

38 모서리 HG와 수직인 면

39 면 AEHD와 평행한 면

● 다음은 공간에서 서로 다른 세 직선 l, m, n의 위치 관계에 대한 설명이다. 옳은 것에는 ○표, 옳지 않은 것은 ✕표를 ( ) 안에 써넣으시오.

40 $l /\!/ m$, $m \perp n$이면 $l \perp n$이다. ( )

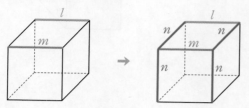

41 $l /\!/ m$, $l /\!/ n$이면 $m /\!/ n$이다. ( )

그림 위에 직선 n을 나타내 봐!

42 $l /\!/ m$, $l \perp n$이면 m과 n은 꼬인 위치에 있다. ( )

43 $l \perp m$, $m \perp n$이면 $l /\!/ n$ 또는 $l \perp n$ 또는 l과 n은 꼬인 위치에 있다. ( )

44 $l \perp m$, $l \perp n$이면 $m \perp n$이다. ( )

45 $l /\!/ m$, $m /\!/ n$이면 $l /\!/ n$이다. ( )

46 $l \perp m$, $m /\!/ n$이면 l과 n은 꼬인 위치에 있다. ( )

● 다음은 공간에서 서로 다른 두 평면 P, Q와 서로 다른 두 직선 l, m의 위치 관계에 대한 설명이다. 옳은 것에는 ○표, 옳지 않은 것은 ✕표를 (   ) 안에 써넣으시오.

47 $l \perp P$, $l \perp Q$이면 $P /\!/ Q$이다. (   )

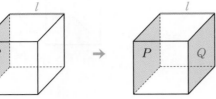

48 $l \perp P$, $l /\!/ Q$이면 $P \perp Q$이다. (   )

그림 위에 평면 Q를 나타내 봐!

49 $l \perp m$, $l /\!/ P$이면 $m /\!/ P$이다. (   )

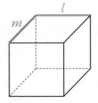

50 $l \perp P$, $P /\!/ Q$이면 $l \perp Q$이다. (   )

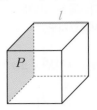

51 $l \perp P$, $P \perp Q$이면 $l /\!/ Q$이다. (   )

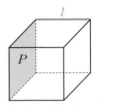

52 $l /\!/ m$, $l /\!/ P$이면 $m /\!/ P$이다. (   )

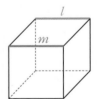

53 $l \perp P$, $m \perp P$이면 $l /\!/ m$이다. (   )

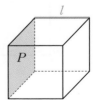

TEST 2. 위치 관계

1 오른쪽 그림에 대한 다음 설명 중 옳지 <u>않은</u> 것은?

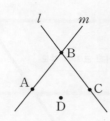

① 점 A는 직선 m 위에 있다.
② 점 C는 직선 m 위에 있다.
③ 두 직선 l, m의 교점은 점 B이다.
④ 점 D는 직선 l, m 중 어느 직선 위에도 있지 않다.
⑤ 두 점 A, B는 한 직선 위에 있다.

2 오른쪽 그림과 같이 평면 P 위에 직선 l이 있을 때, 4개의 점 A, B, C, D에 대한 설명으로 옳은 것을 다음 **보기**에서 모두 고르시오.

┌ **보기** ┐

ㄱ. 점 A는 평면 P 위에 있다.
ㄴ. 점 B는 평면 P 위에 있지만 직선 l 위에 있지 않다.
ㄷ. 두 점 C, D는 직선 l 위에 있지만 평면 P 위에 있지 않다.
ㄹ. 직선 l 위에 있지 않은 점은 2개이다.

3 다음 중 한 평면 위에 있는 서로 다른 직선 l, m의 위치 관계가 될 수 <u>없는</u> 것을 모두 고르면?

(정답 2개)

① 두 직선 l, m은 서로 만나지 않는다.
② 두 직선 l, m은 서로 직교한다.
③ 두 직선 l, m은 한 점에서 만난다.
④ 두 직선 l, m은 서로 다른 두 점에서 만난다.
⑤ 두 직선 l, m은 꼬인 위치에 있다.

4 오른쪽 그림의 직육면체에 대한 다음 설명 중 옳지 <u>않은</u> 것은?

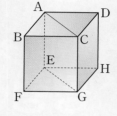

① $\overline{AC}$와 $\overline{EG}$는 평행하다.
② $\overline{DH}$는 면 BFGC와 평행하다.
③ $\overline{AD}$와 $\overline{EG}$는 꼬인 위치에 있다.
④ 면 AEGC에 평행한 모서리는 2개이다.
⑤ $\overline{BF}$와 꼬인 위치에 있는 모서리는 5개이다.

5 오른쪽 그림과 같은 사각기둥에서 다음을 구하시오.

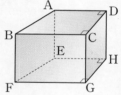

(1) 모서리 AD와 평행한 면

(2) 모서리 GH를 교선으로 하는 두 면

(3) 면 ABCD와 수직인 모서리

6 오른쪽 그림은 직육면체의 일부를 잘라서 만든 입체도형이다. 모서리 BC와 꼬인 위치에 있는 모서리의 개수를 a, 면 ADGC와 평행한 면의 개수를 b, 면 BEF와 수직인 면의 개수를 c라 할 때, $a+2b-c$의 값을 구하시오.

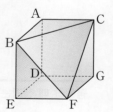

3

동위각, 엇각, 그리고
평행선

우리가 평행하면 너희 크기가 같고

우리가 같으면 너흰 평행선!

위치가 같거나 엇갈리거나!

동위각과 엇각은 크기와는 상관없이 위치로 판단해!

엇각

동위각

서로 같은 위치에 있는 두 각
$\angle a$와 $\angle e$, $\angle b$와 $\angle f$
$\angle c$와 $\angle g$, $\angle d$와 $\angle h$

➡ 동위각

서로 엇갈린 위치에 있는 두 각
$\angle b$와 $\angle h$
$\angle c$와 $\angle e$

➡ 엇각

01 동위각과 엇각

한 평면 위에서 서로 다른 두 직선이 한 직선과 만나면 8개의 교각이 생겨. 이때 교점을 기준으로 서로 같은 위치에 있는 두 각을 동위각이라 하고, 서로 엇갈린 위치에 있는 두 각을 엇각이라 해!

평행할 때 생기는 같은 각!

두 직선이 평행하면
동위각의 크기는 서로 같다.

➡ $l /\!/ m$이면 $\angle a = \angle b$

두 직선이 평행하면
엇각의 크기는 서로 같다.

➡ $l /\!/ m$이면 $\angle c = \angle d$

02 평행선의 성질

동위각과 엇각의 크기는 항상 각각 같지는 않아.
하지만 평행한 두 직선이 한 직선과 만나서 생기는 동위각과 엇각의 크기는 각각 서로 같아!

꺾인 점을 지나는 평행선을 그어!

두 직선 *l*, *m*이 평행할 때

➡ ∠**x** = ∠**a** + ∠**b**

03 평행선과 꺾인 선

평행선 사이에 꺾인 점이 있을 때는 꺾인 점을 지나면서 주어진 직선에 평행한 직선을 그어 동위각과 엇각의 크기가 각각 서로 같음을 이용하면 돼!

종이를 접으면 생기는 같은 각!

직사각형 모양의 종이를 접으면
접은 각과 엇각의 크기는 각각 서로 같다.

04 평행선과 종이접기

직사각형 모양의 종이를 접어서 생기는 각은 접은 각의 크기와 같아. 또한 이때 생기는 엇각의 크기도 같지. 이 성질을 이용해서 각을 구하는 연습을 해 보자!

각이 같으면 생기는 평행선!

동위각의 크기가 같으면
두 직선이 평행하다.

➡ ∠*a* = ∠*b*이면 *l* ∥ *m*

엇각의 크기가 같으면
두 직선이 평행하다.

➡ ∠*c* = ∠*d*이면 *l* ∥ *m*

05 두 직선이 평행할 조건

평행한 두 직선이 한 직선과 만나서 생기는 동위각과 엇각의 크기는 각각 서로 같음을 알게 되었지? 이제 반대로 생각해 보자. 서로 다른 두 직선이 다른 한 직선과 만날 때 동위각과 엇각의 크기가 각각 같으면 두 직선은 평행해!

위치가 같거나 엇갈리거나!

동위각과 엇각

동위각과 엇각은 크기와는 상관없이 위치로 판단해!

동위각

엇각

서로 같은 위치에 있는 두 각	서로 엇갈린 위치에 있는 두 각
$\angle a$와 $\angle e$, $\angle b$와 $\angle f$ $\angle c$와 $\angle g$, $\angle d$와 $\angle h$	$\angle b$와 $\angle h$ $\angle c$와 $\angle e$
➡ 동위각	➡ 엇각

• **동위각**: 한 평면 위에서 두 직선이 다른 한 직선과 만날 때 생기는 각 중에서 서로 같은 위치에 있는 각
  ➡ $\angle a$와 $\angle e$, $\angle b$와 $\angle f$, $\angle c$와 $\angle g$, $\angle d$와 $\angle h$
• **엇각**: 한 평면 위에서 두 직선이 다른 한 직선과 만날 때 생기는 각 중에서 서로 엇갈린 위치에 있는 각
  ➡ $\angle b$와 $\angle h$, $\angle c$와 $\angle e$

1st — 동위각과 엇각 찾기

● 다음 그림과 같이 세 직선이 만날 때, 주어진 각을 구하시오.

1

동위각은 각의 크기에 관계없이 각의 위치로만 판단해!

(1) $\angle a$의 동위각   (2) $\angle b$의 동위각

(3) $\angle d$의 동위각   (4) $\angle e$의 동위각

(5) $\angle g$의 동위각   (6) $\angle h$의 동위각

2

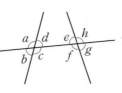

엇각도 동위각처럼 각의 크기에 관계없이 각의 위치로만 판단해!

(1) $\angle d$의 엇각   (2) $\angle c$의 엇각

(3) $\angle e$의 엇각   (4) $\angle f$의 엇각

3

(1) $\angle b$의 동위각   (2) $\angle b$의 엇각

(3) $\angle x$의 동위각   (4) $\angle x$의 엇각

(5) $\angle w$의 동위각   (6) $\angle w$의 엇각

동위각은 F, 엇각은 Z로 기억해.

😊 **내가 발견한 개념**   동위각 vs 엇각!

서로 같은 위치에 있는 두 각은 [   ]이고,

서로 엇갈린 위치에 있는 두 각은 [   ]이다.

2nd — 동위각과 엇각의 크기 구하기

• 다음 그림을 보고 □ 안에 알맞은 것을 써넣으시오.

4

(1) ∠e의 동위각은 ∠a이다.

→ ∠a = 180° − $\boxed{}$ ° = $\boxed{}$ °

(2) ∠d의 엇각은 ∠b이다.

→ ∠b = $\boxed{}$ ° (맞꼭지각)

5

(1) ∠b의 동위각은 $\boxed{}$ 이다.

→ $\boxed{}$ = 180° − $\boxed{}$ ° = $\boxed{}$ °

(2) ∠c의 엇각은 $\boxed{}$ 이다.

→ $\boxed{}$ = $\boxed{}$ ° (맞꼭지각)

6

(1) ∠e의 동위각은 $\boxed{}$ 이다.

→ $\boxed{}$ = 180° − $\boxed{}$ ° = $\boxed{}$ °

(2) ∠c의 엇각은 $\boxed{}$ 이다.

→ $\boxed{}$ = 180° − $\boxed{}$ ° = $\boxed{}$ °

• 다음 그림을 보고 주어진 각의 크기를 구하시오.

7

(1) ∠a의 동위각   (2) ∠f의 동위각

(3) ∠d의 엇각   (4) ∠e의 엇각

8

(1) ∠e의 동위각   (2) ∠f의 동위각

(3) ∠a의 엇각   (4) ∠b의 엇각

개념모음문제

9 오른쪽 그림에 대한 다음 설명 중 옳지 <u>않은</u> 것은?

① ∠a의 동위각의 크기는 85°이다.

② ∠b의 동위각은 ∠d이다.

③ ∠c의 엇각의 크기는 85°이다.

④ ∠d의 동위각의 크기는 85°이다.

⑤ ∠f의 엇각의 크기는 95°이다.

평행할 때 생기는 같은 각!

평행선의 성질

두 직선이 평행하면 동위각의 크기는 서로 같다.

➡ $l /\!/ m$이면 $\angle a = \angle b$

두 직선이 평행하면 엇각의 크기는 서로 같다.

➡ $l /\!/ m$이면 $\angle c = \angle d$

- **평행선의 성질**

평행한 두 직선이 다른 한 직선과 만날 때

① 동위각의 크기는 서로 같다.

② 엇각의 크기는 서로 같다.

(주의) 동위각, 엇각의 크기는 두 직선이 평행할 때만 같다.

1st — 평행선의 성질을 이용한 각의 크기 구하기 (1)

● 다음 그림에서 $l /\!/ m$일 때, $\angle x$의 크기를 구하시오.

1

2

3

4

5

6

7

😊 **내가 발견한 개념** 두 직선이 평행할 때 동위각과 엇각은?

두 직선 l, m에 대하여 $l /\!/ m$이면

$\angle a \boxed{} \angle b$ $\angle c \boxed{} \angle d$

● 다음 그림에서 $l /\!/ m$일 때, $\angle x$, $\angle y$의 크기를 각각 구하시오.

8

→ $\angle x = \boxed{}°$ (동위각)

$\angle y = 180° - \boxed{}° = \boxed{}°$

9

10

11

12

13

14

15

16

평행한 두 직선이 다른 한 직선과 만날 때 동위각의 크기가 같고 엇각의 크기도 역시 같아.

동위각의 크기나 엇각의 크기가 같다면 두 직선이 평행하다는 소리지!

17

➡ ∠x=□°(엇각)

∠y=180°−□°=□°

18

19

20

21

22

23

24

25

2nd 평행선의 성질을 이용한 각의 크기 구하기 (2)

● 다음 그림에서 $l /\!/ m$일 때, ∠x의 크기를 구하시오.

26

→ 평각의 크기는 ☐°이므로

☐° + ∠x + ☐° = ☐°

따라서 ∠x = ☐°

27

28

29

30

31

→ 삼각형의 세 내각의 크기의 합은 ☐°

이므로

∠x + ☐° + ☐° = ☐°

따라서 ∠x = ☐°

32

33

34

개념모음문제

35 오른쪽 그림에서 $l /\!/ m$, $p /\!/ q$이고 세 직선 l, q, r가 한 점에서 만날 때, ∠x - ∠y의 크기는?

① 80° ② 83°

③ 85° ④ 87°

⑤ 89°

평행선과 꺾인 선

꺾인 점을 지나는 평행선을 그어!

두 직선 *l*, *m*이 평행할 때

꺾인 점 ?

보조선 긋기

꺾인 점을 지나면서 두 직선 *l*, *m*에 평행하게!

$$\angle x = \angle a + \angle b$$

- 평행선 사이에 꺾인 점이 1개 있을 때, 각의 크기를 구하는 방법
 (i) 꺾인 점을 지나면서 주어진 직선 *l*, *m*에 평행한 직선을 긋는다.
 (ii) 평행선에서 동위각과 엇각의 크기가 각각 서로 같음을 이용한다.
- 평행선 사이에 꺾인 점이 2개 있을 때, 각의 크기를 구하는 방법
 (i) 꺾인 점을 지나면서 주어진 직선 *l*, *m*에 평행한 두 직선을 긋는다.
 (ii) 평행선에서 동위각과 엇각의 크기가 각각 서로 같음을 이용한다.

1st — 평행선에서 보조선을 1개 긋는 경우
각의 크기 구하기

● 다음 그림에서 *l // m*일 때, ∠*x*의 크기를 구하시오.

1
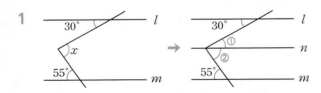

→ 두 직선 *l*, *m*에 평행한 직선 *n*을 그으면

$$\angle x = \boxed{}^\circ + \boxed{}^\circ = \boxed{}^\circ$$

① 엇각 ② 엇각

2

3

4

5

😊 **내가 발견한 개념** 평행선을 그어 평행선의 성질을 이용해 !

*l // m*이면 ∠*x*= ☐ +(180°− ☐)

6

→ 두 직선 l, m에 평행한 직선 n을 그으면

$\angle x = \boxed{}° + \boxed{}° = \boxed{}°$

　　　① 동위각　　② 동위각

7

8

개념모음문제

9 오른쪽 그림에서 $l /\!/ m$일
때, $\angle x$의 크기는?

① 21°　　② 23°

③ 25°　　④ 27°

⑤ 29°

2nd — 평행선에서 보조선을 2개 긋는 경우 각의 크기 구하기

● 다음 그림에서 $l /\!/ m$일 때, $\angle x$의 크기를 구하시오.

10

→ 두 직선 l, m에 평행한 직선 n, k를 그으면

①+②$=\boxed{}°$, $\angle x = ③ + \boxed{}$

$l /\!/ n$이므로 ①$=\boxed{}°$(엇각)

②$=\boxed{}°-①=\boxed{}$

$n /\!/ k$이므로 ③$=②=\boxed{}°$(엇각)

$k /\!/ m$이므로 ④$=\boxed{}°$(엇각)

$\angle x = ③+④ = \boxed{}° + \boxed{}° = \boxed{}°$

11

12

종이를 접으면 생기는 같은 각!

평행선과 종이접기

직사각형 모양의 종이를 접으면
접은 각과 엇각의 크기는 각각 서로 같다.

원리확인 다음 그림과 같이 직사각형 모양의 종이를 접었을 때, ☐ 안
에 알맞은 수를 써넣으시오.

❶

→ 접은각이므로 ❶=☐°

엇각이므로 ❷=☐°

삼각형의 세 내각의 크기의 합은 ☐°이므로

∠x+☐°+☐°=☐°

따라서 ∠x=☐°

❷

→ 엇각이므로 ❶=☐°

접은각이므로 ❷=☐°

평각의 크기는 ☐°이므로

∠x+☐°+☐°=☐°

따라서 ∠x=☐°

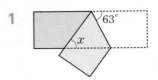

1st **— 종이접기를 이용한 각의 크기 구하기**

● 다음 그림과 같이 직사각형 모양의 종이를 접었을 때,
  ∠x의 크기를 구하시오.

1

2

3

4

5

6

7

8

9

10

11

12

13

14

개념모음문제

15 오른쪽 그림과 같이 직
사각형 모양의 종이를
접을 때, $\angle x$의 크기는?

① 12°　　② 16°　　③ 20°

④ 24°　　⑤ 28°

05

두 직선이 평행할 조건

동위각의 크기가 같으면 두 직선이 평행하다.

➡ $\angle a = \angle b$이면 $l /\!/ m$

엇각의 크기가 같으면 두 직선이 평행하다.

➡ $\angle c = \angle d$이면 $l /\!/ m$

• **두 직선이 평행할 조건**

서로 다른 두 직선이 다른 한 직선과 만날 때

① 동위각의 크기가 같으면 두 직선은 서로 평행하다.

② 엇각의 크기가 같으면 두 직선은 서로 평행하다.

1st — 두 직선이 평행할 조건 구하기

• 다음 그림을 보고 □ 안에 알맞은 것을 써넣고, ( ) 안의 옳은 것에 ○표를 하시오.

1

➡ □의 크기가 서로

(같으므로, 같지 않으므로)

두 직선 l, m은 (평행하다, 평행하지 않다).

2

➡ □의 크기가 서로

(같으므로, 같지 않으므로)

두 직선 l, m은 (평행하다, 평행하지 않다).

3

➡ 두 직선 □과 □에서 □의 크기가

□°로 서로 같으므로 □ /\!/ □

4

➡ 두 직선 □과 □에서 □의 크기가

□°로 서로 같으므로 □ /\!/ □

개념모음문제

5 오른쪽 그림에 대하여 다음 중 옳은 것은?

① $l /\!/ m$ ② $l /\!/ n$

③ $l /\!/ k$ ④ $m /\!/ n$

⑤ $n /\!/ k$

TEST 3. 평행선

1 오른쪽 그림에 대한 다음 설명 중 옳지 <u>않은</u> 것은?

① ∠a의 동위각은 ∠d이다.
② ∠b의 동위각의 크기는 40°이다.
③ ∠c의 엇각의 크기는 140°이다.
④ ∠e의 동위각의 크기는 140°이다.
⑤ ∠f의 동위각의 크기는 65°이다.

2 다음 그림에서 $l /\!/ m$일 때, ∠x, ∠y의 크기를 각각 구하시오.

3 오른쪽 그림에서 $l /\!/ m$, $p /\!/ q$이고 세 직선 m, p, r가 한 점에서 만날 때, ∠x+∠y의 크기는?

① 208°   ② 211°   ③ 214°
④ 217°   ⑤ 220°

4 오른쪽 그림에서 $l /\!/ m$일 때, ∠x의 크기는?

① 33°   ② 37°
③ 40°   ④ 44°
⑤ 47°

5 다음 그림과 같이 직사각형 모양의 종이를 접을 때, ∠x의 크기를 구하시오.

6 오른쪽 그림에 대하여 다음 중 옳은 것은?

① $l /\!/ m$
② $l /\!/ n$
③ $l /\!/ k$
④ $m /\!/ n$
⑤ $n /\!/ k$

4

눈금 없는 자와 컴퍼스만으로,
작도와 합동

눈금 없는 자와 컴퍼스만 사용해 봐!

와 길이가 같은 선분

점 P를 중심으로 반지름의
길이가 $\overline{AB}$인 원 그리기

01 길이가 같은 선분의 작도

눈금 없는 자와 컴퍼스만을 사용하여 도형을 그리는 것을 작도라 해! 이때 눈금 없는 자는 두 점을 연결하여 선분을 그리거나 선분을 연장할 때 사용하고, 컴퍼스는 원을 그리거나 선분의 길이를 재어서 옮길 때 사용해. 눈금 없는 자와 컴퍼스를 사용하여 주어진 선분과 길이가 같은 선분을 작도하는 방법을 익혀 보자!

눈금 없는 자와 컴퍼스만 사용해 봐!

와 크기가 같은 각

02 크기가 같은 각의 작도

눈금 없는 자와 컴퍼스만을 사용하여 주어진 각과 크기가 같은 각을 작도할 수 있어! 크기가 같은 각을 작도하는 방법을 익혀 보자!

△ABC

△ABC 에서 세 변의 길이 사이의 관계

$$a+b>c$$
$$b+c>a$$
$$c+a>b$$

03 삼각형

삼각형 ABC를 기호로 △ABC와 같이 나타내.
△ABC에서 ∠A와 마주 보는 변 BC를 ∠A의 대변이라 하고, ∠A를 변 BC의 대각이라 하지.
한편 삼각형의 세 변의 길이 사이의 관계는 두 변의 길이의 합은 나머지 한 변의 길이보다 커!

눈금 없는 자와 컴퍼스만 사용해 봐!

❶ 세 변의 길이가 주어질 때

❷ 두 변의 길이와 그 끼인각의 크기가 주어질 때

❸ 한 변의 길이와 그 양 끝 각의 크기가 주어질 때

04 삼각형의 작도

눈금 없는 자와 컴퍼스만을 사용하여 왼쪽 그림과 같이 주어진 조건의 삼각형을 작도할 수 있어!

모양과 크기가 하나인 삼각형!

❶ 세 변의 길이가 주어질 때

❷ 두 변의 길이와 그 끼인각의 크기가 주어질 때

❸ 한 변의 길이와 그 양 끝 각의 크기가 주어질 때

05 삼각형의 결정조건

삼각형의 작도를 통해 삼각형의 모양과 크기는 왼쪽 그림과 같은 경우에 하나로 결정됨을 알 수 있지.
따라서 삼각형의 결정조건을 만족하지 않으면 삼각형이 하나로 결정되지 않아!

두 도형이 완전히 포개져!

$$\triangle ABC \equiv \triangle DEF$$

06 도형의 합동

한 도형을 모양이나 크기를 바꾸지 않고 옮겨서 다른 도형에 완전히 포갤 수 있을 때 두 도형을 서로 합동이라 하고, 기호 ≡를 사용하여 나타내!

두 개의 삼각형이 완전히 포개져!

❶ 대응하는 세 변의 길이가 각각 같을 때 (SSS 합동)

❷ 대응하는 두 변의 길이가 각각 같고, 그 끼인각의 크기가 같을 때 (SAS 합동)

❸ 대응하는 한 변의 길이가 같고, 그 양 끝 각의 크기가 각각 같을 때 (ASA 합동)

07 삼각형의 합동 조건

두 삼각형은 왼쪽 그림과 같은 경우에 서로 합동이야!

01

눈금 없는 자와 컴퍼스만 사용해 봐!

길이가 같은 선분의 작도

와 길이가 같은 선분

❶ 눈금 없는 자로 직선 *l*을 긋고 점 P 잡기

❷ $\overline{AB}$의 길이 재기

❸ 점 P를 중심으로 반지름의 길이가 $\overline{AB}$인 원 그리기

- **작도**: 눈금 없는 자와 컴퍼스만을 사용하여 도형을 그리는 것
  ① 눈금 없는 자: 두 점을 연결하여 선분을 그리거나 선분을 연장할 때 사용한다.
  ② 컴퍼스: 원을 그리거나 선분의 길이를 재어서 옮길 때 사용한다.

가장 완벽한 도형은 직선과 원이야.
직선을 그릴 수 있는 눈금 없는 자와
원을 그릴 수 있는 컴퍼스만으로
조건에 맞는 도형을 그리는 것이
바로 작도지!

계산, 측정은 노예들이나 하는 짓이라고
생각했던 히포크라테스.

1st **작도 이해하기**

- 다음 설명 중 옳은 것은 ○표, 옳지 않은 것은 ×표를 ( ) 안에 써넣으시오.

1 작도를 할 때는 눈금 없는 자, 컴퍼스, 각도기를 사용한다. ( )

2 작도에서 두 점을 연결하는 선을 그릴 때는 눈금 없는 자를 사용한다. ( )

3 작도에서 주어진 선분을 연장할 때는 컴퍼스를 사용한다. ( )

4 작도에서 선분의 길이를 잴 때는 눈금 없는 자를 사용한다. ( )

5 작도에서 두 선분의 길이를 비교할 때는 눈금 없는 자를 사용한다. ( )

6 작도에서 주어진 선분을 다른 직선 위로 옮길 때는 컴퍼스를 사용한다. ( )

7 길이가 같은 선분을 작도할 때는 눈금 없는 자로 길이를 정확히 재어 작도한다. ( )

8 크기가 같은 각을 작도할 때는 각도기로 각의 크기를 정확히 재어 작도한다. ( )

2nd 길이가 같은 선분 작도하기

9 다음은 선분 AB의 길이와 같은 선분 PQ를 작도하는 과정이다. □ 안에 알맞은 것을 써넣으시오.

❶ □ 를 사용하여 점 P를 시점으로 하는 반직선을 긋는다.

❷ □ 를 사용하여 $\overline{AB}$의 길이를 잰다.

❸ 점 P를 중심으로 하고 반지름의 길이가 □ 인 원을 그려 반직선과 만나는 점을 Q라 하면 선분 AB의 길이와 같은 선분 PQ가 작도된다.

● **다음을 작도하시오.**

10 선분 AB의 길이의 2배 길이를 갖는 선분 AC

11 선분 AB의 길이의 3배 길이를 갖는 선분 AC

12 선분 AB와 길이가 같은 선분 PQ

A———B → · P

13 선분 AB의 길이의 2배 길이를 갖는 선분 PQ

A———B → · P

14 다음은 선분 AB를 한 변으로 하는 정삼각형 ABC를 작도하는 과정이다. □ 안에 알맞은 것을 써넣으시오.

❶ □ 를 사용하여 $\overline{AB}$의 길이를 잰다.

❷ 두 점 A, B를 중심으로 하고 반지름의 길이가 □ 인 원을 각각 그려 이 두 원의 교점을 □ 라 한다.

❸ □ 를 사용하여 $\overline{AC}$, $\overline{BC}$를 그으면 정삼각형 ABC가 작도된다.

😊 **내가 발견한 개념**   선분 AB를 한 변으로 하는 정삼각형 ABC를 작도하는 순서는?

개념모음문제

15 아래 그림과 같이 선분 PQ를 점 Q의 방향으로 연장하여 선분 PQ의 길이의 2배가 되는 선분 PR를 작도할 때, 다음 설명 중 옳지 <u>않은</u> 것을 모두 고르면? (정답 2개)

P——❶——Q——❷——R——❸

① 선분 QR의 길이는 선분 PQ의 길이와 같다.

② 선분 PQ의 길이를 눈금 없는 자로 잰 후, 그 길이의 2배가 되는 지점을 찾아 점 R를 정한다.

③ 컴퍼스만 있으면 작도가 가능하다.

④ 점 Q를 중심으로 하고 반지름의 길이가 $\overline{PQ}$인 원을 그릴 때, 원과 연장선이 만나는 점이 R이다.

⑤ 작도 순서는 ❸ → ❶ → ❷이다.

눈금 없는 자와 컴퍼스만 사용해 봐!

크기가 같은 각의 작도

X
O Y

와 크기가 같은 각

❶ 점 O에서 적당한 원 그리기

❷ 점 P를 중심으로 반지름의 길이가 $\overline{OA}$인 원그리기

❸ $\overline{AB}$의 길이 재기

❹ 점 C를 중심으로 반지름의 길이가 $\overline{AB}$인 원그리기

❺ $\overrightarrow{PD}$ 긋기

왜 눈금 없는 자와 컴퍼스일까?

계산과 측량은 노예들이나 하는 육체노동이니 우리는 눈금 없는 자와 컴퍼스만을 사용하여 직선과 원으로만 작도합시다.

오! 지적이셔요!

히포크라테스   그리스 시민

1st 크기가 같은 각 작도하기

1 다음은 ∠XOY와 크기가 같은 각을 반직선 PQ를 한 변으로 하여 작도하는 과정이다. □ 안에 알맞은 것을 써넣으시오.

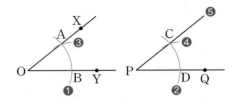

❶ 점 O를 중심으로 하는 원을 그려 두 반직선 OX, OY와 만나는 점을 각각 □, □ 라 한다.

❷ 점 P를 중심으로 하고 반지름의 길이가 $\overline{OA}$인 원을 그려 반직선 PQ와 만나는 점을 □라 한다.

❸ □ 를 사용하여 □ 의 길이를 잰다.

❹ 점 D를 중심으로 하고 반지름의 길이가 □ 인 원을 그려 이 원이 ❷에서 그린 원과 만나는 점을 □ 라 한다.

❺ 반직선 PC를 그으면 ∠XOY와 크기가 같은 ∠ □ 가 작도한다.

● 다음 그림의 ∠XOY와 크기가 같고 반직선 PQ를 한 변으로 하는 ∠CPD를 작도하시오.

2

3

4

5

😊 **내가 발견한 개념**　　　각 XOY와 크기가 같은 각 CPD를 작도하는 순서는?

• ❷ → ▢ → ▢ → ▢ → ❸

2nd — 평행선 작도하기

6 다음은 직선 *l* 밖의 한 점 P를 지나고 직선 *l*과 평행한 직선을 작도하는 과정이다. ▢ 안에 알맞은 것을 써넣으시오.

> 동위각과 엇각의 크기가 각각 같으면 두 직선은 서로 평행하다는 성질을 이용하여 작도할 수 있어!

❶ 점 P를 지나는 직선이 직선 *l*과 만나는 점을 ▢라 한다.

❷ 점 Q를 중심으로 하는 원을 그려 직선 PQ, 직선 *l*과 만나는 점을 각각 ▢, ▢라 한다.

❸ 점 P를 중심으로 반지름의 길이가 $\overline{\text{QA}}$인 원을 그려 직선 PQ와 만나는 점을 ▢라 한다.

❹ ▢를 사용하여 ▢의 길이를 잰다.

❺ 점 C를 중심으로 하고 반지름의 길이가 ▢인 원을 그려 이 원이 ❸에서 그린 원과 만나는 점을 ▢라 한다.

❻ 두 점 ▢, ▢를 지나는 직선 ▢를 그으면 직선 *l*과 평행한 직선이 작도된다.

• 다음 그림의 직선 *l* 밖의 한 점 P를 지나고 직선 *l*과 평행한 직선 *m*을 작도하시오.

7 '동위각의 크기가 같으면 두 직선은 평행하다.'를 이용한다.

8 '엇각의 크기가 같으면 두 직선은 평행하다.'를 이용한다.

😊 **내가 발견한 개념**　　　한 점 P를 지나고 직선 *l*과 평행한 직선을 작도하는 순서는?

• ❹ → ▢ → ▢ → ▢ → ▢ → ❸

개념모음문제

9 오른쪽 그림은 직선 *l* 밖의 한 점 P를 지나고 직선 *l*과 평행한 직선 *m*을 작도한 것이다. 다음 설명 중 옳지 <u>않은</u> 것을 모두 고르면? (정답 2개)

① $\overline{\text{PA}} = \overline{\text{AB}}$

② ∠CPD = ∠AQB

③ 크기가 같은 각의 작도를 이용한 것이다.

④ 엇각의 크기가 같으면 두 직선은 서로 평행하다는 성질을 이용한 것이다.

⑤ 작도 순서는 ❻ → ❺ → ❶ → ❹ → ❷ → ❸ 이다.

03

삼각형

△ABC 에서 세 변의 길이 사이의 관계

$$a+b>c$$
$$b+c>a$$
$$c+a>b$$

- **삼각형 ABC**: 세 꼭짓점이 A, B, C인 삼각형을 기호로 △ABC와 같이 나타낸다.
- **대변과 대각**: ∠A와 마주 보는 변 BC를 ∠A의 대변, ∠A를 변 BC의 대각이라고 한다.
  참고 일반적으로 ∠A, ∠B, ∠C의 대변의 길이를 각각 a, b, c로 나타낸다.
- **삼각형의 세 변의 길이 사이의 관계**: 삼각형에서 두 변의 길이의 합은 나머지 한 변의 길이보다 크다.
  참고 세 변의 길이가 주어졌을 때 삼각형이 될 수 있는 조건
  ➡ (가장 긴 변의 길이)<(나머지 두 변의 길이의 합)

1st 삼각형의 대변과 대각 구하기

● 아래 그림과 같은 △ABC에 대하여 다음을 구하시오.

1

(1) ∠A의 대변   (2) ∠B의 대변

(3) ∠C의 대변   (4) $\overline{AB}$의 대각

(5) $\overline{BC}$의 대각   (6) $\overline{CA}$의 대각

2

(1) ∠B의 대변의 길이

(2) ∠C의 대변의 길이

(3) $\overline{BC}$의 대각의 크기

3

(1) ∠C의 대변의 길이

(2) $\overline{BC}$의 대각의 크기

(3) $\overline{CA}$의 대각의 크기

2nd 삼각형의 세 변의 길이 사이의 관계 이해하기

4 다음은 세 변의 길이가 2 cm, 3 cm, 7 cm인 삼각형을 그릴 수 있는지 알아보는 과정이다. ○ 안에는 알맞은 부등호를, □ 안에는 알맞은 것을 써넣으시오.

> 주어진 세 변의 길이 중 가장 긴 변의 길이는
> 7 cm이므로 7 ◯ 2+□
> 따라서 세 변의 길이가 2 cm, 3 cm, 7 cm인 삼각형을 그릴 수 □.

• 다음 중 삼각형의 세 변의 길이가 될 수 있는 것은 ○표, 될 수 없는 것은 ×표를 (   ) 안에 써넣으시오.

5 2 cm, 3 cm, 4 cm   (   )

6 2 cm, 4 cm, 6 cm   (   )

7 3 cm, 4 cm, 5 cm   (   )

8 3 cm, 5 cm, 7 cm   (   )

9 4 cm, 6 cm, 12 cm   (   )

10 5 cm, 6 cm, 11 cm   (   )

11 다음은 세 변의 길이가 4 cm, 6 cm, x cm인 삼각형을 그릴 수 있을 때, x의 값의 범위를 구하는 과정이다. □ 안에 알맞은 것을 써넣으시오.

> 가장 긴 변의 길이로 가능한 것은
>
> x cm와 □ cm이다.
>
> (i) 가장 긴 변의 길이가 x cm일 때,
>
> $x <$ □ $+$ □ 에서 $x <$ □
>
> (ii) 가장 긴 변의 길이가 □ cm일 때,
>
> □ $<$ □ $+$ □ 에서 $x >$ □
>
> (i), (ii)에 의하여 x의 값의 범위는
>
> □ $< x <$ □

• 다음과 같이 삼각형의 세 변의 길이가 주어질 때, x의 값의 범위를 구하시오.

12 5 cm, 7 cm, x cm

13 6 cm, 10 cm, x cm

14 x cm, $(x+2)$ cm, $(x+5)$ cm
가장 긴 변의 길이는 $(x+5)$ cm이다.

15 $(x-3)$ cm, $(x+1)$ cm, $(x+2)$ cm

개념모음문제
16 삼각형의 두 변의 길이가 5 cm, 8 cm일 때, 다음 중 나머지 한 변의 길이가 될 수 <u>없는</u> 것은?

① 5 cm   ② 7 cm   ③ 9 cm

④ 11 cm   ⑤ 13 cm

세 변의 길이가 주어졌을 때, 삼각형이 될 수 있는 조건

각을 최대한 벌려!

익!   익!

뭐야? 삼각형을 만들 수 없잖아!

(가장 긴 변의 길이) < (나머지 두 변의 길이의 합)!

눈금 없는 자와 컴퍼스만 사용해 봐!

삼각형의 작도

❶ 세 변의 길이가 주어질 때
➡ 단, (가장 긴 변의 길이) < (나머지 두 변의 길이의 합)

❷ 두 변의 길이와 그 끼인각의 크기가 주어질 때
➡ 단, 주어진 두 변의 끼인각이 주어져야 한다.

❶, ❷의 순서를 바꿔 작도해도 돼.

❸ 한 변의 길이와 그 양 끝 각의 크기가 주어질 때
➡ 단, 주어진 양 끝 각의 크기의 합이 180° 미만이어야 한다.

1st ─ 삼각형 작도하기; 세 변의 길이가 주어질 때

1 다음은 세 변의 길이 a, b, c가 주어질 때, 삼각형 ABC를 작도하는 과정이다. ☐ 안에 알맞은 것을 써넣으시오.

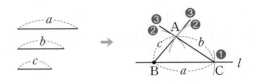

❶ 직선 ☐ 을 긋고, 길이가 같은 ☐ 의 작도를 이용하여 직선 l 위에 길이가 ☐ 인 선분 ☐ 를 작도한다.

❷ 점 B를 중심으로 하고 반지름의 길이가 ☐ 인 원을, 점 C를 중심으로 하고 반지름의 길이가 ☐ 인 원을 그려 이 두 원의 교점을 A라 한다.

❸ 점 A와 점 ☐, 점 ☐ 와 점 C를 각각 이으면 △ABC가 작도된다.

● 세 변의 길이가 각각 다음과 같은 삼각형 ABC를 작도하시오.

2 ➡

3 ➡

4 →

5 →

6 →

7 →

$$\boxed{4} → \boxed{\ } → \boxed{\ } → \boxed{\ } → \boxed{3}$$

또는

$$\boxed{4} → \boxed{\ } → \boxed{\ } → \boxed{\ } → \boxed{3}$$

2nd — 삼각형 작도하기;
두 변의 길이와 그 끼인각의 크기가 주어질 때

8 다음은 두 변의 길이 a, c와 그 끼인각 $\angle B$의 크기가 주어질 때, 삼각형 ABC를 작도하는 과정이다. □ 안에 알맞은 것을 써넣으시오.

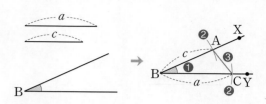

❶ 크기가 같은 □의 작도를 이용하여 ∠B와 크기가 같은 ∠XBY를 작도한다.

❷ 두 반직선 BX, BY 위에 각각 길이가 같은 □의 작도를 이용하여 $\overline{AB}=\boxed{\ }$, $\overline{BC}=\boxed{\ }$ 인 점 A, 점 C를 잡는다.

❸ 점 A와 점 □를 이으면 △ABC가 작도된다.

● 두 변의 길이와 그 끼인각의 크기가 각각 다음과 같은 삼각형 ABC를 작도하시오.

9 →

10 →

11

12

13

14

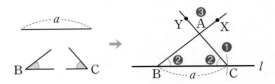
3ʳᵈ — 삼각형 작도하기;
한 변의 길이와 그 양 끝 각의 크기가 주어질 때

15 다음은 한 변의 길이 a와 그 양 끝 각 B, C의 크기가 주어질 때, 삼각형 ABC를 작도하는 과정이다. ☐ 안에 알맞은 것을 써넣으시오.

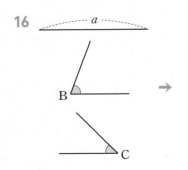

❶ 직선 l을 긋고, 길이가 같은 ☐ 의 작도를 이용하여 직선 l 위에 길이가 ☐ 인 선분 BC를 작도한다.

❷ 크기가 같은 ☐ 의 작도를 이용하여 ∠ ☐ 와 크기가 같은 ∠XBC, ∠ ☐ 와 크기가 같은 ∠YCB를 작도한다.

❸ 두 반직선 BX, CY가 만나는 점을 ☐ 라 하면 △ABC가 작도된다.

● 한 변의 길이와 그 양 끝 각의 크기가 각각 다음과 같은 삼각형 ABC를 작도하시오.

16

17

18

19

20

21
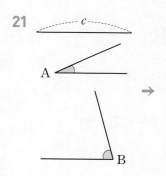

4th 삼각형의 작도 판별하기

● 다음과 같은 변의 길이와 각의 크기가 주어졌을 때, 삼각형을 하나로 작도할 수 있으면 ○표, 작도할 수 없으면 ✕표를 ( ) 안에 써넣으시오.

22　　─ a ─　　─ b ─　　─ c ─　　　(　　)

(단, $a=b=c$)

23　　─ a ─　　─ b ─　　─ c ─　　　(　　)

(단, $b<a=c$)

24　　─ a ─　　─ b ─　　C◢　　　(　　)

25　　─ b ─　　─ c ─　　C◢　　　(　　)

26　　─ a ─　　B◢─　　◢C　　　(　　)

27　　A◢─　　─ c ─　　─◢B　　　(　　)

내가 발견한 개념　한 변의 길이와 양 끝 각의 크기를 알 때 △ABC를 작도하는 순서는?

• ⑤ → ❸ → ☐ → ❹ → ☐

또는

⑤ → ❸ → ☐ → ❷ → ☐

모양과 크기가 하나인 삼각형!

삼각형의 결정조건

❶ 세 변의 길이가 주어질 때

가장 긴 변의 길이가 나머지 두 변의 길이의 합보다 크거나 같을 때
➡ 삼각형이 그려지지 않는다.

❷ 두 변의 길이와 그 끼인각의 크기가 주어질 때

두 변의 길이와 그 끼인각이 아닌 다른 한 각의 크기가 주어질 때
➡ 삼각형이 그려지지 않거나 2개로 그려진다.

❸ 한 변의 길이와 그 양 끝 각의 크기가 주어질 때

세 각의 크기가 주어질 때
➡ 모양은 같고 크기가 다른 무수히 많은 삼각형이 그려진다.

1ˢᵗ — 삼각형의 결정조건 판별하기

- 다음과 같은 조건이 주어질 때, △ABC가 하나로 정해지는 것은 ○표, 하나로 정해지지 않는 것은 ×표를 ( ) 안에 써넣으시오.

1 $\overline{AB}=5$ cm, $\overline{BC}=8$ cm, $\overline{CA}=11$ cm ( )

2 $\overline{AB}=4$ cm, $\overline{BC}=7$ cm, $\overline{CA}=12$ cm ( )

3 $\overline{AB}=6$ cm, $\overline{BC}=7$ cm, $\angle B=50°$ ( )

4 $\overline{AB}=4$ cm, $\overline{CA}=4$ cm, $\angle B=60°$ ( )

5 $\overline{AB}=6$ cm, $\angle A=70°$, $\angle B=40°$ ( )

6 $\overline{BC}=8$ cm, $\angle B=120°$, $\angle C=70°$ ( )

7 $\overline{CA}=5$ cm, $\angle A=50°$, $\angle B=60°$ ( )

8 $\angle A=35°$, $\angle B=70°$, $\angle C=75°$ ( )

😊 **내가 발견한 개념** 삼각형의 결정조건은?

• a, ☐, ☐ 의 길이

• a, c의 길이와 ∠☐ 의 크기

• a의 길이와 ∠☐, ∠☐ 의 크기

• △ABC의 주어진 조건에 대하여 다음 중 △ABC가 하나로 정해지기 위해 필요한 조건인 것은 ○표, 필요한 조건이 아닌 것은 ×표를 ( ) 안에 써넣으시오.

9 ∠A의 크기가 주어질 때

(1) $\overline{AB}$, $\overline{BC}$　　　　　　(　)

(2) $\overline{AB}$, $\overline{CA}$　　　　　　(　)

(3) $\overline{AB}$, ∠B (단, ∠A+∠B<180°)　(　)

(4) $\overline{BC}$, ∠B (단, ∠A+∠B<180°)　(　)

10 ∠B의 크기가 주어질 때

(1) $\overline{AB}$, $\overline{BC}$　　　　　　(　)

(2) $\overline{BC}$, $\overline{CA}$　　　　　　(　)

(3) $\overline{AB}$, ∠A (단, ∠A+∠B<180°)　(　)

(4) $\overline{CA}$, ∠A (단, ∠A+∠B<180°)　(　)

11 $\overline{AB}$의 길이가 주어질 때

(1) $\overline{BC}$, $\overline{CA}$ (단, $\overline{AB}<\overline{BC}+\overline{CA}$)　(　)

(2) $\overline{BC}$, ∠A　　　　　　(　)

(3) ∠A, ∠B (단, ∠A+∠B<180°)　(　)

12 $\overline{CA}$의 길이가 주어질 때

(1) $\overline{AB}$, $\overline{BC}$ (단, $\overline{AB}<\overline{BC}+\overline{CA}$)　(　)

(2) $\overline{AB}$, ∠A　　　　　　(　)

(3) ∠A, ∠B (단, ∠A+∠B<180°)　(　)

개념모음문제

13 삼각형 ABC의 모양과 크기가 오직 하나로 정해지는 것만을 **보기**에서 모두 고른 것은?

보기
ㄱ. $\overline{AB}$=7, $\overline{BC}$=5, $\overline{CA}$=15
ㄴ. $\overline{AB}$=5, $\overline{BC}$=4, ∠B=90°
ㄷ. $\overline{AB}$=5, ∠B=50°, ∠C=75°

① ㄱ　　　② ㄴ　　　③ ㄷ
④ ㄱ, ㄴ　　⑤ ㄴ, ㄷ

두 도형이 완전히 포개져!

도형의 합동

△ABC ≡ △DEF

- **합동** : 한 도형을 모양이나 크기를 바꾸지 않고 옮겨서 다른 도형에 완전히 포갤 수 있을 때 두 도형을 서로 합동이라 하고, 기호 ≡를 사용하여 나타낸다.

  주의 합동인 도형을 나타낼 때는 반드시 대응하는 꼭짓점의 순서로 쓴다.

- **대응** : 합동인 두 도형에서 서로 포개어지는 꼭짓점과 꼭짓점, 변과 변, 각과 각을 서로 대응한다고 한다.

- **합동인 도형의 성질**

  ① 대응하는 변의 길이는 서로 같다.

  ② 대응하는 각의 크기는 서로 같다.

  주의 모양이 같아도 크기가 다르면 합동이 아니다.
  넓이가 같아도 모양이 다르면 합동이 아니다.

1ˢᵗ ― 도형의 합동 이해하기

● 다음 그림에서 서로 합동인 두 도형을 찾아 기호 ≡를 사용하여 나타낼 때, □ 안에 알맞은 것을 써넣으시오.

(단, 모눈 한 칸의 가로, 세로의 길이는 각각 1이다.)

1

→ △ABC≡ [＿＿＿]

2

→ △ABC≡ [＿＿＿]

3

→ △ABC≡ [＿＿＿]

4

→ □ABCD≡ [＿＿＿]

5

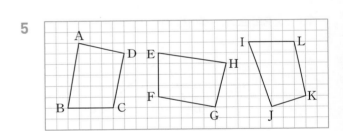

→ □ABCD≡ [＿＿＿]

정리를 해보면!

△ABC ▭ △DEF

넓이를 배!

△ABC ▤ △DEF

넓이가 같아!

△ABC ▥ △DEF

합동이야!

● 아래 그림에서 사각형 ABCD와 사각형 EFGH가 합동일 때, 다음을 구하시오.

6 점 A의 대응점

7 점 D의 대응점

8 점 G의 대응점

9 변 AB의 대응변

10 변 BC의 대응변

11 변 GH의 대응변

12 ∠D의 대응각

13 ∠F의 대응각

14 ∠E의 대응각

● 아래 그림의 합동인 두 삼각형에 대하여 다음을 구하시오.

15 △ABC≡△EDF

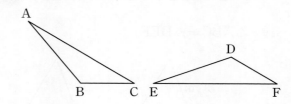

(1) 점 A의 대응점

(2) 변 EF의 대응변

(3) ∠B의 대응각

16 △ABC≡△FED

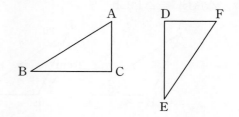

(1) 점 D의 대응점

(2) 변 BC의 대응변

(3) ∠F의 대응각

개념모음문제

17 다음 중 옳지 <u>않은</u> 것을 모두 고르면? (정답 2개)

① △ABC≡△DEF이면 세 점 A, B, C의 대응점은 각각 세 점 D, E, F이다.

② △ABC≡△DEF이면 변 BC의 대응변은 변 EF이다.

③ □ABCD≡□EFGH이면 ∠D의 대응각은 ∠F이다.

④ 한 변의 길이가 같은 두 직사각형은 항상 합동이다.

⑤ 반지름의 길이가 같은 두 원은 항상 합동이다.

● 아래 그림의 합동인 두 도형에 대하여 다음을 구하시오.

18 △ABC≡△DEF

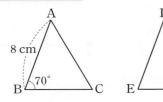

(1) $\overline{DE}$의 길이

(2) ∠C의 크기

(3) ∠E의 크기

19 △ABC≡△DEF

(1) $\overline{AB}$의 길이

(2) ∠A의 크기

(3) ∠F의 크기

20 △ABC≡△FDE

(1) $\overline{EF}$의 길이

(2) ∠F의 크기

(3) ∠E의 크기

21 △ABC≡△DFE

(1) $\overline{BC}$의 길이

(2) ∠E의 크기

(3) ∠F의 크기

22 □ABCD≡□EFGH

(1) $\overline{AD}$의 길이

(2) $\overline{BC}$의 길이

(3) ∠F의 크기

(4) ∠H의 크기

23 □ABCD≡□EFGH

(1) $\overline{EF}$의 길이

(2) $\overline{BC}$의 길이

(3) ∠B의 크기

(4) ∠H의 크기

24 □ABCD≡□HGFE

(1) $\overline{\mathrm{AD}}$의 길이

(2) ∠A의 크기

(3) ∠G의 크기

(4) ∠C의 크기

25 □ABCD≡□GHEF

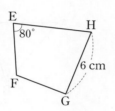

(1) $\overline{\mathrm{AB}}$의 길이

(2) ∠C의 크기

(3) ∠F의 크기

(4) ∠A의 크기

● 다음 중 합동인 두 도형에 대한 설명으로 옳은 것은 ○표, 옳지 않은 것은 ×표를 ( ) 안에 써넣으시오.

26 합동인 두 도형의 대응하는 변의 길이는 서로 같다.　　　( )

27 합동인 두 도형의 대응하는 각의 크기는 서로 같다.　　　( )

28 합동인 두 도형의 둘레의 길이는 서로 같다.　　　( )

29 합동인 두 도형의 넓이는 서로 같다.　( )

30 대응하는 변의 길이가 각각 서로 같은 두 도형은 합동이다.　　　　　　( )

31 대응하는 각의 크기가 각각 서로 같은 두 도형은 합동이다.　　　　　　( )

32 모양이 서로 같은 두 도형은 합동이다. ( )

33 둘레의 길이가 서로 같은 두 도형은 합동이다.　　　　　　　( )

34 넓이가 서로 같은 두 도형은 합동이다. ( )

😊 **내가 발견한 개념**　　　　두 도형이 합동이면?

△ABC≡△DEF일 때

• ∠A의 대응각 → ∠□

• 점 B의 대응점 → 점□

• $\overline{\mathrm{BC}}$의 대응변 → □

개념모음문제

35 아래 그림에서 △ABC≡△DEF일 때, 다음 중 옳지 않은 것은?

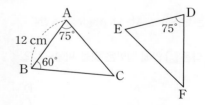

① 변 BC의 대응변은 변 EF이다.

② ∠E의 대응각은 ∠B이다.

③ $\overline{\mathrm{DE}}=12$ cm

④ ∠E=60°

⑤ ∠F=60°

07

삼각형의 합동 조건

❶ 대응하는 세 변의 길이가 각각 같을 때 (SSS 합동)

$$\overline{AB} = \overline{DE}, \quad \overline{BC} = \overline{EF}, \quad \overline{CA} = \overline{FD}$$
$$\quad\ \ \text{S} \qquad\qquad \text{S} \qquad\qquad \text{S}$$

❷ 대응하는 두 변의 길이가 각각 같고, 그 끼인각의 크기가 같을 때 (SAS 합동)

$$\overline{AB} = \overline{DE}, \quad \angle B = \angle E, \quad \overline{BC} = \overline{EF}$$
$$\quad\ \ \text{S} \qquad\qquad \text{A} \qquad\qquad \text{S}$$

❸ 대응하는 한 변의 길이가 같고, 그 양 끝 각의 크기가 각각 같을 때 (ASA 합동)

$$\angle B = \angle E, \quad \overline{BC} = \overline{EF}, \quad \angle C = \angle F$$
$$\quad\ \ \text{A} \qquad\qquad \text{S} \qquad\qquad \text{A}$$

[참고] S는 변(Side), A는 각(Angle)을 뜻한다.

[원리확인] 다음 □ 안에 알맞은 것을 써넣으시오.

❶

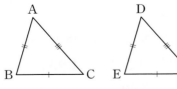

→ $\overline{AB} =$ ▢ , ▢ $= \overline{EF}$, $\overline{CA} =$ ▢

대응하는 세 ▢ 의 ▢ 가 각각 같다.
(▢ 합동)

❷

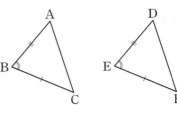

→ $\overline{AB} =$ ▢ , $\angle B =$ ▢ , ▢ $= \overline{EF}$

대응하는 두 ▢ 의 ▢ 가 각각 같고
그 ▢ 의 ▢ 가 같다.
(▢ 합동)

❸

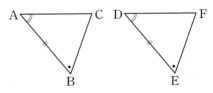

→ ▢ $= \angle D$, $\overline{AB} =$ ▢ , $\angle B =$ ▢

대응하는 한 ▢ 의 ▢ 가 같고
그 양 끝 ▢ 의 ▢ 가 각각 같다.
(▢ 합동)

삼각형의 결정조건은 삼각형의 합동 조건과 같다!

내가 삼각형이려면   우리가 같으려면

삼각형의 결정조건	삼각형의 합동 조건
• 세 변의 길이가 주어져 있다.	• 세 대응변의 길이가 각각 같다.
• 두 변의 길이와 그 끼인각의 크기가 주어져 있다.	• 두 대응변의 길이가 각각 같고 그 끼인각의 크기가 같다.
• 한 변의 길이와 그 양 끝 각의 크기가 주어져 있다.	• 한 대응변의 길이가 같고 그 양 끝 각의 크기가 각각 같다.

1st 삼각형의 합동 조건 이해하기

● 주어진 삼각형과 합동인 삼각형을 다음 보기에서 찾고 □ 안에 알맞은 것을 써넣으시오.

1

→ △MNO와 [   ]에서

$\overline{OM}$ = [   ] = [   ] cm

[   ] = ∠BAC = [   ]°

$\overline{MN}$ = [   ] = [   ] cm

따라서 △MNO≡[   ]([   ] 합동)

2

→ △PQR와 [   ]에서

∠QRP = [   ] = [   ]°

$\overline{RP}$ = [   ] = [   ] cm

∠QPR = [   ] = [   ]° − 70° − 45°

= [   ]°

따라서 △PQR≡[   ]([   ] 합동)

3

→ △JKL과 [   ]에서

$\overline{JK}$ = [   ] = [   ] cm

[   ] = $\overline{DE}$ = [   ] cm

$\overline{LJ}$ = [   ] = [   ] cm

따라서 △JKL≡[   ]([   ] 합동)

● 다음 주어진 삼각형 중 서로 합동인 삼각형끼리 연결하시오.

4

5

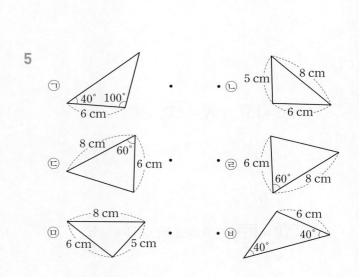

2ⁿᵈ — 삼각형이 합동이 되는 조건 찾기

● 다음과 같이 주어진 조건이 △ABC와 △DEF가 합동이 되도록 하는 조건이면 ○표, 합동이 되도록 하는 조건이 아니면 ×표를 (　) 안에 써넣으시오.

6 $\overline{AB}=\overline{DE}$, $\overline{BC}=\overline{EF}$, $\overline{CA}=\overline{FD}$ 　　　(　　)

7 $\overline{AB}=\overline{CA}$, $\overline{DE}=\overline{DF}$, $\overline{BC}=\overline{EF}$ 　　　(　　)

8 $\overline{AB}=\overline{DE}$, $\overline{BC}=\overline{EF}$, $\angle B=\angle E$ 　　　(　　)

9 $\overline{AB}=\overline{DE}$, $\overline{BC}=\overline{EF}$, $\angle A=\angle D$ 　　　(　　)

10 $\overline{AB}=\overline{DE}$, $\angle A=\angle D$, $\angle B=\angle E$ 　　　(　　)

11 $\overline{BC}=\overline{EF}$, $\angle A=\angle D$, $\angle C=\angle F$ 　　　(　　)

12 $\overline{AB}=\overline{FD}$, $\angle A=\angle F$, $\angle B=\angle E$ 　　　(　　)

● 다음 그림의 두 삼각형이 합동이 되기 위하여 필요한 나머지 한 조건을 구하려고 한다. □ 안에 알맞은 것을 써넣으시오.

13 $\overline{AB}=\overline{DE}$, $\overline{CA}=\overline{FD}$

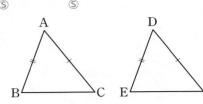

(1) $\overline{BC}=\boxed{}$ 이면 ⓢ

$\triangle ABC\equiv\boxed{}$ ($\boxed{}$ 합동)

(2) $\angle A=\boxed{}$ 이면 ⓐ

$\triangle ABC\equiv\boxed{}$ ($\boxed{}$ 합동)

14 $\overline{AC}=\overline{DE}$, $\angle A=\angle D$

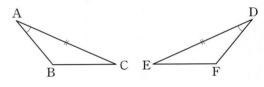

(1) $\overline{AB}=\boxed{}$ 이면

$\triangle ABC\equiv\boxed{}$ ($\boxed{}$ 합동)

(2) $\angle C=\boxed{}$ 이면

$\triangle ABC\equiv\boxed{}$ ($\boxed{}$ 합동)

(3) $\angle B=\boxed{}$ 이면

$\angle C=\boxed{}°-\angle A-\angle B$

$=\boxed{}°-\angle D-\boxed{}$

$=\boxed{}$ 이므로

$\triangle ABC\equiv\boxed{}$ ($\boxed{}$ 합동)

15 $\angle A = \angle D$, $\angle B = \angle E$

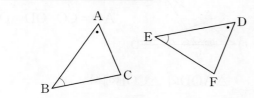

(1) $\overline{AB} = \boxed{}$ 이면

$\triangle ABC \equiv \boxed{}$ ($\boxed{}$ 합동)

(2) $\overline{BC} = \boxed{}$ 이면

$\angle C = \boxed{}$ 이므로

$\triangle ABC \equiv \boxed{}$ ($\boxed{}$ 합동)

(3) $\overline{CA} = \boxed{}$ 이면

$\angle C = \boxed{}$ 이므로

$\triangle ABC \equiv \boxed{}$ ($\boxed{}$ 합동)

16 다음은 $\overline{AB} = \overline{AD}$, $\overline{BC} = \overline{CD}$인 사각형 ABCD에서 $\triangle ABC$와 $\triangle ADC$가 합동임을 보이는 과정이다. ☐ 안에 알맞은 것을 써넣으시오.

$\triangle ABC$와 $\triangle ADC$에서

$\overline{AB} = \boxed{}$

$\overline{BC} = \boxed{}$

$\boxed{}$ 는 공통

따라서

$\triangle ABC \equiv \boxed{}$ ($\boxed{}$ 합동)

17 다음은 $\overline{AC}$, $\overline{BD}$의 교점을 O라 하면 $\overline{OA} = \overline{OC}$, $\overline{OB} = \overline{OD}$일 때, $\triangle OAB$와 $\triangle OCD$가 합동임을 보이는 과정이다. ☐ 안에 알맞은 것을 써넣으시오.

$\triangle OAB$와 $\triangle OCD$에서

$\overline{OA} = \boxed{}$

$\overline{OB} = \boxed{}$

$\angle AOB = \boxed{}$ (맞꼭지각)

따라서 $\triangle OAB \equiv \boxed{}$ ($\boxed{}$ 합동)

18 다음은 $\overline{AB} /\!\!/ \overline{DC}$, $\overline{AD} /\!\!/ \overline{BC}$인 평행사변형 ABCD에서 $\triangle ABC$와 $\triangle CDA$가 합동임을 보이는 과정이다. ☐ 안에 알맞은 것을 써넣으시오.

$\triangle ABC$와 $\triangle CDA$에서

$\boxed{}$ 는 공통

$\overline{AB} /\!\!/ \boxed{}$ 이므로

$\angle BAC = \boxed{}$ (엇각)

$\overline{AD} /\!\!/ \boxed{}$ 이므로

$\angle ACB = \boxed{}$ (엇각)

따라서 $\triangle ABC \equiv \boxed{}$ ($\boxed{}$ 합동)

19 다음은 선분 BC의 수직이등분선 l 위의 한 점 A에 대하여 △ABM과 △ACM이 합동임을 보이는 과정이다. □ 안에 알맞은 것을 써넣으시오. (단, 점 M은 $\overline{BC}$와 그 수직이등분선 l의 교점이다.)

l은 $\overline{BC}$의 수직이등분선이므로

$\overline{BM}=$ □ , $\overline{BC}$ □ l

△ABM과 △ACM에서

□ 은 공통

$\overline{BM}=$ □

$\angle AMB=$ □ $=$ □ °

따라서 △ABM≡ □ (□ 합동)

● 다음 □ 안에 알맞은 것을 써넣으시오.

20

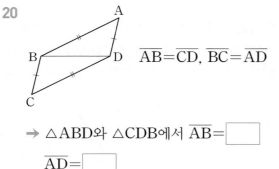

$\overline{AB}=\overline{CD}, \overline{BC}=\overline{AD}$

→ △ABD와 △CDB에서 $\overline{AB}=$ □

$\overline{AD}=$ □

□ 는 공통

따라서 △ABD≡ □ (□ 합동)

21

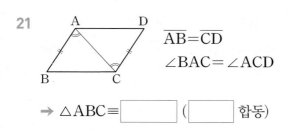

$\overline{AB}=\overline{CD}$

$\angle BAC=\angle ACD$

→ △ABC≡ □ (□ 합동)

22

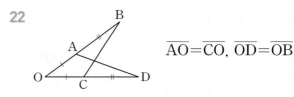

$\overline{AO}=\overline{CO}, \overline{OD}=\overline{OB}$

→ △AOD와 △COB에서

$\overline{AO}=$ □ , $\overline{OD}=$ □

□ 는 공통

따라서 △AOD≡ □ (□ 합동)

23

$\overline{AB}/\!/\overline{CD}, \overline{AB}=\overline{CD}$

→ △AOB≡ □ (□ 합동)

24

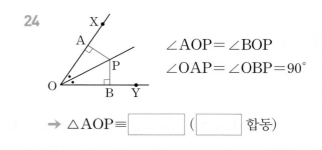

$\angle AOP=\angle BOP$

$\angle OAP=\angle OBP=90°$

→ △AOP≡ □ (□ 합동)

25 오른쪽 그림의 두 삼각형 ABC, DEF에서 △ABC≡△DEF이기

위하여 필요한 나머지 한 조건으로 알맞은 것만을 **보기**에서 모두 고른 것은?

┌ **보기** ┐

ㄱ. $\overline{AB}=\overline{DE}=3$ cm

ㄴ. $\overline{BC}=\overline{EF}=11$ cm

ㄷ. $\angle B=\angle E=25°$

① ㄱ   ② ㄷ   ③ ㄱ, ㄴ

④ ㄴ, ㄷ   ⑤ ㄱ, ㄴ, ㄷ

TEST 4. 작도와 합동

1 작도에 대한 다음 설명 중 옳은 것은?

① 작도할 때는 눈금이 있는 자와 컴퍼스를 사용한다.

② 선분의 길이를 잴 때는 눈금 없는 자를 사용하여 정확하게 잰다.

③ 선분을 연장할 때는 컴퍼스를 사용한다.

④ 두 선분의 길이를 비교할 때는 눈금 없는 자를 사용하는 것이 좋다.

⑤ 주어진 선분을 다른 직선 위에 옮길 때는 컴퍼스를 사용한다.

2 오른쪽 그림은 직선 l 밖의 한 점 P를 지나고 직선 l과 평행한 직선 m을 작도한 것이다. 옳은 것만을 **보기**에서 모두 고른 것은?

보기
ㄱ. $\overline{AB}=\overline{CD}$
ㄴ. $\overline{QC}=\overline{CD}$
ㄷ. $\angle APB=\angle CQD$
ㄹ. 동위각의 크기가 같으면 두 직선은 평행하다는 성질을 이용한 것이다.

① ㄱ, ㄷ   ② ㄱ, ㄹ   ③ ㄴ, ㄷ

④ ㄱ, ㄴ, ㄷ   ⑤ ㄱ, ㄷ, ㄹ

3 11, 6, $2a+1$이 삼각형의 세 변의 길이일 때, a의 값이 될 수 있는 모든 자연수의 개수를 구하시오.

4 다음 그림에서 □ABCD≡□EFGH일 때, $x+y$의 값을 구하시오.

5 다음 중 오른쪽 그림의 삼각형과 합동인 것은?

6 다음 그림에서 $\overline{AB}=\overline{DE}$, $\angle A=\angle D$일 때, △ABC와 △DEF가 합동이기 위하여 필요한 나머지 한 조건을 모두 고르면? (정답 2개)

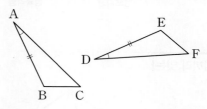

① $\overline{AB}=\overline{BC}$ ② $\overline{AB}=\overline{DF}$ ③ $\overline{AC}=\overline{DF}$

④ $\overline{BC}=\overline{EF}$ ⑤ $\angle C=\angle F$

5

삼각형의 성질을 알면 보이는,
다각형의 성질

왜냐면! 모든 다각형은 나로 쪼개지거든!

선분으로 둘러싸여 있는!

삼각형

변 꼭짓점
내각 외각
외각
오각형

사각형

01 다각형

여러 개의 선분으로 둘러싸인 평면도형을 다각형이라 해. 이때 변이 3개, 4개, $\cdots$, n개인 다각형을 각각 삼각형, 사각형, $\cdots$, n각형이라 하지.
다각형에서 변, 꼭짓점, 내각, 외각의 위치를 알아보자!

모든 변의 길이와 내각의 크기가 같은!

정삼각형 정사각형

정오각형 정육각형

02 정다각형

모든 변의 길이가 같고 모든 내각의 크기가 같은 다각형을 정다각형이라 해!

꼭짓점끼리 잇는!

$$\frac{5 \times 2}{2} = 5$$

한 대각선을 2번씩 세었으므로 2로 나눔!

03 다각형의 대각선

다각형에서 서로 이웃하지 않은 두 꼭짓점을 이은 선분을 대각선이라 해.
다각형의 한 꼭짓점에서 그을 수 있는 대각선의 개수는 $(n-3)$이야! $(n-3)$을 이용하여 다각형의 대각선의 개수를 구해보자!

합치면 평각이 되는!

$$\angle a + \angle b + \angle c = 180°$$

$$\angle d = \angle a + \angle b$$

04~05 삼각형의 내각과 외각의 성질

평행선의 성질을 이용하면 삼각형의 내각의 크기의 합이 180°임을 확인할 수 있어.
또한 삼각형의 한 외각의 크기는 그와 이웃하지 않는 두 내각의 크기의 합과 같음을 확인할 수 있어!

한 꼭짓점에서, (내각)+(외각)=180°!

내각의 크기의 합 ➡ $\angle a + \angle b + \angle c = 180°$

내각과 외각의 관계 ➡ $\angle a + \angle b = \angle d$

06 삼각형; 내각과 외각의 성질의 활용

삼각형의 내각과 외각의 성질을 이용해서 다양한 도형들에 대한 각을 구해보자!

삼각형의 개수로 구하는!

$$180° \times (5-2) = 540°$$

꼭짓점의 개수에서 왜 2를 뺄까?

07 다각형의 내각의 크기의 합

n각형의 한 꼭짓점에서 대각선을 모두 그으면 n각형은 $(n-2)$개의 삼각형으로 나누어져. 따라서 n각형의 내각의 크기의 합은 $180° \times (n-2)$야. 이때 정다각형은 내각의 크기가 모두 같으므로 한 내각의 크기는 $\dfrac{180° \times (n-2)}{n}$임을 알 수 있지!

360°가 되는!

$$\begin{pmatrix} 내각의 \\ 크기의 합 \end{pmatrix} + \begin{pmatrix} 외각의 \\ 크기의 합 \end{pmatrix} = 180° \times 5 = 900°$$

$$\begin{pmatrix} 외각의 \\ 크기의 합 \end{pmatrix} = 900° - \begin{pmatrix} 내각의 \\ 크기의 합 \end{pmatrix}$$

$$180° \times (5-2)$$

$$= 900° - 540°$$

$$= 360°$$

08 다각형의 외각의 크기의 합

다각형의 외각의 크기의 합은 무조건 360°야!
이때 정다각형은 외각의 크기가 모두 같으므로
한 외각의 크기는 $\dfrac{360°}{n}$이지!

01

다각형

삼각형

꼭짓점

변

내각 외각

외각

오각형

사각형

- **다각형** : 세 개 이상의 선분으로 둘러싸인 평면도형
  ① 변 : 다각형을 이루는 선분
  ② 꼭짓점 : 다각형의 변과 변이 만나는 점
  ③ 내각 : 다각형에서 이웃하는 두 변으로 이루어진 각
  ④ 외각 : 다각형의 꼭짓점에서 한 변과 그 변에 이웃하는 변의 연장선이 이루는 각

  (참고) ① 변이 3개, 4개, ···, n개인 다각형을 각각 삼각형, 사각형, ···, n각형이라 한다.
  ② 다각형의 한 꼭짓점에서 (내각의 크기)＋(외각의 크기)＝180°이다.

(원리확인) 다음 중 다각형인 것은 ○표, 다각형이 아닌 것은 ×표를 ( ) 안에 써넣으시오.

❶
( )

❷
( )

❸
( )

❹
( )

❺
( )

❻
( )

1st — 다각형 이해하기

● 다음 그림을 보고 □ 안에 다각형의 이름을 쓰고 표를 완성하시오.

1

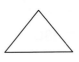

→ 삼각형

변의 개수	꼭짓점의 개수	내각의 개수

2

→

변의 개수	꼭짓점의 개수	내각의 개수

3

→

변의 개수	꼭짓점의 개수	내각의 개수

4

→

변의 개수	꼭짓점의 개수	내각의 개수

5

→

변의 개수	꼭짓점의 개수	내각의 개수

(•‿•) 내가 발견한 개념   다각형의 변, 꼭짓점, 내각의 개수는?

한 다각형에서 변의 개수, 꼭짓점의 개수, 내각의 개수는 모두 (같다 , 다르다).

2nd 외각 이해하기

● 다음 그림의 다각형에서 ∠A의 외각을 표시하시오.

6

7

8

9

10

색칠한 각은 외각이 아니다.

왜냐면 우린 한 변과
그 변에 이웃하는 변의 연장선이
이루는 각이 아니니까!

● 다음 그림의 다각형에서 ∠A의 외각의 크기를 구하시오.

11

→ (∠A의 외각의 크기)=180°−□°

= □°

12

13

14

15

☺ 내가 발견한 개념   한 꼭짓점에서 내각의 크기와 외각의 크기의 합은?

다각형의 한 꼭짓점에서

(내각의 크기)+(외각의 크기)= □

● 아래 그림의 다각형에서 다음을 구하시오.

16

(1) ∠A의 내각의 크기

(2) ∠A의 외각의 크기

(3) ∠C의 외각의 크기

17

(1) ∠A의 외각의 크기

(2) ∠B의 내각의 크기

(3) ∠C의 외각의 크기

18

(1) ∠B의 외각의 크기

(2) ∠C의 내각의 크기

(3) ∠D의 외각의 크기

(4) ∠E의 내각의 크기

19

(1) ∠A의 내각의 크기

(2) ∠A의 외각의 크기

→ 180°−(∠A의 내각의 크기)

= 180°− ☐ ° = ☐ °

(3) ∠B의 내각의 크기

20

(1) ∠A의 외각의 크기

(2) ∠B의 외각의 크기

(3) ∠C의 내각의 크기

21

(1) ∠A의 내각의 크기

(2) ∠B의 외각의 크기

(3) ∠C의 내각의 크기

(4) ∠E의 내각의 크기

• 다음 그림에서 ∠x, ∠y의 크기를 각각 구하시오.

22

115° / x / 50° / y

23

x / 84° / y / 53°

24

103° / x / 105° / y

25

x / 95° / y / 125°

26

72° / x / 108° / y

• 다음 중 다각형에 대한 설명으로 옳은 것은 ○표, 옳지 않은 것은 ×표를 (   ) 안에 써넣으시오.

27 변의 개수가 가장 적은 다각형은 삼각형이다.
(   )

28 다각형은 2개 이상의 선분으로 둘러싸여 있다.
(   )

29 구각형은 8개의 선분으로 둘러싸여 있다.
(   )

30 꼭짓점의 개수가 5인 다각형은 오각형이다.
(   )

31 한 다각형에서 변의 개수와 꼭짓점의 개수는 항상 같다.
(   )

32 다각형의 한 꼭짓점에서 내각의 크기와 외각의 크기의 합은 360°이다.
(   )

33 다각형에서 한 내각에 대한 외각은 단 한 개이다.
(   )

개념모음문제

34 오른쪽 그림의 오각형에서 외각의 크기가 각각 ∠a=30°, ∠b=120°, ∠c=35°, ∠d=80°, ∠e=95°일 때, 다음 중 이 오각형의 내각의 크기가 <u>아닌</u> 것은?

① 60°   ② 85°   ③ 105°

④ 145°   ⑤ 150°

모든 변의 길이와 내각의 크기가 같은!

정다각형

정삼각형　　정사각형

정오각형　　정육각형

- **정다각형:** 모든 변의 길이가 같고 모든 내각의 크기가 같은 다각형

참고 ① 변이 n개인 정다각형을 정n각형이라 한다.

② 마름모: 변의 길이는 모두 같지만 내각의 크기가 모두 같은 것은 아니므로 정다각형이 아니다.

③ 직사각형: 내각의 크기는 모두 같지만 변의 길이가 모두 같은 것은 아니므로 정다각형이 아니다.

원리확인 다음 중 정다각형인 것은 ○표, 정다각형이 아닌 것은 ✕표를 ( ) 안에 써넣으시오.

❶

(　　)

❷

(　　)

❸

(　　)

❹

(　　)

1st ― 정다각형 이해하기

● 다음 다각형에 대하여 옳은 것에 ○표를 하시오.

1

→ 세 변의 길이가 (같다 , 같지 않다).
　세 내각의 크기가 (같다 , 같지 않다).
　(정다각형이다 , 정다각형이 아니다).

2

→ 네 변의 길이가 (같다 , 같지 않다).
　네 내각의 크기가 (같다 , 같지 않다).
　(정다각형이다 , 정다각형이 아니다).

3

→ 네 변의 길이가 (같다 , 같지 않다).
　네 내각의 크기가 (같다 , 같지 않다).
　(정다각형이다 , 정다각형이 아니다).

이 도형은 정사각형일까 마름모일까?

모두 맞는 말!

4

→ 네 변의 길이가 (같다 , 같지 않다).
　네 내각의 크기가 (같다 , 같지 않다).
　(정다각형이다 , 정다각형이 아니다).

• 다음 조건을 만족시키는 다각형을 구하시오.

5

> ㈎ 3개의 선분으로 둘러싸여 있다.
> ㈏ 모든 변의 길이가 같다.
> ㈐ 모든 내각의 크기가 같다.

→ 정 ☐ 각형

6

> ㈎ 꼭짓점의 개수는 5이다.
> ㈏ 모든 변의 길이가 같다.
> ㈐ 모든 내각의 크기가 같다.

7

> ㈎ 9개의 내각을 가지고 있다.
> ㈏ 모든 변의 길이가 같다.
> ㈐ 모든 내각의 크기가 같다.

8

> ㈎ 길이가 같은 6개의 선분으로 둘러싸여 있다.
> ㈏ 모든 내각의 크기가 같다.

9

> ㈎ 크기가 같은 12개의 내각을 가지고 있다.
> ㈏ 모든 변의 길이가 같다.

• 다음 중 정다각형에 대한 설명으로 옳은 것은 ○표, 옳지 않은 것은 ×표를 ( ) 안에 써넣으시오.

10 세 변의 길이가 같은 삼각형은 정삼각형이다.
( )

11 네 내각의 크기가 같은 사각형은 정사각형이다.
( )

12 직사각형은 정다각형이다. ( )

13 꼭짓점의 개수가 7인 정다각형은 정칠각형이다.
( )

14 정팔각형의 모든 외각의 크기는 같다. ( )

15 변의 길이가 모두 같은 다각형을 정다각형이라 한다.
( )

16 정다각형은 한 내각의 크기와 한 외각의 크기가 같다.
( )

개념모음문제
17 다음 중 정육각형에 대한 설명으로 옳지 않은 것은?

① 변의 개수는 6이다.
② 모든 변의 길이가 같다.
③ 모든 대각선의 길이가 같다.
④ 내각의 개수는 6이다.
⑤ 모든 외각의 크기가 같다.

꼭짓점끼리 잇는!

다각형의 대각선

❶ 오각형의 한 꼭짓점에서 그을 수 있는 대각선의 개수

대각선
2개   2개   2개   2개   2개

$$5-3=2$$

꼭짓점의 개수에서 왜 3을 뺄까?

❷ 오각형의 대각선의 개수

$$\frac{5 \times 2}{2} = 5$$

한 대각선을 2번씩 세었으므로 2로 나눠!

- **대각선**: 다각형에서 서로 이웃하지 않는 두 꼭짓점을 이은 선분
- **n각형의 한 꼭짓점에서 그을 수 있는 대각선의 개수**: $n-3$
(단, $n \geq 4$)
- **n각형의 대각선의 개수**: $\dfrac{n(n-3)}{2}$

  참고 삼각형은 세 꼭짓점이 모두 이웃하므로 대각선을 그을 수 없다.

원리확인 다음 다각형의 한 꼭짓점에서 그을 수 있는 대각선의 개수를 ( ) 안에 써넣으시오.

❶

( )

❷

( )

❸

( )

❹

( )

1ˢᵗ 한 꼭짓점에서 그을 수 있는 대각선의 개수 구하기

● 한 꼭짓점에서 그을 수 있는 대각선의 개수가 다음과 같은 다각형을 구하시오.

1   2
→ 구하는 다각형을 n각형이라 하면
$n-3=$ ☐ 에서 $n=$ ☐
따라서 ☐각형이다.

2   6

3   8

4   12

 내가 발견한 개념   한 꼭짓점에서 그을 수 있는 대각선의 개수는?

n각형의 한 꼭짓점에서 그을 수 있는 대각선의 개수
→ ( )

n각형의 한 꼭짓점에서의 대각선의 개수

나 자신과는 대각선을 그을 수 없고, 이웃하는 꼭짓점과도 대각선을 그을 수 없어.

어떤 꼭짓점을 선택해도 마찬가지!

아항! 그래서 n개의 꼭짓점에서 3을 빼는 거군! 그러니깐 한 꼭짓점에서 그을 수 있는 대각선의 개수는 $(n-3)$!!!

2ⁿᵈ — 대각선의 개수 구하기

• 다음 다각형의 대각선의 개수를 구하시오.

5 오각형   **6** 팔각형

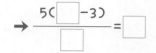

$$\dfrac{5(\boxed{}-3)}{\boxed{}}=\boxed{}$$

7 십이각형   **8** 십구각형

• 한 꼭짓점에서 그을 수 있는 대각선의 개수가 다음과 같은 다각형의 대각선의 개수를 구하시오.

9 3

→ 구하는 다각형을 n각형이라 하면

$n-3=\boxed{}$ 에서 $n=\boxed{}$

따라서 $\boxed{}$ 의 대각선의 개수 는

$$\dfrac{6(\boxed{}-3)}{\boxed{}}=\boxed{}$$

10 5

11 10

12 12

13 19

• 대각선의 개수가 다음과 같은 다각형을 구하시오.

14 14

→ 구하는 다각형을 n각형이라 하면

$\dfrac{n(n-3)}{2}=\boxed{}$ 에서 $n(n-3)=28$

이때 $28=\boxed{}\times 4$이므로 $n=\boxed{}$

따라서 구하는 다각형은 $\boxed{}$ 이다.

15 27

16 35

17 65

18 77

19 135

합치면 평각이 되는!

삼각형; 내각의 크기의 합

→

$$\angle a + \angle b + \angle c = 180°$$

• 삼각형의 내각의 크기의 합은 180°이다.

원리확인 다음 그림에 대하여 □ 안에 알맞은 것을 써넣으시오.

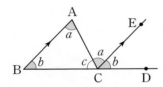

꼭짓점 C에서 변 AB에 평행한 반직선 CE를 그으면

$\angle A =$ ☐ (엇각), $\angle B =$ ☐ (동위각)

따라서 삼각형의 세 내각의 크기의 합은 ☐ 이다.

1st ─ 삼각형의 세 내각의 크기의 합을 이용하여 각의 크기 구하기

● 다음 그림에서 $\angle x$의 크기를 구하시오.

1

2

3

→ $100° + 2\angle x + 40° =$ ☐ °이므로

$\angle x =$ ☐ °

4

5

6

7

:) **내가 발견한 개념**   삼각형의 세 내각의 크기의 합은?

삼각형의 세 내각의 크기의 합 → ☐ °

8

→ ☐°+70°+∠x=☐°이므로

∠x=☐°

9

10

11

12

2nd 세 내각 사이의 관계가 주어진 경우 각의 크기 구하기

● 삼각형의 세 내각의 크기의 비가 다음과 같을 때, 가장 작은 내각의 크기를 구하시오.

13 1 : 2 : 3

[풀이①] 180°× ☐/(1+2+3) = ☐°

삼각형의 세 내각의 크기의 합

[풀이②] 세 내각의 크기를

∠x, 2∠x, 3∠x라 하면

∠x+2∠x+3∠x=☐°에서

6∠x=☐°이므로

∠x=☐°

14 3 : 2 : 4

15 3 : 4 : 5

16 2 : 3 : 7

17 4 : 5 : 9

개념모음문제

18 △ABC에서 ∠B의 크기는 ∠A의 크기의 3배이고 ∠C=60°일 때, ∠A의 크기는?

① 25°　　　② 30°　　　③ 35°

④ 40°　　　⑤ 45°

삼각형; 외각의 성질

❶ 삼각형의 외각의 크기

$$\angle d = \angle a + \angle b$$

❷ 삼각형의 세 외각의 크기의 합

$$\angle x + \angle y + \angle z = 360°$$

· 삼각형의 한 외각의 크기는 그와 이웃하지 않는 두 내각의 크기의 합과 같다.

· 삼각형의 세 외각의 크기의 합은 $360°$이다.

원리확인 다음 그림에 대하여 □ 안에 알맞은 것을 써넣으시오.

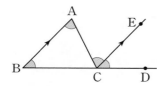

꼭짓점 C에서 $\overline{AB}$와 평행한 반직선 CE를 그으면

$\angle B =$ ☐ (동위각)

$\angle A =$ ☐ (엇각)

따라서

$(\angle C$의 외각$) = \angle ACD$

　　　　　　 $=$ ☐ $+$ ☐

　　　　　　 $= \angle A + \angle B$

1st 삼각형의 외각의 성질을 이용하여 각의 크기 구하기

● 다음 그림에서 $\angle x$의 크기를 구하시오.

1

➡ $\angle x = 75° +$ ☐ $° =$ ☐ $°$

2

3

120° 50° x

4

x 150°

5

110° x 50°

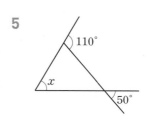

😊 **내가 발견한 개념**　　　　　삼각형의 외각의 크기를 각각 써넣어봐!

· ㉠$=\angle$☐$+\angle$☐

· ㉡$=\angle$☐$+\angle$☐

· ㉢$=\angle$☐$+\angle$☐

6

→ $4\angle x = 60° +$ ⬜, ⬜ $= 60°$

따라서 $\angle x =$ ⬜ °

7

8

9

10

● **다음 그림에서 $\angle x$, $\angle y$의 크기를 각각 구하시오.**

11

→ $\angle x +$ ⬜ $° = 80°$이므로 $\angle x =$ ⬜ °

$\angle y = 75° +$ ⬜ ° $=$ ⬜ °

12

13

14

06

한 꼭짓점에서, (내각)+(외각)=180°!

삼각형;
내각과 외각의 성질의 활용

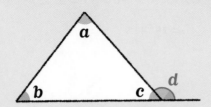

내각의 크기의 합 ➡ $\angle a + \angle b + \angle c = 180°$

내각과 외각의 관계 ➡ $\angle a + \angle b = \angle d$

1st ― 내각의 이등분선을 이용하여 각의 크기 구하기

$$\bullet = \frac{180° - (\angle a + \angle b)}{2}$$

$\angle x = \angle a + \bullet$

● 아래 그림을 ∠x를 구하는 과정이다. 다음 대하여 □ 안에 알맞은 수를 써넣으시오.

1

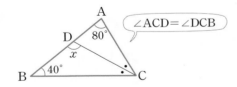

∠ACD＝∠DCB

➡ △ABC에서

$\angle \text{ACB} = 180° - (\boxed{}° + \boxed{}°) = \boxed{}°$

따라서 $\angle \text{ACD} = \dfrac{1}{2}\angle \text{ACB} = \boxed{}°$

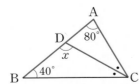

➡ △ADC에서

$\angle x = 80° + \boxed{}° = \boxed{}°$

● 다음 그림에서 ∠x의 크기를 구하시오.

2

3

4

5

6

●= ∠b − ∠a   ∠x = ∠a + 2●

● 아래 그림은 ∠x를 구하는 과정이다. 다음 □ 안에 알맞은
수를 써넣으시오.

7

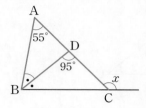

→ △ABD에서

55° + ∠ABD = □ °이므로

∠ABD = □ °

→ △ABC에서

∠ABC = 2∠ABD = □ °

∠x = 55° + □ ° = □ °

● 다음 그림에서 ∠x의 크기를 구하시오.

8

9

10

11

12

13

$$2\bullet+2\blacktriangle=180°-\angle a \qquad \angle x=180°-\frac{180°-\angle a}{2}$$

● 아래 그림은 ∠x를 구하는 과정이다. 다음 □ 안에 알맞은 수를 써넣으시오.

14

→ △ABC에서

$$2\bullet+2\blacktriangle+\boxed{}°=180°이므로$$

$$\bullet+\blacktriangle=\frac{180°-\boxed{}°}{2}=\boxed{}°$$

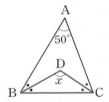

→ △DBC에서

∠x+●+▲=180°이므로

$$\angle x+\boxed{}°=180°$$

따라서 ∠x=$\boxed{}$°

● 다음 그림에서 ∠x의 크기를 구하시오.

15

16

17

18

19

20

2nd — 외각의 이등분선을 이용하여 각의 크기 구하기

$2▲ = ∠a + 2●$

$⇒ ▲ - ● = \dfrac{1}{2}∠a$

$● + ∠x = ▲$

$∠x = ▲ - ●$

$= \dfrac{1}{2}∠a$

● 아래 그림은 ∠x를 구하는 과정이다. 다음 □ 안에 알맞은 수를 써넣으시오.

21

→ △ABC에서

$2● + \boxed{}° = 2▲$ 이므로

$2▲ - 2● = \boxed{}°$

따라서 $▲ - ● = \boxed{}°$

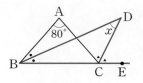

→ △DBC에서

$∠x + ● = ▲$

따라서 $∠x = ▲ - ● = \boxed{}°$

● 다음 그림에서 ∠x의 크기를 구하시오.

22

23

24

25

26

27

$$\angle x = \angle a + \angle b$$
$$= \angle c + \angle d$$

● 아래 그림은 ∠x를 구하는 과정이다. 다음 □ 안에 알맞은 수를 써넣으시오.

28

→ △ABO에서 45°+∠x=□°

　따라서 ∠x=□°

→ △CDO에서 ∠y+55°=□°

　따라서 ∠y=□°

● 다음 그림에서 ∠x, ∠y의 크기를 각각 구하시오.

29

30

31

32

33

34

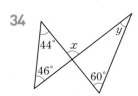

4th ─ △ 모양의 도형에서 각의 크기 구하기

$$\angle a + \angle b \qquad \angle x = \angle a + \angle b + \angle c$$

● 아래 그림은 ∠x를 구하는 과정이다. 다음 □ 안에 알맞은 수를 써넣으시오.

35

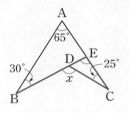

→ △ABE에서

∠BEC = □° + 30° = □°

△CED에서

→ △CED에서

∠x = □° + 25° = □°

● 다음 그림에서 ∠x의 크기를 구하시오.

36

37

38

→ $\overline{BC}$를 그으면 △ABC에서

∠DBC + ∠DCB

= □° − (70° + 35° + 40°) = □°

△DBC에서

∠x + ∠DBC + ∠DCB = □° 이므로

∠x = 180° − □° = □°

39

40

이등변삼각형의 성질을 이용하여 각의 크기 구하기

$$\angle x = \bullet + 2\bullet = 3\bullet$$

● 아래 그림은 ∠x를 구하는 과정이다. 다음 □ 안에 알맞은 수를 써넣으시오.

41

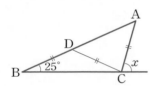

→ △DBC는 이등변삼각형이므로
  ∠DCB＝∠DBC＝25°
  ∠ADC＝□°＋25°＝□°
  △ADC는 이등변삼각형이므로
  ∠DAC＝∠ADC＝□°

→ △ABC에서
  ∠x＝□°＋25°＝□°

● 다음 그림에서 ∠x의 크기를 구하시오.

42

43

44

45

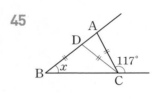

46

47

6th ☆ 모양의 도형에서 각의 크기 구하기

$$\angle a + \angle b + \angle c + \angle d + \angle e = 180°$$

• 아래 그림에 대하여 다음 □ 안에 알맞은 것을 써넣으시오.

48

→ △BDG에서 ∠AGB = ∠□ + ∠□

→ △CEF에서 ∠AFE = ∠□ + ∠□

→ △AFG에서
  ∠a + ∠AGF + ∠AFG
  = ∠a + ∠AGB + ∠AFE
  = ∠a + (∠b + ∠□) + (∠□ + ∠e)
  = □ °

• 다음 그림에서 ∠a의 크기를 구하시오.

49

50

51

52

53

삼각형의 개수로 구하는!

다각형의 내각의 크기의 합

❶ 오각형의 내각의 크기의 합

$$180° \times (5-2) = 540°$$

꼭짓점의 개수에서 왜 2를 뺄까?

❷ 정오각형의 한 내각의 크기

$$\frac{180° \times (5-2)}{5} = 108°$$

정오각형의 내각의 개수

- 다각형의 내각의 크기의 합: $180° \times (n-2)$
- 정n각형의 한 내각의 크기: $\dfrac{180° \times (n-2)}{n}$

참고 정다각형의 모든 내각의 크기가 각각 같으므로 한 내각의 크기는 내각의 크기의 합을 꼭짓점의 개수로 나눈 것과 같다.

1ˢᵗ ― 내각의 크기의 합 구하기

● 다음 다각형의 내각의 크기의 합을 구하시오.

1 구각형

→ 한 꼭짓점에서 대각선을 그어 만들 수 있는

삼각형의 개수는 9-☐=☐

따라서 구각형의 내각의 크기의 합은

$180° \times$ ☐ = ☐°

2 십각형

→ $180° \times (10-$☐$)=$☐°

3 십이각형

4 십오각형

5 십팔각형

6 이십각형

7 이십이각형

한 꼭짓점에서 그은 대각선의 개수

대각선을 그어 생기는 삼각형의 개수

4각형

1 ―(+1)→ 2

대각선 1개를 그으면 삼각형이 2개 생기네?

5각형

2 ―(+1)→ 3

대각선이 1개씩 늘 때마다 삼각형도 1개씩 느는군!

6각형

3 ―(+1)→ 4

n각형

$n-3$ ―(+1)→ $n-2$

소·오·름!!! 그래서 $n-2$!!!

● 한 꼭짓점에서 대각선을 그어 만든 삼각형의 개수가 다음과 같은 다각형의 내각의 크기의 합을 구하시오.

8 3 한 꼭짓점에서 대각선을 그어 만들 수 있는 삼각형이 3개인 다각형은 오각형이야!

➡ n각형의 한 꼭짓점에서 대각선을 그어 만들 수 있는 삼각형의 개수는 $n-\boxed{}$

즉 $n-\boxed{}=\boxed{}$ 이므로 내각의 크기의 합은

$180° \times (n-\boxed{})=180° \times \boxed{}=\boxed{}°$

9 5

10 6

11 8

12 10

13 13

● 내각의 크기의 합이 다음과 같은 다각형을 구하시오.

14 1260°

➡ 구하는 다각형을 n각형이라 하면

$180° \times (n-\boxed{})=1260°$

$n-\boxed{}=7,\ n=\boxed{}$

따라서 구하는 다각형은 $\boxed{}$ 이다.

15 720°

16 900°

17 1080°

18 1440°

19 2700°

개념모음문제

20 내각의 크기의 합이 1620°인 다각형의 변의 개수는?

① 10   ② 11   ③ 12
④ 13   ⑤ 14

:) **내가 발견한 개념** n각형의 내각의 크기의 합은?

n각형의 한 꼭짓점에서 대각선을 모두 그어 만들 수 있는 삼각형의 개수는 $\boxed{}$ 이므로 내각의 크기의 합

➡ $180° \times (\boxed{})$

• 다음 그림에서 ∠x의 크기를 구하시오.

21

➡ 사각형의 내각의 크기의 합은

$180° × (4 - \boxed{}) = \boxed{}°$ 이므로

$115° + ∠x + 80° + 100° = \boxed{}°$

따라서 ∠$x = \boxed{}°$

22

23

24

25

26

27

28

29 오른쪽 그림과 같은 다각형에서 ∠x의 크기는?

① 100°   ② 110°

③ 115°   ④ 120°

⑤ 135°

모든 다각형은 삼각형으로 쪼개진다!

   ···

삼각형이 모든 다각형의 기본인 거지!
삼각형의 성질을 알면 다각형의 성질도
알 수 있겠군!

2nd 정n각형의 한 내각의 크기 구하기

● 다음 정다각형의 한 내각의 크기를 구하시오.

30 정오각형 정다각형의 모든 내각의 크기는 같아!

→ $\dfrac{180° \times (\boxed{} - 2)}{\boxed{}} = \boxed{}°$

31 정육각형

32 정팔각형

33 정십각형

34 정십이각형

35 정십오각형

36 정이십각형

● 한 내각의 크기가 다음과 같은 정다각형을 구하시오.

37 108°

→ 구하는 정다각형을 정n각형이라 하면

$\dfrac{180° \times (\boxed{} - 2)}{\boxed{}} = \boxed{}°$

$180° \times n - 360° = \boxed{}° \times n$이므로

$\boxed{}° \times n = 360°$, $n = \boxed{}$

따라서 구하는 정다각형은 $\boxed{}$이다.

38 90°

39 120°

40 140°

41 150°

42 162°

:) 내가 발견한 개념   정다각형의 한 내각의 크기는?

정n각형의 한 내각의 크기 → $\dfrac{180° \times (\boxed{})}{\boxed{}}$

다각형의 외각의 크기의 합

❶ 오각형의 외각의 크기의 합

$$\left(\begin{array}{c}\text{내각의}\\\text{크기의 합}\end{array}\right) + \left(\begin{array}{c}\text{외각의}\\\text{크기의 합}\end{array}\right) = 180° \times 5 = 900°$$

$$\left(\begin{array}{c}\text{외각의}\\\text{크기의 합}\end{array}\right) = 900° - \underbrace{\left(\begin{array}{c}\text{내각의}\\\text{크기의 합}\end{array}\right)}_{180° \times (5-2)}$$

$$= 900° - 540°$$
$$= 360°$$

❷ 정오각형의 한 외각의 크기

$$\frac{360°}{5} = 72°$$

· **다각형의 외각의 크기의 합: 360˚**

다각형의 외각의 크기의 합은 다각형의 내각의 크기의 합을 이용하여 구할 수 있다.

> n각형의 모든 꼭짓점에서
> 한 내각과 외각의 크기의 합은 180˚이므로
> (외각의 크기의 합)+(내각의 크기의 합)$=180° \times n$
> 따라서
> (외각의 크기의 합)$=180° \times n -$(내각의 크기의 합)
> $\qquad\qquad\qquad\quad =180° \times n -180° \times (n-2)$
> $\qquad\qquad\qquad\quad =360°$

· **정n각형의 한 외각의 크기: $\dfrac{360°}{n}$**

정다각형은 모든 외각의 크기가 각각 같으므로 한 외각의 크기는 외각의 크기의 합 360˚를 꼭짓점의 개수로 나눈 것과 같다.

주의 정다각형이 아닌 다각형의 한 외각의 크기를 $\dfrac{360°}{n}$로 착각하지 않는다.

1st ― 외각의 크기의 합 구하기

· 다음 다각형의 외각의 크기의 합을 구하시오.

1 삼각형

2 오각형

3 정육각형

4 정팔각형

5 십각형

6 십이각형

7 이십각형

카메라 조리개가 닫히는 모양에서
(다각형의 외각의 크기의 합)$=360°$임을 알 수 있다.

😊 **내가 발견한 개념** 다각형의 외각의 크기의 합은?

다각형의 외각의 크기의 합 → ☐ °

● 다음 그림에서 ∠x의 크기를 구하시오.

8

➡ ∠x＋80°＋100°＋110°＝ ☐ °

따라서 ∠x＝ ☐ °

9

10

11

12

13

➡ (∠x－20°)＋30°＋40°＋(3∠x－50°)
　　　　　　　　　＋2∠x＋60°

＝ ☐ °

6∠x＋60°＝ ☐ °

따라서 ∠x＝ ☐ °

14

15

16

개념모음문제

17 오른쪽 그림에서
∠a＋∠b＋∠c＋∠d＋∠e
의 크기를 구하시오.

2ⁿᵈ ─ 정n각형의 한 외각의 크기 구하기

● 다음 정다각형의 한 외각의 크기를 구하시오.

18 정오각형

➜ $\dfrac{360°}{\boxed{}} = \boxed{}°$

정다각형의 모든 외각의 크기는 같아!

19 정사각형

20 정육각형

21 정팔각형

22 정십이각형

23 정십팔각형

24 정이십각형

● 한 외각의 크기가 다음과 같은 정다각형을 구하시오.

25 72°

➜ 구하는 정다각형을 정n각형이라 하면

$\dfrac{360°}{n} = \boxed{}°$ 이므로

$n = \boxed{}$

따라서 구하는 정다각형은 $\boxed{}$ 이다.

26 120°

27 60°

28 45°

29 40°

30 30°

31 18°

3rd — 종합 연습 문제

• 한 내각의 크기와 한 외각의 크기의 비가 다음과 같은 정다각형을 구하시오.

32 2 : 1 한 꼭짓점에 대하여 내각의 크기와 외각의 크기의 합은 180°야

→ 한 외각의 크기는 $180° \times \dfrac{\boxed{}}{2+1} = \boxed{}°$

구하는 정다각형을 정n각형이라 하면

$\dfrac{360°}{n} = \boxed{}°$이므로 $n = \boxed{}$

따라서 구하는 정다각형은 $\boxed{}$이다.

33 1 : 1

34 3 : 2

35 5 : 1

개념모음문제
36 한 내각과 한 외각의 크기의 비가 3 : 1인 정다각형의 대각선의 개수는?

① 17   ② 18   ③ 19
④ 20   ⑤ 21

• 내각의 크기의 합이 다음과 같은 정다각형의 한 내각의 크기를 구하시오.

37 1260°

→ 구하는 정다각형을 정n각형이라 하면

$180° \times (n - \boxed{}) = 1260°$

$n - \boxed{} = 7$이므로 $n = \boxed{}$

따라서 $\boxed{}$의 한 내각의 크기는

$\dfrac{1260°}{\boxed{}} = \boxed{}°$

38 720°

39 1080°

40 1440°

41 1800°

• 한 꼭짓점에서 그은 대각선의 개수가 다음과 같은 정다각형의 한 내각의 크기를 구하시오.

42 2   n각형의 한 꼭짓점에서 그을 수 있는 대각선의 개수는 (n-3)개야!

→ 구하는 정다각형을 정n각형이라 하면

$n-3=\boxed{}$ 이므로 $n=\boxed{}$

따라서 $\boxed{}$의 한 내각의 크기는

$$\frac{180° \times (\boxed{}-2)}{\boxed{}} = \boxed{}°$$

43 5

44 7

45 9

46 한 외각의 크기가 20°인 정다각형의 대각선의 개수는?

① 131   ② 133   ③ 135

④ 137   ⑤ 139

• 정다각형의 내각의 크기의 합과 외각의 크기의 합을 모두 더하면 다음과 같을 때, 정다각형의 한 외각의 크기를 구하시오.

47 1080°

→ 구하는 정다각형을 정n각형이라 하면

$180° \times (n-\boxed{})+360°=1080°$

$180° \times (n-\boxed{})=720°$

$n-\boxed{}=4$이므로 $n=\boxed{}$

따라서 $\boxed{}$의 한 외각의 크기는

$$\frac{360°}{\boxed{}} = \boxed{}°$$

48 900°

49 1440°

50 2160°

😊 내가 발견한 개념 정n각형의 한 내각과 한 외각의 크기는?

• 정n각형의 한 내각의 크기

→ $\dfrac{(내각의 \ 크기의 \ 합)}{n} = \dfrac{180° \times \left(\boxed{}\right)}{n}$

• 정n각형의 한 외각의 크기

→ $\dfrac{(외각의 \ 크기의 \ 합)}{n} = \dfrac{\boxed{}°}{n}$

TEST 5. 다각형의 성질

1 다음 설명 중 옳지 <u>않은</u> 것을 모두 고르면?

(정답 2개)

① 다각형은 변의 개수와 꼭짓점의 개수가 항상 같다.
② 삼각형은 대각선을 그을 수 없다.
③ 다각형의 한 꼭짓점에서 내각의 크기와 외각의 크기의 합은 $360°$이다.
④ 마름모는 정다각형이다.
⑤ 정다각형의 변의 길이는 모두 같다.

2 대각선의 개수가 77인 다각형의 내각의 크기의 합은?

① $1080°$ ② $1260°$ ③ $1440°$
④ $1620°$ ⑤ $2160°$

3 오른쪽 그림에서 $\angle x$의 크기는?

① $25°$ ② $30°$
③ $35°$ ④ $40°$
⑤ $45°$

4 오른쪽 그림에서 $\angle x + \angle y$의 크기는?

① $105°$ ② $110°$
③ $115°$ ④ $120°$
⑤ $125°$

5 오른쪽 그림에서 $\overline{AB}=\overline{AC}=\overline{CD}$이고 $\angle DCE=102°$일 때, $\angle x$의 크기를 구하시오.

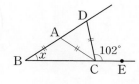

6 한 내각의 크기와 한 외각의 크기의 비가 7 : 2인 정다각형을 구하시오.

6

π로 해결하는,
원과 부채꼴

3.141592653589793238462643383279502884197169399375105820974944592307816406286208998628034825342170...

원과 관련된 문제들은 나 없인 안되지! 안되고 말고!

원과 선이 만드는 여러 가지 도형!

호 AB ➡ $\widehat{AB}$

A B
부채꼴
중심각
O
현 CD ──── 할선
C ── 활꼴 ── D

01 원과 부채꼴

평면 위의 한 점으로부터 일정한 거리에 있는 모든 점으로 이루어진 도형을 원이라 해!

원 위의 두 점은 원을 두 부분으로 나누는데 이 두 부분을 각각 호라 하지.

한편 원에서 두 반지름과 호로 이루어진 도형을 부채꼴이라 하고 이때 두 반지름으로 이루어진 각을 부채꼴의 중심각이라 하지!

정비례하는!

2배
3배

부채꼴의 호의 길이는 중심각의 크기에 정비례한다.

02 부채꼴; 중심각의 크기와 호의 길이

한 원 또는 합동인 두 원에서 중심각의 크기가 같은 두 부채꼴은 서로 합동이야. 따라서 중심각의 크기가 같은 두 부채꼴의 호의 길이는 같아.

한편 한 원에서 부채꼴의 호의 길이는 중심각의 크기에 정비례하지!

정비례하는!

2배
3배

부채꼴의 넓이는 중심각의 크기에 정비례한다.

03 부채꼴; 중심각의 크기와 넓이

한 원 또는 합동인 두 원에서 중심각의 크기가 같은 두 부채꼴의 넓이는 같아!

한편 한 원에서 부채꼴의 넓이는 중심각의 크기에 정비례하지!

현의 길이는
중심각의 크기에 정비례하지 않는다.

04 부채꼴; 중심각의 크기와 현의 길이

한 원 또는 합동인 두 원에서 중심각의 크기가 같은
두 부채꼴의 현의 길이는 같아. 하지만 현의 길이는
중심각의 크기에 정비례하지는 않아!

원주율 π

안녕! 난 파이라고 해!
이제부터는 3.14 대신
나를 사용해!

둘레의 길이는
지름의 길이의 π배!

원을 동일한
부채꼴로 나누어
연결하면

$\frac{1}{2} \times l$

05 원; 둘레의 길이와 넓이

원에서 지름의 길이에 대한 둘레의 길이의 비율은
일정한데, 이 비율을 원주율이라 해. 초등학교에서
는 주로 3.14를 원주율로 사용했으나 원주율은 무한
소수이므로 기호 π로 나타내고 '파이'라 읽어!
반지름의 길이가 r인 원의 둘레의 길이 l과 넓이 S
를 π를 사용하여 나타내면 $l = 2\pi r$, $S = \pi r^2$이야!

호의 길이는 중심각의 크기에 정비례!
$2\pi r : l = 360 : x$

넓이는 중심각의 크기에 정비례!
$\pi r^2 : S = 360 : x$

06 부채꼴; 호의 길이와 넓이

부채꼴의 호의 길이와 넓이가 각각 중심각의 크기에
정비례하는 것을 이용하여 부채꼴의 호의 길이와 넓
이를 구할 수 있어.
반지름의 길이가 r이고 중심각의 크기가 $x°$인 부채
꼴의 호의 길이를 l, 넓이를 S라 하면
$l = 2\pi r \times \dfrac{x}{360}$, $S = \pi r^2 \times \dfrac{x}{360}$ 이야!

부채꼴을 동일한
부채꼴로 나누어
연결하면

$\frac{1}{2} \times l$

(부채꼴의 넓이) = {(호의 길이) $\times \frac{1}{2}$} $\times$ (반지름의 길이)

07 부채꼴; 호의 길이와 넓이 사이의 관계

반지름의 길이와 호의 길이를 이용하여 부채꼴의
넓이를 구할 수 있어.
반지름의 길이가 r이고 중심각의 크기가 $x°$인 부채
꼴의 호의 길이를 l, 넓이를 S라 하면
$S = \pi r^2 \times \dfrac{x}{360} = \dfrac{1}{2} \times r \times \left(2\pi r \times \dfrac{x}{360}\right) = \dfrac{1}{2}rl$

l

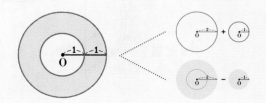

08 색칠한 부분의 둘레의 길이와 넓이

원과 부채꼴의 호의 길이와 넓이를 이용해서 색칠
한 부분의 둘레의 길이와 넓이를 구해보자!

원과 선이 만드는 여러 가지 도형!

원과 부채꼴

- **원**: 평면 위의 한 점 O로부터 일정한 거리에 있는 모든 점들로 이루어진 도형
- **호 AB**: 원 위의 두 점 A, B를 양 끝으로 하는 원의 일부분 (→ $\overset{\frown}{AB}$)
- **현 CD**: 원 위의 두 점 C, D를 이은 선분
- **부채꼴 AOB**: 원 O에서 두 반지름 OA, OB와 호 AB로 이루어진 도형
- **중심각**: 부채꼴 AOB에서 두 반지름 OA, OB가 이루는 ∠AOB를 부채꼴 AOB의 중심각 또는 호 AB에 대한 중심각이라 한다.
- **활꼴**: 원에서 현 CD와 호 CD로 이루어진 도형
- **할선**: 원 O와 두 점에서 만나는 직선

(참고) ① 호 AB는 보통 길이가 짧은 쪽의 호를 나타낸다.
② 원의 중심을 지나는 현은 그 원의 지름이고, 원에서 지름은 길이가 가장 긴 현이다.
③ 반원은 활꼴인 동시에 부채꼴이다.

(원리확인) 다음 □ 안에 알맞은 것을 써넣으시오.

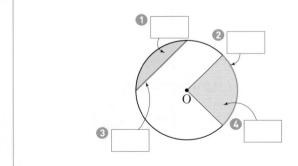

원과 부채꼴의 용어 알기

● 다음을 원 O 위에 나타내시오.

1 호 AB   호 AB는 보통 작은 쪽의 호를 나타내!

2 현 AB

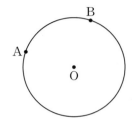

3 부채꼴 AOB   부채꼴 AOB는 보통 중심각의 크기가 작은 쪽의 부채꼴을 나타내!

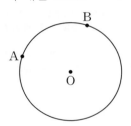

4 호 AB와 현 AB로 이루어진 활꼴

호와 현

● 아래 그림을 보고 다음을 기호로 나타내시오.

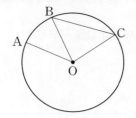

5 호 AB

6 호 BC

7 현 BC

8 부채꼴 AOB에 대한 중심각

9 부채꼴 BOC에 대한 중심각

10 호 BC에 대한 중심각

나 반원은 **부채꼴**이면서 **활꼴**이기도 하지.

지름은 가장 긴 **현**이야.

● 다음 원 O에 대한 설명 중 옳은 것은 ○표, 옳지 않은 것은 ✕표를 ( ) 안에 써넣으시오.

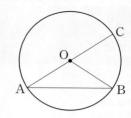

11 부채꼴은 원 위의 두 점을 이은 현과 호로 이루어진 도형이다. ( )

12 부채꼴 AOB에 대한 중심각은 ∠AOB이다. ( )

13 호 AB에 대한 중심각은 ∠AOB이다. ( )

14 $\overline{OA}$와 $\overline{OB}$는 현이다. ( )

15 $\overline{AC}$는 길이가 가장 긴 현이다. ( )

16 부채꼴이 활꼴이 될 때 중심각의 크기는 360°이다. ( )

개념모음문제

17 다음 설명 중 옳지 <u>않은</u> 것은?

① 현은 원 위의 두 점을 이은 선분이다.
② 할선은 원 위의 두 점을 이은 직선이다.
③ 원의 중심을 지나는 현은 그 원의 지름이다.
④ 반원에 대한 중심각의 크기는 360°이다.
⑤ 한 원에서 부채꼴과 활꼴이 같을 때, 그 모양은 반원이다.

02

정비례하는!

부채꼴;
중심각의 크기와 호의 길이

> 중심각의 크기가 같으면
> 부채꼴의 호의 길이도 같아!

2배

3배

**부채꼴의 호의 길이는
중심각의 크기에 정비례한다.**

- **중심각의 크기와 호의 길이의 관계**

  한 원 또는 합동인 두 원에서

  ① 중심각의 크기가 같은 두 부채꼴의 호의 길이는 같다.

  ② 호의 길이가 같은 두 부채꼴의 중심각의 크기는 같다.

  ③ 부채꼴의 호의 길이는 중심각의 크기에 정비례한다.

원리확인 그림의 원 O에서 중심각의 크기와 호의 길이 사이의 관계에 대한 표를 완성하고, □ 안에 알맞은 것을 써넣으시오.

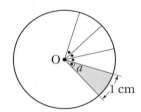

중심각의 크기	호의 길이
$\angle a$	1 cm
2배 $2\angle a$	
3배 $3\angle a$	
4배 $4\angle a$	

→ 부채꼴의 호의 길이는 중심각의 크기에 □
한다.

1st 부채꼴의 중심각의 크기와 호의 길이 구하기

● 다음 그림에서 x의 값을 구하시오.

1

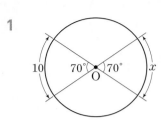

10 $70°$ $70°$ x

2

x — 3

$30°$ $30°$

O

3

5 $40°$ $x°$ 5

O

4

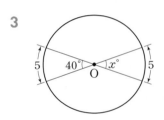

6

$65°$

O $x°$

6

😊 **내가 발견한 개념**   중심각의 크기 vs 호의 길이

한 원 또는 합동인 두 원에서

• 중심각의 크기가 같은 두 부채꼴의 □ 의 길이는 같다.

• 호의 길이가 같은 두 부채꼴의 □ 의 크기는 같다.

5

➡ 80 : 40 = ☐ : x이므로 x = ☐

6

7

8

● 다음 그림에서 x, y의 값을 각각 구하시오.

9

➡ 35 : 70 = ☐ : x이므로 x = ☐

35 : y = 2 : ☐ 이므로 y = ☐

10

11

12

13

● 호의 길이의 비가 다음과 같을 때, $\angle x$의 크기를 구하시오.

14 $\overset{\frown}{AB} : \overset{\frown}{BC} = 3 : 2$

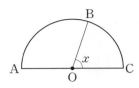

$$\rightarrow \angle x = 180° \times \frac{\boxed{}}{3+2} = \boxed{}°$$

15 $\overset{\frown}{AB} : \overset{\frown}{BC} = 3 : 7$

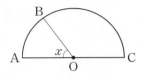

16 $\overset{\frown}{AB} : \overset{\frown}{BC} = 1 : 3$

17 $\overset{\frown}{AB} : \overset{\frown}{BC} : \overset{\frown}{CA} = 1 : 2 : 3$

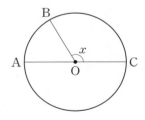

$$\rightarrow \angle x = 360° \times \frac{\boxed{}}{1+2+3} = \boxed{}°$$

18 $\overset{\frown}{AB} : \overset{\frown}{BC} : \overset{\frown}{CA} = 2 : 6 : 7$

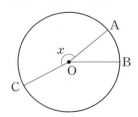

2nd — 부채꼴의 호의 길이 활용하기

● 아래 그림은 x를 구하는 과정이다. 다음 □ 안에 알맞은 것을 써넣으시오.

19

$\rightarrow \overline{AD} /\!/ \overline{OC}$이므로

$\qquad \angle DAB = \angle \boxed{} = \boxed{}°$(동위각)

$\rightarrow \overline{OD}$를 그으면 $\overline{OA} = \overline{OD}$이므로

$\qquad \angle ODA = \angle \boxed{} = \boxed{}°$

$\qquad \angle AOD = \boxed{}°$

따라서

$\qquad \overset{\frown}{AD} : \overset{\frown}{BC} = \angle \boxed{} : \angle COB$이므로

$\qquad x : 5 = \boxed{} : 30$에서 $x = \boxed{}$

● 다음 그림에서 x의 값을 구하시오.

20

21

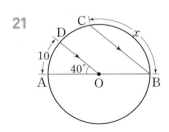

● 아래 그림은 x를 구하는 과정이다. 다음 □ 안에 알맞은 것을 써넣으시오.

22

→ $\overline{DC} \parallel \overline{AB}$이므로

∠OCD = ∠ □ = □ °(엇각)

→ $\overline{OD}$를 그으면 $\overline{OC} = \overline{OD}$이므로

∠ODC = ∠ □ = □ °

∠COD = □ °

따라서

$\overset{\frown}{BC} : \overset{\frown}{CD}$ = ∠BOC : ∠ □ 이므로

3 : x = 30 : □ 에서 x = □

● 다음 그림에서 x의 값을 구하시오.

23

24

● 아래 그림은 호 AC의 길이를 구하는 과정이다. 다음 □ 안에 알맞은 것을 써넣으시오.

25

→ $\overline{CO} = \overline{CP}$이므로

∠POC = ∠OPC = □ °

△OPC에서

∠OCD = 20° + □ ° = □ °

→ $\overline{OC} = \overline{OD}$이므로

∠ODC = ∠ □ = □ °

△OPD에서

∠BOD = 20° + □ ° = □ °

따라서

$\overset{\frown}{AC} : \overset{\frown}{BD}$ = ∠AOC : ∠ □ 이므로

$\overset{\frown}{AC}$: 9 = 20 : □ 에서 $\overset{\frown}{AC}$ = □ cm

● 다음 그림에서 $\overset{\frown}{AC}$의 길이를 구하시오.

26

27

03

부채꼴;
중심각의 크기와 넓이

> 중심각의 크기가 같으면
> 부채꼴의 넓이도 같아!

2배
3배

**부채꼴의 넓이는
중심각의 크기에 정비례한다.**

- **중심각의 크기와 부채꼴의 넓이 사이의 관계**

  한 원 또는 합동인 두 원에서

  ① 중심각의 크기가 같은 두 부채꼴의 넓이는 같다.

  ② 넓이가 같은 두 부채꼴의 중심각의 크기는 같다.

  ③ 부채꼴의 넓이는 중심각의 크기에 정비례한다.

원리확인 그림의 원 O에서 중심각의 크기와 부채꼴의 넓이 사이의 관계에 대한 표를 완성하고, □ 안에 알맞은 것을 써넣으시오.

중심각의 크기	부채꼴의 넓이
$\angle a$	$1\ cm^2$
2배 $2\angle a$	
3배 $3\angle a$	
4배 $4\angle a$	

→ 부채꼴의 넓이는 중심각의 크기에 [   ]한다.

1st ── 부채꼴의 중심각의 크기와 넓이 구하기

- 다음 그림에서 x의 값을 구하시오.

1

2

3

4
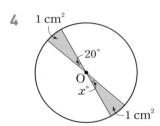

😊 **내가 발견한 개념**　　　　중심각의 크기 vs 부채꼴의 넓이

한 원 또는 합동인 두 원에서

- 중심각의 크기가 같은 두 부채꼴의 [   ] 는 같다.

- 넓이가 같은 두 부채꼴의 [   ] 의 크기는 같다.

5

➡ ☐ : x=105 : 35이므로 x=☐

6

7

8

9

10

11

12

13 오른쪽 그림의 원 O에서 부채꼴 AOB의 넓이가 18 cm²일 때, 원의 넓이는?

① 36 cm²　　② 42 cm²

③ 48 cm²　　④ 54 cm²

⑤ 60 cm²

😊 **내가 발견한 개념**　　부채꼴의 넓이와 중심각의 크기 사이의 관계는?

부채꼴의 넓이는 중심각의 크기에 ☐ 한다.

정비례하지 않는!

부채꼴; 중심각의 크기와 현의 길이

중심각의 크기가 같으면 현의 길이도 같아!

현의 길이는
중심각의 크기에 정비례하지 않는다.

• **부채꼴의 중심각의 크기와 현의 길이**

한 원 또는 합동인 두 원에서

① 중심각의 크기가 같은 두 현의 길이는 같다.

② 길이가 같은 두 현에 대한 중심각의 크기는 같다.

③ 현의 길이는 중심각의 크기에 정비례하지 않는다.

원리확인 아래 그림의 원 O에서 ∠AOB=∠COD=∠DOE일 때, 다음 중 옳은 것은 ○표, 옳지 않은 것은 ✕표를 (　) 안에 써넣으시오.

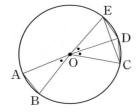

① $\overline{AB}=\overline{CD}$　　　　　　　(　)

② $\overline{AB}=\overline{DE}$　　　　　　　(　)

③ $\overline{CD}=\overline{DE}$　　　　　　　(　)

④ $2\overline{AB}=\overline{CE}$　　　　　　　(　)

⑤ $\triangle ABO=\triangle CDO$　　　　　(　)

⑥ $2\triangle ABO=\triangle COE$　　　　(　)

1st ― 현의 길이 구하기

• 다음 그림에서 x의 값을 구하시오.

1

3 cm · 70° · 70° · x cm

중심각의 크기가 같으면 현의 길이는 같아!

2

4 cm · 35° · O · 35° · x cm

3

8 cm · O · x cm

4

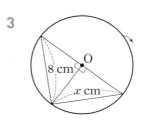

130° · 15 cm · O · 130° · x cm

😊 **내가 발견한 개념**　　　중심각의 크기 vs 현의 길이

한 원 또는 합동인 두 원에서

• 중심각의 크기가 같은 두 [　]의 길이는 같다.

• 길이가 같은 두 현에 대한 [　]의 크기는 같다.

2ⁿᵈ — 중심각의 크기 구하기

● 다음 그림에서 x의 값을 구하시오.

5

6

7

8

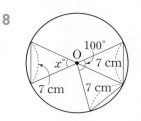

😊 **내가 발견한 개념**　　　중심각의 크기와 호와 현의 길이의 관계는?

한 원 또는 합동인 두 원에서

• 중심각의 크기와 호의 길이는
　(정비례한다, 정비례하지 않는다).

• 중심각의 크기와 현의 길이는
　(정비례한다, 정비례하지 않는다).

3ʳᵈ — 부채꼴의 중심각의 크기와 현의 길이 이해하기

● 한 원에 대하여 다음 설명 중 옳은 것은 ○표, 옳지 않은 것은 ×표를 ( ) 안에 써넣으시오.

9 크기가 같은 중심각에 대한 호의 길이는 같다.

(　　)

10 크기가 같은 중심각에 대한 현의 길이는 같다.

(　　)

11 호의 길이는 중심각의 크기에 정비례한다.

(　　)

12 현의 길이는 중심각의 크기에 정비례한다.

(　　)

13 부채꼴의 넓이는 중심각의 크기에 정비례한다.

(　　)

개념모음문제

14 오른쪽 그림의 원 O에서 $\angle COD = 2\angle AOB$일 때, 다음 중 옳은 것은?

① $\overline{AB} /\!/ \overline{CD}$

② $\widehat{AB} = 2\widehat{CD}$

③ $\overline{AB} = \dfrac{1}{2}\overline{CD}$

④ ($\triangle COD$의 넓이)$= 2 \times$ ($\triangle AOB$의 넓이)

⑤ (부채꼴 COD의 넓이)

　　$= 2 \times$ (부채꼴 AOB의 넓이)

원;
둘레의 길이와 넓이

$$\frac{(원의\ 둘레의\ 길이)}{(원의\ 지름의\ 길이)} = 3.141592 \cdots$$

안녕! 난 파이라고 해! 이제부터는 3.14 대신 나를 사용해!

원주율 **π**

둘레의 길이는 지름의 길이의 **π**배!

l

원을 동일한 부채꼴로 나누어 연결하면

$\frac{1}{2} \times l$

둘레의 길이

(원주율)×(지름의 길이)

$l = 2\pi r$

$2r$

넓이

$\frac{1}{2} \times$(원의 둘레의 길이)×(반지름의 길이)

$2\pi r$

$S = \frac{1}{2} \times 2\pi r \times r = \pi r^2$

• **원주율**(π): 원의 지름의 길이에 대한 원의 둘레의 길이의 비율을 원주율이라 하고, π로 나타내며 '파이'라 읽는다.

$$(원주율) = \frac{(원의\ 둘레의\ 길이)}{(원의\ 지름의\ 길이)} = \pi$$

참고 ① 원주율 π는 원의 크기에 관계없이 일정하다.
② $\pi = 3.141592\cdots$와 같이 불규칙하게 무한히 계속되는 수이다. 초등에서는 이 값을 소수 셋째 자리에서 반올림하여 3.14로 사용했지만 중등에서는 소수 대신 기호를 사용한다.

1st — 원의 둘레의 길이와 넓이 구하기

• 다음 원의 둘레의 길이를 구하시오.

1

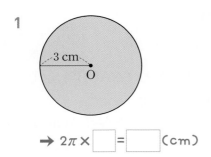

3 cm
O

➡ $2\pi \times \boxed{} = \boxed{}$ (cm)

2 반지름의 길이가 5 cm인 원

3 지름의 길이가 12 cm인 원

4 지름의 길이가 20 cm인 원

• 다음 원의 넓이를 구하시오.

5

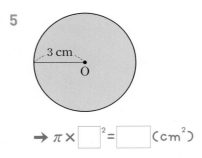

3 cm
O

➡ $\pi \times \boxed{}^2 = \boxed{}$ (cm^2)

6 반지름의 길이가 12 cm인 원

7 지름의 길이가 4 cm인 원

8 지름의 길이가 20 cm인 원

• 원의 둘레의 길이가 다음과 같을 때, 반지름의 길이 r와 원의 넓이 S를 각각 구하시오.

9 6π cm

➡ $2\pi r=$ ☐ 이므로 $r=$ ☐ (cm)

$S=\pi \times$ ☐$^2=$ ☐ (cm^2)

10 12π cm ➡ $r=$ _____ , $S=$ _____

11 18π cm ➡ $r=$ _____ , $S=$ _____

12 24π cm ➡ $r=$ _____ , $S=$ _____

13 40π cm ➡ $r=$ _____ , $S=$ _____

• 원의 넓이가 다음과 같을 때, 반지름의 길이 r와 원의 둘레의 길이 l을 각각 구하시오.

14 4π cm^2

➡ $\pi r^2=$ ☐ 이므로 $r=$ ☐ (cm)

$l=2\pi \times$ ☐ $=$ ☐ (cm)

15 25π cm^2 ➡ $r=$ _____ , $l=$ _____

16 64π cm^2 ➡ $r=$ _____ , $l=$ _____

17 100π cm^2 ➡ $r=$ _____ , $l=$ _____

18 256π cm^2 ➡ $r=$ _____ , $l=$ _____

😊 **내가 발견한 개념**   원의 둘레의 길이와 넓이를 π를 이용하면?

반지름의 길이가 r인 원의 둘레의 길이와 넓이를 각각 l, S라 하면 $l=$ ☐ , $S=$ ☐

π를 찾아서

$$\pi = \frac{\text{(원의 둘레의 길이)}}{\text{(원의 지름의 길이)}}$$

π를 알려면 원의 둘레의 길이를 알아야 하니까

원에 내접하는 정12각형과 외접하는 정12각형을 그리는 거야. 그 다음에 24각형, 48각형 계속 이런 식으로 늘려가다보면 점점 원에 가까워지지.

$$\frac{\text{(내접하는 정96각형의 둘레의 길이)}}{\text{(원의 지름의 길이)}} < \pi < \frac{\text{(외접하는 정96각형의 둘레의 길이)}}{\text{(원의 지름의 길이)}}$$

$$3.140845\cdots < \pi < 3.142857\cdots$$

헥… 헥…

아르키메데스

중심각의 크기에 정비례!

부채꼴;
호의 길이와 넓이

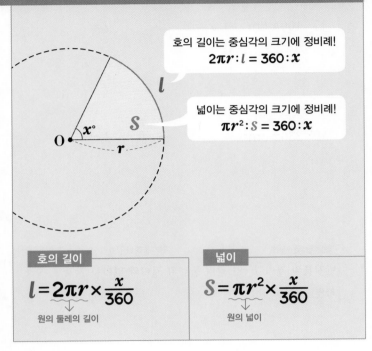

호의 길이는 중심각의 크기에 정비례!
$$2\pi r : l = 360 : x$$

넓이는 중심각의 크기에 정비례!
$$\pi r^2 : S = 360 : x$$

호의 길이

$$l = 2\pi r \times \frac{x}{360}$$

원의 둘레의 길이

넓이

$$S = \pi r^2 \times \frac{x}{360}$$

원의 넓이

1st 부채꼴의 호의 길이와 넓이 구하기

● 다음 부채꼴의 호의 길이를 구하시오.

1

→ $2\pi \times \boxed{} \times \dfrac{\boxed{}}{360} = \boxed{}$ (cm)

2 반지름의 길이가 3 cm, 중심각의 크기가 60°

3 반지름의 길이가 8 cm, 중심각의 크기가 45°

4 반지름의 길이가 10 cm, 중심각의 크기가 240°

● 다음 부채꼴의 둘레의 길이를 구하시오.

5

→ (부채꼴의 호의 길이)

$$= 2\pi \times \boxed{} \times \frac{\boxed{}}{360} = \boxed{} \text{(cm)}$$

(부채꼴의 둘레의 길이)

= (부채꼴의 호의 길이) + (반지름의 길이) × 2

$$= 6\pi + \boxed{} \text{(cm)}$$

6

7

8

9

• 다음 부채꼴의 넓이를 구하시오.

10

→ $\pi \times \boxed{}^2 \times \dfrac{\boxed{}}{360} = \boxed{}$ (cm²)

11

12 반지름의 길이가 6 cm, 중심각의 크기가 45°

13 반지름의 길이가 9 cm, 중심각의 크기가 120°

14 반지름의 길이가 12 cm, 중심각의 크기가 135°

15 반지름의 길이가 15 cm, 중심각의 크기가 30°

😊 **내가 발견한 개념**　　　　　　부채꼴의 호의 길이와 넓이를 π를 이용하면?

반지름의 길이가 r, 중심각의 크기가 x°인 부채꼴의

호의 길이를 l, 넓이를 S라 하면

$l = 2\pi r \times \boxed{}$, $S = \pi r^2 \times \boxed{}$

2ⁿᵈ — 중심각의 크기와 호의 길이가 주어진 부채꼴의 반지름의 길이 구하기

• 다음과 같이 부채꼴의 중심각의 크기와 호의 길이가 주어질 때, 부채꼴의 반지름의 길이를 구하시오.

16

→ 부채꼴의 반지름의 길이를 r cm라 하면

$2\pi r \times \dfrac{\boxed{}}{360} = 3\pi$, $r = \boxed{}$

따라서 반지름의 길이는 $\boxed{}$ cm이다.

17

18

19

6. 원과 부채꼴　**139**

20 중심각의 크기가 120°, 호의 길이가 12π cm

21 중심각의 크기가 144°, 호의 길이가 8π cm

22 중심각의 크기가 240°, 호의 길이가 6π cm

23 오른쪽 그림과 같이 중심
각의 크기가 30°이고 호
의 길이가 π cm인 부채
꼴의 둘레의 길이는?

① $(\pi+6)$ cm ② $(\pi+12)$ cm

③ 2π cm ④ $(2\pi+6)$ cm

⑤ $(2\pi+12)$ cm

3rd 반지름의 길이와 호의 길이가 주어진 부채꼴의
중심각의 크기 구하기

● 다음과 같이 반지름의 길이와 호의 길이가 주어질 때,
부채꼴의 중심각의 크기를 구하시오.

24

→ 부채꼴의 중심각의 크기를 x°라 하면

$2\pi \times \boxed{} \times \dfrac{x}{360} = 4\pi$ 이므로 $x = \boxed{}$

따라서 부채꼴의 중심각의 크기는 $\boxed{}$° 이다.

25

26

27

28 반지름의 길이가 5 cm, 호의 길이가 8π cm

29 반지름의 길이가 12 cm, 호의 길이가 2π cm

30 반지름의 길이가 20 cm, 호의 길이가 9π cm

4th — 중심각의 크기와 넓이가 주어진 부채꼴의 반지름의 길이 구하기

● 다음과 같이 부채꼴의 중심각의 크기와 넓이가 주어질 때, 부채꼴의 반지름의 길이를 구하시오.

31

→ 부채꼴의 반지름의 길이를 r cm라 하면

$$\pi r^2 \times \frac{\boxed{}}{360} = 12\pi$$ 이므로

$r^2 = \boxed{}$, $r = \boxed{}$ ($r > 0$)

따라서 반지름의 길이는 $\boxed{}$ cm이다.

32

π cm²

33

10π cm² 144°

34 중심각의 크기가 60°, 넓이가 24π cm²

35 중심각의 크기가 120°, 넓이가 27π cm²

36 중심각의 크기가 135°, 넓이가 6π cm²

5th — 반지름의 길이와 넓이가 주어진 부채꼴의 중심각의 크기 구하기

● 다음과 같이 부채꼴의 반지름의 길이와 넓이가 주어질 때, 부채꼴의 중심각의 크기를 구하시오.

37

2π cm² 3 cm

→ 부채꼴의 중심각의 크기를 $x°$라 하면

$$\pi \times \boxed{}^2 \times \frac{x}{360} = 2\pi$$ 이므로 $x = \boxed{}$

따라서 부채꼴의 중심각의 크기는 $\boxed{}°$이다.

38

12 cm 60π cm²

39

25π cm² 10 cm

40 반지름의 길이가 8 cm, 넓이가 24π cm²

41 반지름의 길이가 6 cm, 넓이가 21π cm²

42 반지름의 길이가 16 cm, 넓이가 $\dfrac{64}{3}\pi$ cm²

07

부채꼴;
호의 길이와 넓이 사이의 관계

중심각의 크기를 몰라도 구할 수 있어!

부채꼴을 동일한 부채꼴로 나누어 연결하면 $\frac{1}{2} \times l$

(부채꼴의 넓이) = $\left\{ (호의 길이) \times \frac{1}{2} \right\} \times (반지름의 길이)$

$$S = \frac{1}{2} rl$$

1st 부채꼴의 호의 길이와 넓이 사이의 관계 이해하기

● 다음 부채꼴의 넓이를 구하시오.

1

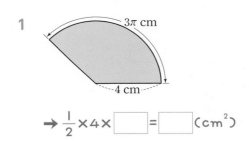
3π cm
4 cm

→ $\frac{1}{2} \times 4 \times \boxed{} = \boxed{}$ (cm²)

2
2π cm
8 cm

3
6π cm
9 cm

● 다음 부채꼴의 반지름의 길이를 구하시오.

4

8π cm² · 2π cm

→ 부채꼴의 반지름의 길이를 r cm라 하면

$\frac{1}{2} \times r \times \boxed{} = \boxed{}$ 이므로

r = $\boxed{}$

따라서 부채꼴의 반지름의 길이는 $\boxed{}$ cm이다.

5

5π cm
15π cm²

6

135π cm²
18π cm

7 넓이가 15π cm², 호의 길이가 6π cm

8 넓이가 25π cm², 호의 길이가 5π cm

😊 **내가 발견한 개념**   부채꼴의 넓이를 반지름의 길이와 호의 길이로 구하면?

반지름의 길이가 r, 호의 길이가 *l*인 부채꼴의 넓이 S는

→ S = $\boxed{}$

● 다음 부채꼴의 호의 길이를 구하시오.

9

27π cm²

9 cm

→ 부채꼴의 호의 길이를 l cm라 하면

$\frac{1}{2} \times \boxed{} \times l = \boxed{}$ 이므로

$l = \boxed{}$

따라서 부채꼴의 호의 길이는 $\boxed{}$ cm이다.

10

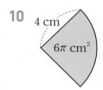

4 cm

6π cm²

11

6 cm

15π cm²

12 반지름의 길이가 10 cm, 넓이가 30π cm²

13 반지름의 길이가 6 cm, 넓이가 18π cm²

14 반지름의 길이가 10 cm, 넓이가 10π cm²

● 다음 부채꼴의 중심각의 크기를 구하시오.

15

3π cm² 2π cm

→ 부채꼴의 반지름의 길이를 r cm라 하면

$\frac{1}{2} \times r \times \boxed{} = \boxed{}$ 이므로 $r = \boxed{}$

부채꼴의 중심각의 크기를 $x°$라 하면

$\pi \times \boxed{}^2 \times \dfrac{x}{360} = \boxed{}$ 이므로 $x = \boxed{}$

따라서 부채꼴의 중심각의 크기는 $\boxed{}°$이다.

16

10π cm

40π cm²

17

27π cm²

6π cm

부채꼴을 삼각형으로 변형해 볼까?

r S l

l

→ 모든 선들을 수평으로 펼쳐!

r S

l

→ 무한히 많은 선들을 펼치면 직각삼각형이 되겠지?

r s

l

→ $S = \dfrac{1}{2}rl$

색칠한 부분의 둘레의 길이와 넓이

색칠한 부분의 둘레의 길이	색칠한 부분의 넓이
(큰 원의 둘레) + (작은 원의 둘레)	(큰 원의 넓이) − (작은 원의 넓이)

$$4\pi + 2\pi = 6\pi$$

$$4\pi - \pi = 3\pi$$

1st ─ 원의 색칠한 부분의 둘레의 길이와 넓이 구하기

● 아래 그림에 대하여 색칠한 부분의 둘레의 길이와 넓이를 구하는 과정이다. 다음 □ 안에 알맞은 것을 써넣으시오.

1

(1) 둘레의 길이 구하기

❶ $2\pi \times \boxed{} = \boxed{}$ (cm)

❷ $2\pi \times \boxed{} = \boxed{}$ (cm)

❸ $2\pi \times \boxed{} = \boxed{}$ (cm)

(색칠한 부분의 둘레의 길이)

$= ❶ + ❷ + ❸ = \boxed{}$ (cm)

(2) 넓이 구하기

(색칠한 부분의 넓이)

$$= \pi \times \boxed{}^2 - (\pi \times \boxed{}^2 + \pi \times \boxed{}^2)$$
$$\quad\;\; \underset{❶}{} \qquad\quad \underset{❷}{} \qquad \underset{❸}{}$$

$$= \boxed{} - \boxed{}$$

$$= \boxed{} \;(\mathrm{cm}^2)$$

● 다음 그림에서 색칠한 부분의 둘레의 길이와 넓이를 각각 구하시오.

2

3

4

5

6

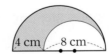

2nd 부채꼴의 색칠한 부분의 둘레의 길이와 넓이 구하기

● 아래 그림에 대하여 색칠한 부분의 둘레의 길이와 넓이를 구하는 과정이다. 다음 □ 안에 알맞은 것을 써넣으시오.

7

(1) 둘레의 길이 구하기

❶ $2\pi \times \boxed{} \times \dfrac{\boxed{}}{360} = \boxed{}$ (cm)

❷ $2\pi \times \boxed{} \times \dfrac{\boxed{}}{360} = \boxed{}$ (cm)

❸ $\boxed{} \times 2 = \boxed{}$ (cm)

(색칠한 부분의 둘레의 길이)

$= ❶ + ❷ + ❸ = \boxed{}$ (cm)

(2) 넓이 구하기

(색칠한 부분의 넓이)

$= \pi \times \boxed{}^2 \times \dfrac{\boxed{}}{360}$ (큰 부채꼴)

$\quad - \pi \times \boxed{}^2 \times \dfrac{\boxed{}}{360}$ (작은 부채꼴)

$= \boxed{} - \boxed{} = \boxed{}$ (cm²)

● 다음 그림에서 색칠한 부분의 둘레의 길이와 넓이를 각각 구하시오.

8

9

10

11

12

13

3rd 복잡한 도형의 색칠한 부분의 둘레의 길이와 넓이 구하기

● 아래 그림에 대하여 색칠한 부분의 둘레의 길이와 넓이를 구하는 과정이다. 다음 □ 안에 알맞은 것을 써넣으시오.

14

(1) 둘레의 길이 구하기

→ 사분원이으로 원의 $\frac{1}{4}$

❶ $2\pi \times \boxed{} \times \frac{1}{4} = \boxed{}$ (cm)

❷ $\boxed{} \times 2 = \boxed{}$ (cm)

(색칠한 부분의 둘레의 길이)

$= ❶ + ❷ = \boxed{}$ (cm)

(2) 넓이 구하기

(색칠한 부분의 넓이)

$= 4 \times \underset{\text{정사각형}}{\boxed{}} - \pi \times \underset{\text{부채꼴}}{\boxed{}}^2 \times \frac{1}{4}$

$= \boxed{}$ (cm²)

● 다음 그림에서 색칠한 부분의 둘레의 길이와 넓이를 각각 구하시오.

15

16

17

18

19

20

● 아래 그림에 대하여 색칠한 부분의 둘레의 길이와 넓이를 구하는 과정이다. 다음 □ 안에 알맞은 것을 써넣으시오.

21

(1) 둘레의 길이 구하기

❶ $2\pi \times \boxed{} \times \dfrac{1}{4} = \boxed{}$ (cm)

❷ $2\pi \times \boxed{} \times \dfrac{1}{2} = \boxed{}$ (cm)

❸ $\boxed{}$ cm

(색칠한 부분의 둘레의 길이)

$= ❶ + ❷ + ❸ = \boxed{}$ (cm)

(2) 넓이 구하기

(색칠한 부분의 넓이)

$= \underbrace{\pi \times \boxed{}^2 \times \dfrac{1}{4}}_{\text{부채꼴}} - \underbrace{\pi \times \boxed{}^2 \times \dfrac{1}{2}}_{\text{반원}}$

$= \boxed{} - \boxed{} = \boxed{}$ (cm²)

● 다음 그림에서 색칠한 부분의 둘레의 길이와 넓이를 각각 구하시오.

22

23

24

25

넓이는 다음과 같이 구할 수 있어.

26

27

● 아래 그림에 대하여 색칠한 부분의 둘레의 길이와 넓이를 구하는 과정이다. 다음 □ 안에 알맞은 것을 써넣으시오.

28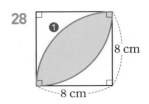

(1) 둘레의 길이 구하기

❶ $2\pi \times \boxed{} \times \dfrac{1}{4} = \boxed{}$ (cm)

(색칠한 부분의 둘레의 길이)

$= 2 \times ❶ = \boxed{}$ (cm)

(2) 넓이 구하기

(색칠한 부분의 넓이)

$= \left(\pi \times \boxed{}^2 \times \dfrac{1}{4} - \dfrac{1}{2} \times 8 \times \boxed{} \right) \times 2$

$= (\boxed{}) \times 2$

$= \boxed{}$ (cm²)

● 다음 그림에서 색칠한 부분의 둘레의 길이와 넓이를 각각 구하시오.

29

30

31

넓이는 다음과 같이 구할 수 있어.

32

33

34

• 아래 그림에 대하여 색칠한 부분의 둘레의 길이와 넓이를 구하는 과정이다. 다음 □ 안에 알맞은 것을 써넣으시오.

35

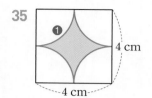

(1) 둘레의 길이 구하기

❶ $2\pi \times \boxed{} \times \dfrac{1}{4} = \boxed{}$ (cm)

(색칠한 부분의 둘레의 길이)

$= 4 \times ❶ = \boxed{}$ (cm)

(2) 넓이 구하기

(색칠한 부분의 넓이)

$= \left(2 \times 2 - \pi \times \boxed{}^2 \times \dfrac{1}{4}\right) \times \boxed{}$

$= \boxed{}$ (cm²)

• 다음 그림에서 색칠한 부분의 둘레의 길이와 넓이를 각각 구하시오.

36

37

넓이는 다음과 같이 구할 수 있어.

38

39

40

41

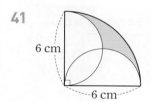

● 아래 그림에 대하여 색칠한 부분의 둘레의 길이와 넓이를 구
하는 과정이다. 다음 ☐ 안에 알맞은 것을 써넣으시오.

42
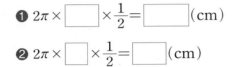

(1) 둘레의 길이 구하기

❶ $2\pi \times \boxed{} \times \dfrac{1}{2} = \boxed{}$ (cm)

❷ $2\pi \times \boxed{} \times \dfrac{1}{2} = \boxed{}$ (cm)

(색칠한 부분의 둘레의 길이)

$= ❶ + 2 \times ❷ = \boxed{}$ (cm)

(2) 넓이 구하기

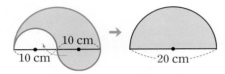

(색칠한 부분의 넓이)

$= \pi \times \boxed{}^2 \times \dfrac{1}{2} = \boxed{}$ (cm²)

● 다음 그림에서 색칠한 부분의 둘레의 길이와 넓이를 각각 구하
시오.

43
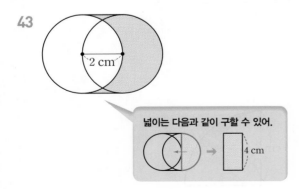

넓이는 다음과 같이 구할 수 있어.

44

45

46

47

48

● 아래 그림에 대하여 색칠한 부분의 둘레의 길이와 넓이를 구
하는 과정이다. 다음 ☐ 안에 알맞은 것을 써넣으시오.

49

(1) 둘레의 길이 구하기

❶ $2\pi \times \boxed{} \times \dfrac{1}{4} = \boxed{}$ (cm)

❷ $2\pi \times \boxed{} \times \dfrac{1}{2} = \boxed{}$ (cm)

(색칠한 부분의 둘레의 길이)

$= ❶ + 2 \times ❷ = \boxed{}$ (cm)

(2) 넓이 구하기

(색칠한 부분의 넓이)

$= \pi \times \boxed{}^2 \times \dfrac{1}{4} - \dfrac{1}{2} \times 12 \times \boxed{}$

$= \boxed{}$ (cm²)

● 다음 그림에서 색칠한 부분의 둘레의 길이와 넓이를 각각 구하
시오.

50

넓이는 다음과 같이 구할 수 있어.

51

52

53

54

55

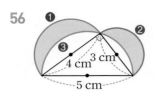 **5th** ─ 도형을 나누어 둘레의 길이와 넓이 구하기

- 아래 그림에 대하여 색칠한 부분의 둘레의 길이와 넓이를 구하는 과정이다. 다음 □ 안에 알맞은 것을 써넣으시오.

56

(1) 둘레의 길이 구하기

❶ $2\pi \times \boxed{} \times \dfrac{1}{2} = \boxed{}$ (cm)

❷ $2\pi \times \boxed{} \times \dfrac{1}{2} = \boxed{}$ (cm)

❸ $2\pi \times \boxed{} \times \dfrac{1}{2} = \boxed{}$ (cm)

(색칠한 부분의 둘레의 길이)

$= ❶+❷+❸ = \boxed{}$ (cm)

(2) 넓이 구하기

(색칠한 부분의 넓이)

$= \pi \times \boxed{}^2 \times \dfrac{1}{\boxed{}} + \pi \times \left(\boxed{}\right)^2 \times \dfrac{1}{\boxed{}}$

$+ \dfrac{1}{2} \times 3 \times \boxed{} - \pi \times \left(\boxed{}\right)^2 \times \dfrac{1}{\boxed{}}$

$= \boxed{}$ (cm^2)

- 다음 그림에서 색칠한 부분의 둘레의 길이와 넓이를 각각 구하시오.

57

- 아래 그림에 대하여 색칠한 부분의 둘레의 길이와 넓이를 구하는 과정이다. 다음 □ 안에 알맞은 것을 써넣으시오.

58

(1) 둘레의 길이 구하기

❶ $2\pi \times \boxed{} \times \dfrac{1}{2} = \boxed{}$ (cm)

❷ $2\pi \times \boxed{} \times \dfrac{60}{360} = \boxed{}$ (cm)

❸ $2\pi \times \boxed{} \times \dfrac{1}{2} = \boxed{}$ (cm)

(색칠한 부분의 둘레의 길이)

$= ❶+❷+❸ = \boxed{}$ (cm)

(2) 넓이 구하기

(색칠한 부분의 넓이)

$= \pi \times \boxed{}^2 \times \dfrac{1}{2}$

$+ \pi \times \boxed{}^2 \times \dfrac{60}{360} - \pi \times \boxed{}^2 \times \dfrac{1}{2}$

$= \boxed{}$ (cm^2)

- 다음 그림에서 색칠한 부분의 둘레의 길이와 넓이를 각각 구하시오.

59

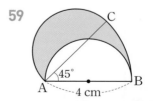

TEST 6. 원과 부채꼴

1 다음 중 한 원 또는 합동인 두 원에 대한 설명으로 옳지 <u>않은</u> 것은?

① 같은 크기의 중심각에 대한 부채꼴의 호의 길이는 서로 같다.

② 같은 크기의 중심각에 대한 현의 길이는 서로 같다.

③ 부채꼴의 호의 길이는 중심각의 크기에 정비례한다.

④ 부채꼴의 넓이는 중심각의 크기에 정비례한다.

⑤ 부채꼴에서 현의 길이는 중심각의 크기에 정비례한다.

2 오른쪽 그림의 원 O에서 $\widehat{AB} : \widehat{BC} : \widehat{CA} = 3 : 7 : 8$일 때, $\angle BOC$의 크기는?

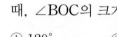

① $120°$ ② $125°$
③ $130°$ ④ $135°$
⑤ $140°$

3 오른쪽 그림의 원 O에서 $\overline{AB} /\!/ \overline{CD}$이고 $\angle AOC = 30°$, $\widehat{AC} = 3$ cm 일 때, $\widehat{CD}$의 길이는?

① 10 cm   ② 11 cm   ③ 12 cm
④ 13 cm   ⑤ 14 cm

4 오른쪽 그림과 같이 반지름의 길이가 4 cm이고, 넓이가 2π cm^{2}인 부채꼴의 호의 길이는?

① $\dfrac{1}{3}\pi$ cm   ② $\dfrac{1}{2}\pi$ cm

③ π cm   ④ $\dfrac{3}{2}\pi$ cm

⑤ $\dfrac{5}{3}\pi$ cm

5 오른쪽 그림과 같이 한 변의 길이가 5 cm인 정오각형에서 색칠한 부분의 둘레의 길이와 넓이를 각각 구하시오.

6 오른쪽 도형의 색칠한 부분의 넓이는?

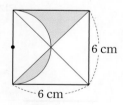

① 9 cm^2 ② 10 cm^2
③ 11 cm^2 ④ 12 cm^2
⑤ 13 cm^2

7

둘러싸이거나 회전시킨,
다면체와 회전체

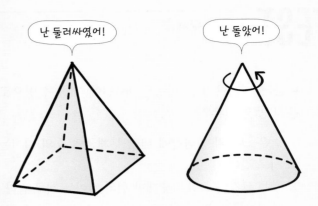

난 둘러싸였어!

난 돌았어!

다각형만으로 둘러싸인!

꼭짓점 　모서리

꼭짓점 　모서리

면

면

01 다면체

사각기둥과 같이 다각형 모양의 면으로만 둘러싸인 입체도형을 다면체라 해. 이때 다면체를 둘러싸고 있는 다각형 모양의 면을 다면체의 면, 다각형의 변을 다면체의 모서리, 다각형의 꼭짓점을 다면체의 꼭짓점이라 하지!

다각형만으로 둘러싸인!

각기둥	각뿔	각뿔대

밑면　높이　옆면　밑면

높이　옆면　밑면

높이　밑면　옆면

사각기둥　사각뿔　사각뿔대

02 다면체의 종류

다면체의 종류에는 각기둥, 각뿔, 각뿔대 등이 있어. 각기둥은 두 밑면은 평행하면서 합동인 다각형이고 옆면은 모두 직사각형이야. 그리고 각뿔은 밑면은 다각형이고 옆면이 모두 삼각형이이지.

각뿔대는 각뿔을 밑면에 평행한 평면으로 잘라서 생긴 두 입체도형 중에서 각뿔이 아닌 부분으로 옆면은 모두 사다리꼴이야!

다섯 가지뿐인!

정사면체　정육면체　정팔면체

정십이면체　정이십면체

03 정다면체

다면체 중에서 각 면의 모양이 모두 합동인 정다각형이고 각 꼭짓점에 모인 면의 개수가 같은 다면체를 정다면체라 해. 정다면체는 정사면체, 정육면체, 정팔면체, 정십이면체, 정이십면체로 다섯 가지뿐이야!

정사면체

정육면체

정팔면체

04 정다면체의 전개도

전개도란 입체도형의 겉면을 잘라서 평면 위에 펼쳐 놓은 그림이야.

정다면체의 전개도는 정다면체의 모서리를 어떻게 자르느냐에 따라 여러 가지 방법으로 그릴 수 있어!

회전축

옆면

모선

밑면

05 회전체

평면도형을 한 직선을 축으로 하여 1회전 시킬 때 생기는 입체도형을 회전체라 하고, 이때 축으로 사용한 직선을 회전축이라 해. 또한 회전체에서 옆면을 이루는 선분을 모선이라 해!

회전축에 수직인 평면으로 잘라 봐!

회전축을 포함하는 평면으로 잘라 봐!

직사각형

단면은 항상
원

단면은 모두 합동이고,
회전축을 대칭축으로 하는
선대칭도형

06 회전체의 성질

원기둥, 원뿔, 원뿔대, 구를 회전축에 수직인 평면으로 자를 때 생기는 단면은 모두 원이고, 회전축을 포함하는 평면으로 자를 때 생기는 단면은 각각 직사각형, 이등변삼각형, 사다리꼴, 원이야.

일반적으로 회전체를 회전축을 포함하는 평면으로 자를 때 생기는 단면은 모두 합동이고 회전축을 대칭축으로 하는 선대칭도형이야!

(직사각형의 가로의 길이)
= (원의 둘레의 길이)

원기둥

$2\pi r$

07 회전체의 전개도

회전체의 밑면은 항상 원이므로 회전체의 전개도에는 항상 원이 있어.

회전체의 전개도에서의 선분이나 호가 회전체의 어느 부분과 같은지 살펴 보자!

01

다면체

- **다면체**: 다각형인 면으로만 둘러싸인 입체도형
  (1) **면**: 다면체를 둘러싸고 있는 다각형
  (2) **모서리**: 다면체를 이루는 다각형의 변
  (3) **꼭짓점**: 다면체를 이루는 다각형의 꼭짓점

  참고 다면체는 면의 개수에 따라 사면체, 오면체, 육면체, …라 한다.

원리확인 다음 중 다면체인 것에는 ○표를, 다면체가 아닌 것에는 ×표를 ( ) 안에 써넣으시오.

❶

( )

❷

( )

❸

( )

곡면이 포함되어 있으므로 다면체가 아니야.

❹

( )

❺

( )

❻

( )

우리는 다면체가 아니야! 왜냐구?

둥근 부분은 다각형이 아니니까!

1st — 다면체 이해하기

● 다음 다면체를 보고 표를 완성하시오.

1

겨냥도			
꼭짓점의 개수			
모서리의 개수			
면의 개수			
이름			

2

겨냥도			
꼭짓점의 개수			
모서리의 개수			
면의 개수			
이름			

3

겨냥도			
꼭짓점의 개수			
모서리의 개수			
면의 개수			
이름			

● 다음 그림의 입체도형은 몇 면체인지 말하시오.

4

5

6

7

8

9

10

11

● 다음을 만족시키는 다면체를 보기에서 모두 고르시오.

보기

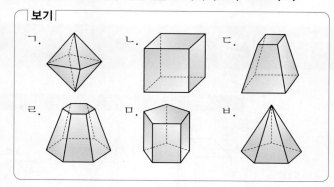

12 꼭짓점의 개수가 6개인 다면체

13 모서리의 개수가 12개인 다면체

14 면의 개수가 6개인 다면체

15 팔면체

:) 내가 발견한 개념   다면체의 성질은?

다면체는 모든 면의 모양이 ☐ 이다.

개념모음문제

16 다음 **보기**의 입체도형 중 다면체인 것을 모두 고르면?

보기

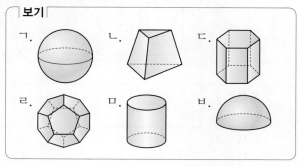

① ㄱ, ㄴ, ㄷ   ② ㄴ, ㄷ, ㄹ   ③ ㄷ, ㄹ, ㅁ

④ ㄹ, ㅁ, ㅂ   ⑤ ㄱ, ㄴ, ㄷ, ㄹ

다각형만으로 둘러싸인!

다면체의 종류

	각기둥	각뿔	각뿔대
겨냥도	밑면 높이 밑면 옆면	옆면 높이 밑면	밑면 높이 옆면 밑면
이름	사각기둥	사각뿔	사각뿔대
꼭짓점의 개수	8 (=4×2)	5 (=4+1)	8 (=4×2)
모서리의 개수	12 (=4×3)	8 (=4×2)	12 (=4×3)
면의 개수	6 (=4+2)	5 (=4+1)	6 (=4+2)

- **각기둥**: 두 밑면이 평행하고 합동인 다각형으로 이루어지고, 옆면은 모두 직사각형인 입체도형
- **각뿔**: 밑면이 다각형이고, 옆면은 모두 삼각형인 입체도형
- **각뿔대**: 각뿔을 밑면에 평행한 평면으로 잘라서 생기는 두 다면체 중 각뿔이 아닌 쪽의 도형
  (1) 밑면: 각뿔대에서 평행한 두 면 ← 다각형
  (2) 옆면: 각뿔대에서 밑면이 아닌 면 ← 사다리꼴
  (3) 높이: 각뿔대에서 두 밑면 사이의 거리

(참고) ① 각뿔대는 밑면의 모양에 따라 삼각뿔대, 사각뿔대, 오각뿔대, …라 한다.
② 각기둥, 각뿔, 각뿔대는 다면체를 모양에 따라 분류한 것이고, 사면체, 오면체, 육면체, …는 다면체를 면의 개수에 따라 분류한 것이다.

원리확인 다음 각기둥, 각뿔, 각뿔대를 보고 표를 완성하시오.

겨냥도			
이름			
꼭짓점의 개수			
모서리의 개수			
면의 개수			

1st ─ 다면체의 종류 이해하기

● 다음 표를 완성하시오.

1

	꼭짓점의 개수	모서리의 개수	면의 개수
삼각기둥	3×2=6	3×3=9	3+2=5
사각기둥			
오각기둥			
육각기둥			

2

	꼭짓점의 개수	모서리의 개수	면의 개수
삼각뿔	3+1=4	3×2=6	3+1=4
사각뿔			
오각뿔			
육각뿔			

3

	꼭짓점의 개수	모서리의 개수	면의 개수
삼각뿔대	3×2=6	3×3=9	3+2=5
사각뿔대			
오각뿔대			
육각뿔대			

☺ **내가 발견한 개념** n각기둥 vs n각뿔 vs n각뿔대

	꼭짓점의 개수	모서리의 개수	면의 개수
n각기둥	$n \times$ ☐	$n \times$ ☐	$n +$ ☐
n각뿔	$n +$ ☐	$n \times$ ☐	$n +$ ☐
n각뿔대	$n \times$ ☐	$n \times$ ☐	$n +$ ☐

● 다음을 만족시키는 다면체를 보기에서 모두 고르시오.

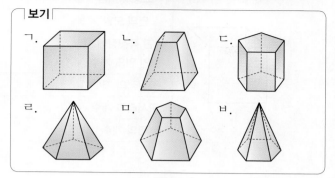

보기

ㄱ. ㄴ. ㄷ.

ㄹ. ㅁ. ㅂ.

● 다음 조건을 모두 만족시키는 입체도형을 구하시오.

10

(가) 두 밑면이 서로 평행하고 합동이다.
(나) 옆면의 모양이 직사각형이다.
(다) 밑면의 모양이 삼각형이다.

4 밑면의 개수가 2인 다면체

5 옆면의 모양이 삼각형인 다면체

11

(가) 밑면이 1개이다.
(나) 옆면의 모양이 삼각형이다.
(다) 꼭짓점의 개수는 8이다.

6 밑면의 모양이 오각형인 다면체

7 면의 개수가 6인 다면체

8 꼭짓점의 개수가 10인 다면체

12

(가) 두 밑면이 서로 평행하지만 합동은 아니다.
(나) 옆면의 모양이 사다리꼴이다.
(다) 꼭짓점의 개수는 16이다.

9 모서리의 개수가 12인 다면체

13

(가) 두 밑면이 서로 평행하고 합동이다.
(나) 옆면의 모양이 직사각형이다.
(다) 꼭짓점의 개수는 12, 모서리의 개수는 18이다.

오일러 공식

점의 개수	선의 개수	면의 개수
V	**– e**	**+ f**
VERTEX	EDGE	FACE
8	**12**	**6**
5	**– 8**	**+ 5** = **2**
8	**12**	**6**

오일러 공식을 이용하면
정다면체가 5개뿐이라는 것을
알 수 있다나 뭐라나···

신기하긴 신가하네!

😊 **내가 발견한 개념**   옆면의 모양으로 다면체의 종류를 맞춰봐!

다면체의 옆면의 모양이

직사각형이면 각 ☐ , 삼각형이면 각 ☐

사다리꼴이면 각 ☐

다섯 가지뿐인!

정다면체

정사면체   정육면체   정팔면체

정십이면체   정이십면체

- **정다면체**: 각 면이 모두 합동인 정다각형이고, 각 꼭짓점에 모인 면의 개수가 모두 같은 다면체

  주의 ① 모든 면이 합동인 정다각형이라고 해서 정다면체인 것은 아니다.
  ② 각 꼭짓점에 모이는 면의 개수가 같다고 해서 정다면체인 것은 아니다.
  ③ ①, ②를 모두 만족해야 정다면체이다.

- **정다면체의 종류**: 정사면체, 정육면체, 정팔면체, 정십이면체, 정이십면체의 5가지뿐이다.

1st — 정다면체 이해하기

● 다음 그림의 정다면체를 보고 표를 완성하시오.

1

도형의 이름	
면의 모양	
한 꼭짓점에 모인 면의 개수	
꼭짓점의 개수	
모서리의 개수	
면의 개수	

2

도형의 이름	
면의 모양	
한 꼭짓점에 모인 면의 개수	
꼭짓점의 개수	
모서리의 개수	
면의 개수	

3

도형의 이름	
면의 모양	
한 꼭짓점에 모인 면의 개수	
꼭짓점의 개수	
모서리의 개수	
면의 개수	

4

도형의 이름	
면의 모양	
한 꼭짓점에 모인 면의 개수	
꼭짓점의 개수	
모서리의 개수	
면의 개수	

5

도형의 이름	
면의 모양	
한 꼭짓점에 모인 면의 개수	
꼭짓점의 개수	
모서리의 개수	
면의 개수	

6 각 면의 모양이 다음과 같은 정다면체를 모두 쓰시오.

(1) 정삼각형 _____

(2) 정사각형 _____

(3) 정오각형 _____

7 한 꼭짓점에 모인 면의 개수가 다음과 같은 정다면체를 모두 쓰시오.

(1) 3 _____

(2) 4 _____

(3) 5 _____

● 다음 조건을 모두 만족시키는 입체도형을 구하시오.

8
(개) 각 꼭짓점에 모인 면의 개수가 같다.
(내) 각 면의 모양이 모두 합동인 정다각형이다.
(대) 꼭짓점의 개수가 6이다.

_____

9
(개) 다면체이다.
(내) 각 면은 모두 합동이다.
(대) 각 꼭짓점에 모이는 면의 개수는 5이다.

_____

10
(개) 각 꼭짓점에 모인 면의 개수는 3이다.
(내) 각 면의 모양이 모두 합동인 정사각형이다.

_____

● 다음 정다면체에 대한 설명 중 옳은 것에는 ○표, 옳지 않은 것은 ×표를 ( ) 안에 써넣으시오.

11 정다면체는 각 면이 모두 합동인 정다각형으로 이루어져 있다. ( )

12 정다면체의 한 꼭짓점에 모일 수 있는 면의 개수는 최대 6이다. ( )

13 정다면체는 무수히 많다. ( )

14 한 꼭짓점에 모인 각의 크기의 합은 360°보다 작아야 한다. ( )

정다면체가 5가지뿐인 이유

정다면체는 입체도형이므로 한 꼭짓점에서 3개 이상의 면이 만나야 하고, 한 꼭짓점에 모인 각의 크기의 합은 360°보다 작아야 한다.
따라서 정다면체는 다음과 같이 5가지뿐이다.

정삼각형으로 이루어진 정다면체		
한 꼭짓점에 정삼각형 3개가 모이면 **정사면체**가 된다.	한 꼭짓점에 정삼각형 4개가 모이면 **정팔면체**가 된다.	한 꼭짓점에 정삼각형 5개가 모이면 **정이십면체**가 된다.

정사각형으로 이루어진 정다면체	정오각형으로 이루어진 정다면체
한 꼭짓점에 정사각형 3개가 모이면 **정육면체**가 된다.	한 꼭짓점에 정오각형 3개가 모이면 **정십이면체**가 된다.

모두 같은 다각형으로 이루어진!

정다면체의 전개도

정사면체

정육면체

정팔면체

정십이면체

정이십면체

- **전개도**: 입체도형의 겉면을 잘라서 평면 위에 펼쳐 놓은 그림
- 정다면체의 전개도는 정다면체를 어떻게 자르느냐에 따라 여러 가지 모양이 나올 수 있다.
- **참고** 겨냥도: 입체도형의 모양을 알아보기 쉽게 하기 위해 보이는 모서리는 실선으로, 보이지 않는 모서리는 점선으로 그린 그림

1st ― 정육면체의 전개도 이해하기

● 다음 중 정육면체의 전개도가 될 수 있는 것에는 ○표, 될 수 없는 것에는 ✕표를 ( ) 안에 써넣으시오.

1

( )

전개도는 어느 모서리로 자르느냐에 따라 여러 가지 모양이 나와.

2

( )

3

( )

4

( )

5

( )

다면체와 전개도

접으면 입체가 되고

펼치면 평면이 되는

2차원이 3차원이 되고
3차원이 2차원이 되는?

2nd 정다면체의 전개도 이해하기

● 아래 그림의 전개도로 만들어지는 정다면체에 대하여 □ 안에 알맞은 것을 쓰고 전개도에서 다음을 구하시오.

6

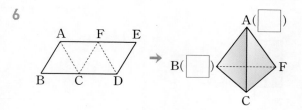

(1) 정다면체의 이름

(2) 점 A와 겹쳐지는 점

(3) 모서리 AB와 겹치는 모서리

(4) 모서리 AB와 꼬인 위치에 있는 모서리

7

(1) 정다면체의 이름

(2) 모서리 CD와 겹치는 모서리

(3) 모서리 EF와 평행한 모서리

(4) 모서리 BJ와 꼬인 위치에 있는 모서리

8

(1) 정다면체의 이름

(2) 점 A와 겹쳐지는 점

(3) 모서리 CD와 겹치는 모서리

(4) 면 CFGN과 평행한 면

공간에서만 존재하는 꼬인 위치

우리는 만나지도 않지만 평행하지도 않지!

개념모음문제

9 다음 중 오른쪽 그림과 같은 전개도로 만들어지는 정다면체에 대한 설명으로 옳지 <u>않은</u> 것은?

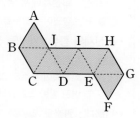

① 정다면체의 이름은 정팔면체이다.

② 모든 면의 모양은 정삼각형이다.

③ 모서리의 개수는 12이다.

④ 한 꼭짓점에 모인 면의 개수는 4이다.

⑤ $\overline{AB}$와 $\overline{EH}$는 꼬인 위치에 있다.

05

회전체

● **회전체**

● **회전체의 종류**

- **회전체**: 평면도형을 한 직선을 축으로 하여 1회전 시킬 때 만들어지는 입체도형
  (1) **회전축**: 회전시킬 때 축이 되는 직선
  (2) **모선**: 회전체에서 옆면을 이루는 선분
  주의 구는 옆면이 없으므로 모선을 갖지 않는다.

- **회전체의 종류**: 원기둥, 원뿔, 원뿔대, 구 등이 있다.
  참고 구의 성질
     ① 회전축이 무수히 많다.
     ② 어떤 방향으로 잘라도 그 단면은 항상 원이다.

- **원뿔대**: 원뿔을 밑면에 평행한 평면으로 자를 때 생기는 두 입체도형 중 원뿔이 아닌 쪽의 입체도형
  (1) **밑면**: 원뿔대에서 평행한 두 면
  (2) **옆면**: 원뿔대에서 밑면이 아닌 면
  (3) **높이**: 원뿔대에서 두 밑면 사이의 거리

1st — 회전체 이해하기

● 다음 그림과 같은 평면도형을 직선 *l*을 회전축으로 하여 1회전 시킬 때 생기는 회전체를 그리고 그 이름을 써넣으시오.

1

2

3

4

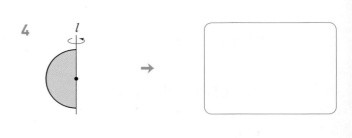

😊 내가 발견한 개념   어떤 평면도형을 회전시켜 만들어진 회전체일까?

● 다음 그림과 같은 평면도형을 직선 *l*을 회전축으로 하여 1회전 시킬 때 생기는 회전체를 그리시오.

5   →

6   →

7   →

8   →

9   →

● 아래 그림과 같은 평면도형을 직선 *l*을 회전축으로 하여 1회전 시킬 때 생기는 입체도형을 다음 보기에서 고르시오.

┌ **보기** ┐

10

11

12

13

14

15

[개념모음문제]

16 오른쪽 그림과 같은 입체도형은 다음 중 어떤 평면도형을 1회전 시킨 것인가?

① ② ③

④ ⑤

평면을 돌려 만드는!

회전체의 성질

	회전축에 **수직인** 평면으로 잘라 봐!	회전축을 **포함**하는 평면으로 잘라 봐!
원기둥		직사각형
원뿔		이등변삼각형
원뿔대		사다리꼴
구		원
	⬇ 단면은 항상 원	⬇ 단면은 모두 합동이고, 회전축을 대칭으로 하는 선대칭도형

• 회전체의 단면의 모양

(1) 속이 꽉 찬 회전체를 회전축에 수직인 평면으로 자르면 단면은 항상 원이다.

(2) 회전체를 회전축을 포함하는 어느 평면으로 잘라도 그 단면은 모두 합동이고, 회전축에 대하여 선대칭도형이다.

참고 ① 구는 어떤 평면으로 잘라도 단면이 항상 원이다.

② 선대칭도형: 어떤 직선을 기준으로 접었을 때, 완전히 겹쳐지는 도형

원리확인 다음 그림은 회전체를 회전축에 수직인 평면과 회전축을 포함하는 평면으로 자른 것이다. □ 안에 알맞은 것을 써넣으시오.

❶ 원기둥

❷ 원뿔

❸ 원뿔대

❹ 구

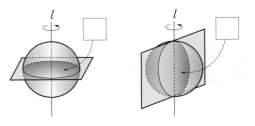

1st ─ 회전체를 자를 때 생기는 단면 이해하기

● 다음 회전체를 회전축에 수직인 평면으로 자를 때 생기는 단면의 모양을 그리시오.

1

 →

2

 →

3

 →

4

 →

5

 →

● 다음 회전체를 회전축을 포함하는 평면으로 자를 때 생기는 단면의 모양을 그리시오.

6

 →

7

 →

8

 →

9

 →

10

 →

😊 **내가 발견한 개념**　　　　　　회전축에 수직인 단면의 모양은?

회전축에 [　　] 인 평면으로 자른 단면의 모양은 항상

[　] 이다.

😊 **내가 발견한 개념**　　　회전축을 포함하는 평면으로 자른 단면의 성질은?

회전축을 포함하는 평면으로 자른 단면은 모두 [　　] 이고,

회전축을 대칭축으로 하는 [　　　　] 이다.

• 다음 설명 중 옳은 것에는 ○표, 옳지 않은 것에는 ✕표를 ( ) 안에 써넣으시오.

11 회전체를 회전축에 수직인 평면으로 자를 때 생기는 단면은 원이다. ( )

12 회전체를 회전축을 포함하는 평면으로 자를 때 생기는 단면은 선대칭도형이다. ( )

13 모든 회전체의 회전축은 하나뿐이다. ( )

14 회전체를 회전축을 포함하는 평면으로 자른 단면은 모두 합동이다. ( )

15 구는 어느 방향으로 잘라도 단면이 원이다. ( )

개념모음문제

16 오른쪽 그림과 같은 사다리꼴을 직선 l을 회전축으로 하여 1회전 시킬 때 생기는 회전체에 대한 설명으로 옳지 <u>않은</u> 것은?

① 회전체의 모양은 원뿔대이다.
② 회전체를 회전축에 수직인 평면으로 자른 단면은 항상 원이다.
③ 회전체를 회전축에 수직인 평면으로 자른 단면은 모두 합동이다.
④ 회전체를 회전축을 포함하는 평면으로 자른 단면은 사다리꼴이다.
⑤ 회전체를 회전축을 포함하는 평면으로 자른 단면은 회전축에 대하여 선대칭도형이다.

2nd — 회전체의 단면의 넓이 구하기

• 다음 그림과 같은 회전체를 회전축을 포함하는 평면으로 자를 때 생기는 단면의 모양을 그리고 그 넓이를 구하시오.

17

→ (단면의 넓이)=8✕ ☐ = ☐ (cm²)

18

19

20

정답과 풀이 42쪽

21

22

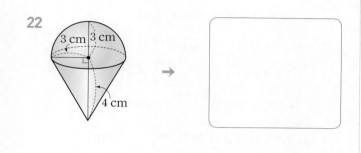

● 다음 그림과 같은 평면도형을 직선 l을 회전축으로 하여 1회 전 시킬 때 생기는 회전체를 회전축을 포함하는 평면으로 자 르려고 한다. 이때 생기는 단면의 모양을 그리고 그 넓이를 구하시오.

23

24

25

26

27

개념모음문제

28 오른쪽 그림과 같은 사다리꼴 을 $\overline{CD}$를 회전축으로 하여 1 회전 시킬 때 생기는 입체도형 을 회전축을 포함하는 평면으 로 자르려고 한다. 이때 생기는 단면의 넓이는?

① $20 \ cm^2$　　② $32 \ cm^2$　　③ $40 \ cm^2$

④ $48 \ cm^2$　　⑤ $54 \ cm^2$

평면을 돌려 만드는!

회전체의 전개도

● 다음 그림과 같은 회전체의 전개도에 대하여 □ 안에 알맞은 수를 써넣으시오.

1

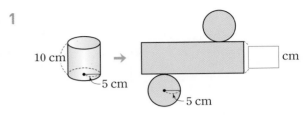

- (직사각형의 가로의 길이)
  = (원의 □의 길이)
  = 2π × □ = □ (cm)
- (직사각형의 □의 길이)
  = (원기둥의 높이) = □ (cm)

(직사각형의 가로의 길이) = (원의 둘레의 길이)

원기둥

(부채꼴의 반지름의 길이) = (원뿔의 모선의 길이)

(부채꼴의 호의 길이) = (원의 둘레의 길이)

원뿔

2

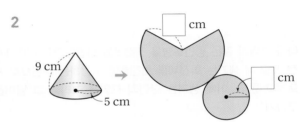

- (부채꼴의 호의 길이)
  = (원의 둘레의 길이)
  = 2π × □ = □ (cm)
- (부채꼴의 반지름의 길이)
  = (원뿔의 □의 길이) = □ cm

원뿔대

<u>개념모음문제</u>

3 다음 그림의 (나)는 (가)의 사다리꼴을 직선 l을 회전축으로 하여 1회전 시킨 회전체의 전개도이다. 이 회전체의 이름을 말하고, a, b, c의 값을 각각 구하시오.

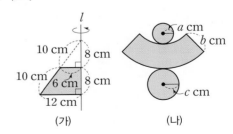

(가)   (나)

참고 원뿔대의 전개도에서
- (작은 부채꼴의 호의 길이)
  = (작은 원의 둘레의 길이)
- (큰 부채꼴의 호의 길이)
  = (큰 원의 둘레의 길이)

우리의 전개도는 그릴 수 없어!

무한히 가깝게 그릴 수는 있다, 뭐…

TEST 7.다면체와 회전체

1 다음 **보기**에서 다면체는 모두 몇 개인가?

> **보기**
>
> ㄱ. 삼각기둥　　ㄴ. 사각뿔대　　ㄷ. 원기둥
> ㄹ. 오각뿔　　　ㅁ. 오각뿔대　　ㅂ. 육각뿔
> ㅅ. 구　　　　　ㅇ. 정사면체　　ㅈ. 원뿔

① 3개　　　② 4개　　　③ 5개
④ 6개　　　⑤ 7개

2 사각뿔대의 면의 개수를 a, 오각뿔의 모서리의 개수를 b, 오각기둥의 꼭짓점의 개수를 c라 할 때, $a+b-c$의 값은?

① -1　　　② 0　　　③ 5
④ 6　　　　⑤ 7

3 다음 조건을 모두 만족시키는 입체도형은?

> ㈎ 다면체이다.
> ㈏ 각 면의 모양이 모두 합동인 정삼각형이다.
> ㈐ 한 꼭짓점에 모인 면의 개수가 5이다.

① 정사면체　　② 정육면체　　③ 정팔면체
④ 정십이면체　　⑤ 정이십면체

4 다음 중 오른쪽 그림과 같은 전개도로 만들어지는 정다면체에 대한 설명으로 옳지 <u>않은</u> 것은?

① 입체도형의 이름은 정육면체이다.
② 모서리의 개수는 12이다.
③ $\overline{ML}$과 겹쳐지는 모서리는 $\overline{KJ}$이다.
④ 한 꼭짓점에 모인 면의 개수는 3이다.
⑤ 꼭짓점 A와 겹쳐지는 점은 점 M과 점 I이다.

5 오른쪽 그림과 같은 도형을 직선 l을 회전축으로 하여 1회전 시킬 때 생기는 입체도형을 회전축을 포함하는 평면으로 자를 때 생기는 단면의 넓이를 구하시오.

6 오른쪽 그림과 같은 전개도로 만들어지는 원뿔대에 대하여 $\overset{\frown}{AD}$의 길이와 $\overset{\frown}{BC}$의 길이를 각각 구하시오.

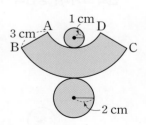

8

면이냐! 공간이냐!
입체도형의
겉넓이와 부피(1)

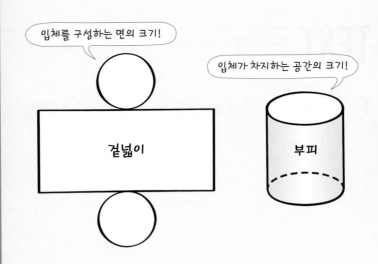

입체를 구성하는 면의 크기!

겉넓이

입체가 차지하는 공간의 크기!

부피

면의 크기냐? 공간의 크기냐?

01 각기둥의 겉넓이와 부피

각기둥의 전개도는 서로 합동인 두 개의 밑면과 직사각형 모양의 옆면으로 이루어져 있으므로 각기둥의 겉넓이는 두 밑넓이와 옆넓이의 합으로 구할 수 있어!

한편 각기둥은 여러 개의 삼각기둥으로 나눌 수 있으므로 각기둥의 부피는 각각 삼각기둥의 부피의 합으로 구할 수 있어. 이때 나누어진 삼각기둥의 밑넓이의 합은 주어진 각기둥의 밑넓이와 같으므로 각기둥의 부피는 밑넓이와 높이의 곱이야!

- **겉넓이**: (밑넓이)×2+(옆넓이) ← (밑면의 둘레의 길이)×(높이)
- **부피**: (밑넓이)×(높이)

면의 크기냐? 공간의 크기냐?

02 원기둥의 겉넓이와 부피

원기둥의 전개도는 서로 합동인 두 개의 밑면과 직사각형 모양의 옆면으로 이루어져 있으므로 원기둥의 겉넓이는 두 밑넓이와 옆넓이의 합으로 구할 수 있어.

한편 원기둥 안에 밑면이 정다각형인 각기둥을 밑면의 변의 개수를 계속 늘려가며 만들면 각기둥은 원기둥에 가까워져. 따라서 원기둥의 부피도 각기둥의 부피와 같은 밑넓이와 높이의 곱이야!

- **겉넓이**: (밑넓이)×2+(옆넓이)
- **부피**: (밑넓이)×(높이)

03 속이 뚫린 기둥의 겉넓이와 부피

속이 뚫린 기둥의 밑넓이는 큰 기둥의 밑넓이에서 작은 기둥의 밑넓이를 빼면 돼. 이 밑넓이를 이용해서 겉넓이와 부피를 구할 수 있어.

이때 겉넓이에서 작은 기둥의 옆넓이를 더하는 것을 빠뜨리지 말아야 해.

한편 부피는 큰 기둥의 부피에서 작은 기둥의 부피를 빼면 돼!

- **겉넓이**: (밑넓이)×2+(큰 기둥의 옆넓이)
  $$+(작은\ 기둥의\ 옆넓이)$$
- **부피**: (큰 기둥의 부피)−(작은 기둥의 부피)
  $$=(밑넓이)×(높이)$$
  (큰 기둥의 밑넓이)−(작은 기둥의 밑넓이)

---

04 다양한 입체도형의 겉넓이와 부피

크기가 다른 두 기둥으로 이루어진 기둥의 겉넓이를 구할 때는 큰 기둥의 겉넓이와 작은 기둥의 옆넓이를 더하면 돼!

한편 부피는 큰 기둥의 부피와 작은 기둥의 부피를 더하면 돼!

- **겉넓이**: (큰 기둥의 겉넓이)+(작은 기둥의 옆넓이)
- **부피**: (큰 기둥의 부피)+(작은 기둥의 부피)

---

05 밑면이 부채꼴인 기둥의 겉넓이와 부피

밑면이 부채꼴인 기둥의 겉넓이와 부피는 밑넓이가 부채꼴이므로 부채꼴의 넓이를 구하는 공식을 이용하면 돼!

한편 부피는 각기둥과 원기둥의 부피를 구하는 공식과 같은 밑넓이와 높이의 곱이야!

- **겉넓이**: (밑넓이)×2+(옆넓이)
- **부피**: (밑넓이)×(높이)

각기둥의 겉넓이와 부피

겉넓이

(밑넓이)×2＋(옆넓이)
　　　　　 ⌣⌣⌣⌣⌣⌣
　　　　(밑면의 둘레의 길이)×(높이)

부피

(밑넓이)×(높이)

＝**S**h

원리확인 아래 그림과 같은 각기둥에 대하여 다음 ☐ 안에 알맞은 수를 써넣으시오.

❶ (밑넓이)＝3×☐＝☐(cm²)

❷ (옆넓이)＝(3＋☐＋3＋5)×☐

　　　　＝☐(cm²)

❸ (겉넓이)＝☐×2＋☐＝☐(cm²)
　　　　　　 밑넓이　　 옆넓이

❹ (높이)＝☐cm

❺ (부피)＝☐×☐＝☐(cm³)
　　　　 밑넓이　높이

1st ― 각기둥의 겉넓이 구하기

● 아래 그림과 같은 각기둥에 대하여 다음을 구하시오.

1

(1) 밑넓이

(2) 옆넓이

기둥은 밑면이 2개이고, 두 밑면은 서로 합동이야.

(3) 겉넓이

2
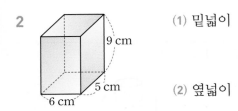

(1) 밑넓이

(2) 옆넓이

(3) 겉넓이

3

(1) 밑넓이

(2) 옆넓이

(사다리꼴의 넓이)
＝$\frac{1}{2}$×{(아랫변)＋(윗변)}×높이

(3) 겉넓이

● 아래 그림과 같은 전개도로 만든 각기둥에 대하여 다음을 구하시오.

4

(1) 밑넓이

(2) 옆넓이

(3) 겉넓이

5

(1) 밑넓이

(2) 옆넓이

(3) 겉넓이

● 다음 그림과 같은 기둥의 겉넓이를 구하시오.

6

7

8

9

😊 내가 발견한 개념   각기둥의 겉넓이는?

(각기둥의 겉넓이)

=(밑넓이)×2+(   )

=(밑넓이)×2+(밑면의 [   ]의 길이)×([   ])

● 아래 그림과 같은 각기둥에 대하여 다음을 구하시오.

10 사각기둥의 겉넓이가 112 cm²일 때, 사각기둥의 높이

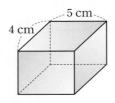

11 삼각기둥의 옆넓이가 360 cm²일 때, 삼각기둥의 높이

12 각기둥의 겉넓이가 240 cm²일 때, 각기둥의 높이

개념모음문제
13 정육면체의 겉넓이가 150 cm²일 때, 이 정육면체의 한 모서리의 길이는?

① 5 cm　　② 10 cm　　③ 15 cm
④ 20 cm　　⑤ 25 cm

2nd ─ 각기둥의 부피 구하기

● 아래 그림과 같은 각기둥에 대하여 다음을 구하시오.

14

(1) 밑넓이

(2) 높이

(3) 부피

15

(1) 밑넓이

(2) 높이

(3) 부피

16

(1) 밑넓이

(2) 높이

(3) 부피

😊 내가 발견한 개념　　　　　　　　　각기둥의 부피는?

(각기둥의 부피)=(밑넓이)×(⬚)

● 아래 그림과 같은 각기둥 또는 전개도로 만든 각기둥의 부피를 구하시오.

17

18

19

20

● 아래 그림 또는 조건과 같은 각기둥에 대하여 다음을 구하시오.

21 삼각기둥의 부피가 108 cm³일 때,
삼각기둥의 높이

22 각기둥의 부피가 720 cm³일 때, 각기둥의 높이

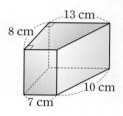

23 부피가 72 cm³이고 높이가 6 cm인 삼각기둥의
밑넓이

개념모음문제

24 오른쪽 그림과 같은 각기둥
의 부피는?

① 50 cm³

② 75 cm³

③ 100 cm³

④ 125 cm³

⑤ 150 cm³

02

면의 크기냐? 공간의 크기냐?

원기둥의 겉넓이와 부피

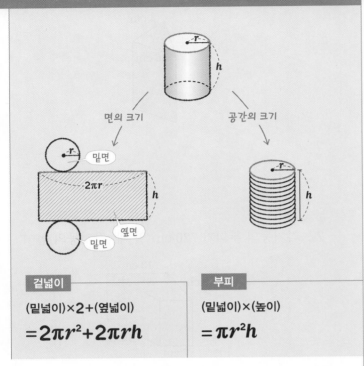

겉넓이

(밑넓이)×2+(옆넓이)

$=2\pi r^2+2\pi rh$

부피

(밑넓이)×(높이)

$=\pi r^2 h$

원리확인 아래 그림과 같은 원기둥에 대하여 다음 □ 안에 알맞은 수를 써넣으시오.

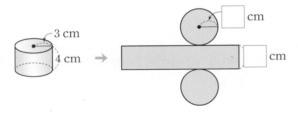

❶ (밑넓이)$=\pi\times$□$^2=$□(cm^2)

❷ (옆넓이)$=(2\pi\times$□$)\times$□$=$□(cm^2)

❸ (겉넓이)$=$□$\times2+$□

　　　　밑넓이　　　옆넓이

　　　$=$□(cm^2)

❹ (높이)$=$□cm

❺ (부피)$=$□$\times$□$=$□(cm^3)

　　　　밑넓이　　높이

1ˢᵗ ― 원기둥의 겉넓이 구하기

● 아래 그림과 같은 원기둥에 대하여 다음을 구하시오.

1

(1) 밑넓이

(2) 옆넓이

(3) 겉넓이

2

(1) 밑넓이

(2) 옆넓이

(3) 겉넓이

3

(1) 밑넓이

(2) 옆넓이

(3) 겉넓이

😊 **내가 발견한 개념**　　　　　　원기둥의 겉넓이는?

밑면의 반지름의 길이가 r, 높이가 h인 원기둥에서

(원기둥의 겉넓이)=(밑넓이)×2+(　　　)

　　　　　　　$=\pi r^2\times2+($　　　$\times h)$

● 아래 그림과 같은 전개도로 만든 원기둥에 대하여 다음을 구하시오.

4

(1) 밑넓이

(2) 옆넓이

(3) 겉넓이

5

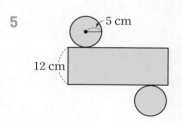

(1) 밑넓이

(2) 옆넓이

(3) 겉넓이

● 다음 그림과 같은 원기둥의 겉넓이를 구하시오.

6

7

8

9

😊 **내가 발견한 개념**   원기둥의 전개도에서 같은 것을 찾아봐!

• 원기둥의 전개도에서 옆면은 [   ]

• (직사각형의 가로의 길이)=([   ]의 둘레의 길이)

• (직사각형의 세로의 길이)=([   ]의 높이)

• (원기둥의 옆넓이)

 =([   ]의 둘레의 길이)×([   ]의 높이)

● 아래 그림과 같은 원기둥에 대하여 다음을 구하시오.

10 원기둥의 겉넓이가 112π cm^2, 밑면의 반지름의 길이가 4 cm일 때, 원기둥의 높이

11 원기둥의 겉넓이가 120π cm^2, 밑면의 반지름의 길이가 6 cm일 때, 원기둥의 높이

12 원기둥의 겉넓이가 52π cm^2, 밑면의 반지름의 길이가 2 cm일 때, 원기둥의 높이

2nd — 원기둥의 부피 구하기

● 아래 그림과 같은 원기둥에 대하여 다음을 구하시오.

13

3 cm
9 cm

(1) 밑넓이

(2) 높이

(3) 부피

14

7 cm
4 cm

(1) 밑넓이

(2) 높이

(3) 부피

15

10 cm
5 cm

(1) 밑넓이

(2) 높이

(3) 부피

☺ 내가 발견한 개념 　　　　　　　　　원기둥의 부피는?

밑면의 반지름의 길이가 r, 높이가 h인 원기둥에서

(원기둥의 부피)=(밑넓이)×(　　)=

● 다음 그림과 같은 원기둥의 부피를 구하시오.

16

10 cm
5 cm

17

9 cm
6 cm

18

12 cm
12 cm

19

5 cm
4 cm

(기둥의 부피) = (밑넓이)×(높이)!

우린 다른 도형인데?

너희 둘 다 기둥이잖아.

● 아래 그림과 같은 원기둥에 대하여 다음을 구하시오.

20 원기둥의 부피가 32π cm^3, 밑면의 반지름의 길이가 2 cm일 때, 원기둥의 높이

2 cm

21 원기둥의 부피가 90π cm^3, 높이가 10 cm일 때, 원기둥의 밑면의 반지름의 길이

10 cm

개념모음문제

22 오른쪽 그림과 같은 직사각형을 직선 l을 회전축으로 하여 1회전 시킬 때 생기는 회전체의 겉넓이와 부피를 차례대로 구한 것은?

3 cm
6 cm

① 36π cm^2, 48π cm^3

② 42π cm^2, 50π cm^3

③ 48π cm^2, 48π cm^3

④ 54π cm^2, 54π cm^3

⑤ 54π cm^2, 58π cm^3

03

속이 뚫린 기둥의 겉넓이와 부피

⊙ = ◯ − ○

큰 기둥의 밑넓이에서 작은 기둥의 밑넓이를 빼!

밑면

면의 크기   공간의 크기

밑면

겉넓이

(밑넓이)×2

$+\left(\begin{array}{c}큰\ 기둥의\\ 옆넓이\end{array}\right)+\left(\begin{array}{c}작은\ 기둥의\\ 옆넓이\end{array}\right)$

부피

$\left(\begin{array}{c}큰\ 기둥의\\ 부피\end{array}\right)-\left(\begin{array}{c}작은\ 기둥의\\ 부피\end{array}\right)$

= (밑넓이)×(높이)

(큰 기둥의 밑넓이)−(작은 기둥의 밑넓이)

원리확인 아래 그림과 같은 속이 뚫린 기둥에 대하여 다음 ☐ 안에 알맞은 수를 써넣으시오.

❶

1 cm 3 cm
3 cm 1 cm
3 cm

(1) (밑넓이)＝(3×3)−(☐ × ☐)＝ ☐ (cm²)

3 cm
1 cm
1 cm 3 cm

(2) (옆넓이)＝3× ☐ ＋3× ☐ ＝ ☐ (cm²)

3 cm 3 cm 3 cm 3 cm   1 cm 1 cm

3 cm   ＋3 cm

1 cm 1 cm

---

(3) (겉넓이)＝ ☐ ×2＋ ☐ ＝ ☐ (cm²)
　　　　　　　밑넓이　　　옆넓이

(4) (높이)＝ ☐ cm

(5) (부피)＝ ☐ × ☐ ＝ ☐ (cm³)
　　　　　밑넓이　높이

❷

6 cm
3 cm   8 cm

(1) (밑넓이)＝π× ☐ ²−π× ☐ ²＝ ☐ (cm²)

6 cm
3 cm

(2) (옆넓이)＝ ☐ ×8＋6π× ☐

＝ ☐ (cm²)

8 cm ＋ 8 cm
(2π×6) cm   (2π×3) cm

(3) (겉넓이)＝ ☐ ×2＋ ☐
　　　　　　　밑넓이　　　옆넓이

＝ ☐ (cm²)

(4) (높이)＝ ☐ cm

(5) (부피)＝ ☐ × ☐ ＝ ☐ (cm³)
　　　　　밑넓이　높이

1st ― 속이 뚫린 도형의 겉넓이 구하기

● 아래 그림과 같은 속이 뚫린 입체도형에 대하여 다음을 구하시오.

1

(1) 밑넓이

(2) 옆넓이

(3) 겉넓이

2

(1) 밑넓이

(2) 옆넓이

(3) 겉넓이

3

(1) 밑넓이

(2) 옆넓이

(3) 겉넓이

4

(1) 밑넓이

(2) 옆넓이

(3) 겉넓이

2nd ― 속이 뚫린 도형의 부피 구하기

● 아래 그림과 같은 속이 뚫린 아래 입체도형에 대하여 다음을 구하시오.

5

(1) 밑넓이

(2) 높이

(3) 부피

6

(1) 밑넓이

(2) 높이

(3) 부피

7

(1) 밑넓이

(2) 높이

(3) 부피

개념모음문제

8 오른쪽 그림과 같은 직사각형을 직선 l을 회전축으로 하여 1회전 시킬 때 생기는 회전체의 겉넓이와 부피를 차례대로 구한 것은?

① 84π cm², 128π cm³

② 150π cm², 192π cm³

③ 192π cm², 256π cm³

④ 212π cm², 231π cm³

⑤ 236π cm², 280π cm³

면의 크기냐? 공간의 크기냐?

다양한 입체도형의 겉넓이와 부피

○+○=○

큰 기둥의 밑넓이는 작은 기둥의 밑넓이를 포함해!

면의 크기

공간의 크기

겉넓이

$$\begin{pmatrix}\text{큰 기둥의}\\\text{겉넓이}\end{pmatrix}+\begin{pmatrix}\text{작은 기둥의}\\\text{옆넓이}\end{pmatrix}$$

부피

$$\begin{pmatrix}\text{큰 기둥의}\\\text{부피}\end{pmatrix}+\begin{pmatrix}\text{작은 기둥의}\\\text{부피}\end{pmatrix}$$

원리확인 아래 그림과 같은 두 원기둥을 붙인 입체도형에 대하여 다음 □ 안에 알맞은 수를 써넣으시오.

❶ (㉠의 겉넓이)$=2\times(\pi\times\boxed{}^2)+(2\pi\times4)\times\boxed{}$
   $=\boxed{}(\text{cm}^2)$

❷ (㉡의 옆넓이)$=(2\pi\times\boxed{})\times\boxed{}$
   $=\boxed{}(\text{cm}^2)$

❸ (입체도형의 겉넓이)$=\boxed{}\text{cm}^2$

❹ (㉠의 부피)$=(\pi\times\boxed{}^2)\times\boxed{}=\boxed{}(\text{cm}^3)$

❺ (㉡의 부피)$=(\pi\times\boxed{}^2)\times\boxed{}=\boxed{}(\text{cm}^3)$

❻ (입체도형의 부피)$=\boxed{}\text{cm}^3$

1st 두 기둥을 붙였을 때의 겉넓이 구하기

● 아래 그림과 같은 두 원기둥을 붙인 입체도형에 대하여 다음을 구하시오.

1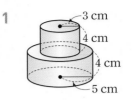

(1) 아래쪽 기둥의 겉넓이

(2) 위쪽 기둥의 옆넓이

(3) 입체도형의 겉넓이

2

(1) 아래쪽 기둥의 겉넓이

(2) 위쪽 기둥의 옆넓이

(3) 입체도형의 겉넓이

개념모음문제

3 오른쪽 그림과 같은 입체도형의 겉넓이는?

① $120\pi \text{ cm}^2$
② $240\pi \text{ cm}^2$
③ $300\pi \text{ cm}^2$
④ $360\pi \text{ cm}^2$
⑤ $380\pi \text{ cm}^2$

2nd 두 기둥을 붙였을 때의 부피 구하기

● 아래 그림과 같은 두 원기둥을 붙인 입체도형에 대하여 다음을 구하시오.

4

(1) 아래쪽 기둥의 부피

(2) 위쪽 기둥의 부피

(3) 입체도형의 부피

5

(1) 아래쪽 기둥의 부피

(2) 위쪽 기둥의 부피

(3) 입체도형의 부피

개념모음문제

6 오른쪽 그림과 같은 입체도형의 부피는?

① 424 cm³
② 425 cm³
③ 426π cm³
④ 428π cm³
⑤ 429π cm³

3rd 잘라낸 각기둥의 겉넓이와 부피 구하기

● 아래 그림은 직육면체에서 밑면과 옆면에 각각 평행하게 일부를 잘라낸 입체도형이다. 다음을 구하시오.

7

잘라낸 부분의 단면을 그림과 같이 이동하여 생각하면 주어진 입체도형의 겉넓이는 잘라내기 전의 직육면체의 겉넓이와 같다.

(1) 겉넓이

(2) 부피

8

(1) 겉넓이

(2) 부피

9

(1) 겉넓이

(2) 부피

면의 크기냐? 공간의 크기냐?

밑면이 부채꼴인 기둥의 겉넓이와 부피

겉넓이	부피
(밑넓이)×2+(옆넓이)	**(밑넓이)×(높이)**

원리확인 아래 그림과 같은 밑면이 반원인 기둥에 대하여 다음 □ 안에 알맞은 수를 써넣으시오.

2 cm

10 cm

❶ (밑넓이)$=\dfrac{1}{2}\times(\pi\times\boxed{}^2)=\boxed{}$ (cm²)

❷ (옆넓이)$=\boxed{}\times 10+4\times\boxed{}$

$=\boxed{}$ (cm²)

❸ (겉넓이)$=\underbrace{\boxed{}}_{밑넓이}\times 2+(\underbrace{\boxed{}}_{옆넓이})$

$=\boxed{}$ (cm²)

❹ (높이)$=\boxed{}$ cm

❺ (부피)$=\underbrace{\boxed{}}_{밑넓이}\times\underbrace{\boxed{}}_{높이}=\boxed{}$ (cm³)

1st ― 밑면이 부채꼴인 기둥의 겉넓이와 부피 구하기

● 아래 그림과 같은 밑면이 부채꼴인 기둥에 대하여 다음을 구하시오.

1

60°

12 cm

6 cm

$\Rightarrow S=\pi r^2\times\dfrac{x}{360}$

$=\dfrac{1}{2}rl$

(1) 겉넓이

(2) 부피

2

4π

8 cm

6 cm

6 cm

(1) 겉넓이

(2) 부피

3

5 cm

2 cm

(1) 겉넓이

(2) 부피

TEST 8. 입체도형의 겉넓이와 부피(1)

1 오른쪽 그림과 같은 삼각기
둥의 겉넓이는?

① 120 cm²
② 128 cm²
③ 136 cm²
④ 140 cm²
⑤ 144 cm²

4 오른쪽 그림과 같은 평면도형
을 직선 l을 회전축으로 하여
1회전 시킬 때 생기는 입체도
형의 부피는?

① 260π cm³
② 265π cm³
③ 272π cm³
④ 281π cm³
⑤ 289π cm³

2 다음 그림은 원기둥의 전개도이다. 이 전개도로 만
들어지는 원기둥의 부피를 구하시오.

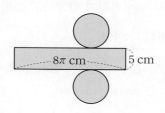

5 오른쪽 그림은 정육면체에
서 밑면과 옆면에 각각 평
행하게 일부를 잘라낸 입체
도형이다. 이 입체도형의
겉넓이는?

① 268 cm²   ② 274 cm²   ③ 280 cm²
④ 288 cm²   ⑤ 294 cm²

3 오른쪽 그림과 같이 속
이 뚫린 입체도형의 부
피는?

① 152π cm³
② 160π cm³
③ 164π cm³
④ 170π cm³
⑤ 174π cm³

6 오른쪽 그림과 같이 밑면이 부
채꼴인 기둥의 겉넓이와 부피를
차례대로 구하시오.

9

면이냐! 공간이냐!
입체도형의 겉넓이와 부피 (2)

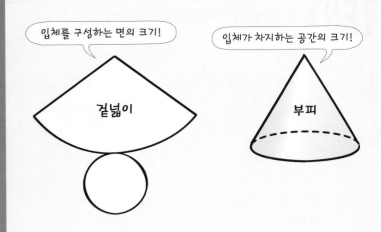

입체를 구성하는 면의 크기!

겉넓이

입체가 차지하는 공간의 크기!

부피

면의 크기냐? 공간의 크기냐?

부으면 $\frac{1}{3}$만 채워져!

면의 크기   공간의 크기

옆면

밑면

$\frac{1}{3} \times$

01 각뿔의 겉넓이와 부피

각뿔의 전개도는 한 개의 밑면과 여러 개의 삼각형 모양의 옆면으로 이루어져 있으므로 각뿔의 겉넓이는 밑넓이와 옆넓이의 합으로 구할 수 있어.

한편 뿔의 부피는 밑면이 합동이고 높이가 같은 기둥의 부피의 $\frac{1}{3}$이야!

- **겉넓이**: (밑넓이)＋(옆넓이)   - **부피**: $\frac{1}{3} \times$ (각기둥의 부피)

각뿔의 옆면은 모두 삼각형!

면의 크기냐? 공간의 크기냐?

부으면 $\frac{1}{3}$만 채워져!

면의 크기   공간의 크기

옆면

밑면

$\frac{1}{3} \times$

02 원뿔의 겉넓이와 부피

원뿔의 전개도는 한 개의 밑면과 부채꼴 모양의 옆면으로 이루어져 있으므로 원뿔의 겉넓이는 밑넓이와 옆넓이의 합으로 구할 수 있어.

한편 원뿔의 부피도 밑면이 합동이고 높이가 같은 원기둥의 부피의 $\frac{1}{3}$임을 이용하면 돼!

- **겉넓이**: (밑넓이)＋(옆넓이)   - **부피**: $\frac{1}{3} \times$ (원기둥의 부피)

면의 크기냐? 공간의 크기냐?

큰 원뿔에서 작은 원뿔을 빼!

면의 크기   공간의 크기

밑면

옆면

밑면

03 뿔대의 겉넓이와 부피

뿔대의 전개도는 두 개의 밑면과 옆면으로 이루어져 있으므로 뿔대의 겉넓이는 두 밑넓이와 옆넓이의 합으로 구할 수 있어!

한편 뿔대의 부피는 잘리기 전의 큰 뿔의 부피에서 잘린 작은 뿔의 부피를 빼면 돼!

- **겉넓이**: (두 밑넓이의 합)＋(옆넓이) ← (큰 부채꼴의 넓이) － (작은 부채꼴의 넓이)
- **부피**: (큰 원뿔의 부피)－(작은 원뿔의 부피)

면의 크기냐? 공간의 크기냐?

04 구의 겉넓이와 부피

일반적으로 반지름의 길이가 r인 구의 겉넓이는 반지름의 길이가 r인 원의 넓이의 4야.

또한 일반적으로 반지름의 길이가 r인 구의 부피는 밑면인 원의 반지름의 길이가 r이고 높이가 $2r$인 원기둥의 부피의 $\frac{2}{3}$야!

· 겉넓이: $\pi \times (2r)^2 = 4\pi r^2$ · 부피: $\frac{2}{3} \times$ (원기둥의 부피)

면의 크기냐? 공간의 크기냐?

05 잘라낸 구의 겉넓이와 부피

잘라낸 구의 겉넓이는 곡면의 넓이와 잘린 단면의 넓이의 합으로 구할 수 있어. 이때 곡면의 넓이는 구의 겉넓이에서 몇 배 해야 하는지 살펴야 해!

한편 잘라낸 구의 부피는 구의 부피에서 몇 배를 해야 하는지 살펴야 해! 특히 반구는 구의 부피의 $\frac{1}{2}$이야!

· 반구의 겉넓이: $\frac{1}{2} \times$ (구의 겉넓이) + (원의 넓이)

　　　　　　　　　　　 곡면의 넓이　　　잘린 단면의 넓이

· 반구의 부피: $\frac{1}{2} \times$ (구의 부피)

면의 크기냐? 공간의 크기냐?

06 두 입체도형을 붙였을 때 겉넓이와 부피

두 입체도형의 겉넓이와 부피를 구할 때는 붙인 두 개의 입체도형 각각의 겉넓이와 부피를 이용하면 돼. 이때 겉넓이를 구할 때 두 입체도형을 붙인 면의 넓이는 생각하지 않음을 기억해!

· 겉넓이: (위 뿔의 옆넓이) + (아래 뿔의 옆넓이)

· 부피: (위 뿔의 부피) + (아래 뿔의 부피)

공간의 관계!

(삼각뿔의 부피) $= \frac{1}{3} \times \triangle ADC \times \overline{DB}$

　　　　　　　　　　　　　 밑넓이　　 높이

07 여러 가지 입체도형의 부피의 활용

앞에서 연습한 입체도형의 부피를 이용해서 여러 가지 입체도형의 부피를 구해보자.

(기둥의 부피) = (밑넓이) × (높이)

(각뿔의 부피) = (기둥의 부피) × $\frac{1}{3}$

면의 크기냐? 공간의 크기냐?

각뿔의 겉넓이와 부피

면의 크기

옆면

밑면

공간의 크기

부으면 $\frac{1}{3}$만 채워져!

$\frac{1}{3} \times$

겉넓이

(밑넓이)+(옆넓이)

각뿔의 옆면은 모두 삼각형!

부피

$\frac{1}{3} \times$(각기둥의 부피)

$= \frac{1}{3} \times$(밑넓이)$\times$(높이)

$= \frac{1}{3}Sh$

각뿔의 부피는 각기둥의 부피의 $\frac{1}{3}$배?

 A   B

A에서 (사각기둥의 부피)$= \frac{1}{2} \times$(정육면체의 부피) 이므로

B에서 (사각뿔의 부피)$= \frac{1}{6} \times$(정육면체의 부피)

$= \frac{1}{3} \times \frac{1}{2} \times$(정육면체의 부피)

$= \frac{1}{3} \times$(사각기둥의 부피)

원리확인 아래 그림과 같은 각뿔에 대하여 다음 ☐ 안에 알맞은 수를 써넣으시오.

❶

(1) (밑넓이)$=$ ☐ $\times 6=$ ☐ (cm^2)

(2) (옆넓이)$=\left(\frac{1}{2} \times 6 \times$ ☐ $\right) \times 4$

　　　　　　$=$ ☐ (cm^2)

(3) (겉넓이)$=$ ☐ $+$ ☐
　　　　　　　　밑넓이　　옆넓이

　　　　　　$=$ ☐ (cm^2)

❷

6 cm

4 cm　　5 cm

(1) (밑넓이)$= \frac{1}{2} \times$ ☐ $\times$ ☐

　　　　　　$=$ ☐ (cm^2)

(2) (높이)$=$ ☐ cm

(3) (부피)$= \frac{1}{3} \times$ ☐ $\times$ ☐
　　　　　　　　　　밑넓이　　높이

　　　　　　$=$ ☐ (cm^3)

1st — 각뿔의 겉넓이 구하기

● 아래 그림과 같은 정사각뿔에 대하여 다음을 구하시오.

1

(1) 밑넓이

(2) 옆넓이

(3) 겉넓이

2

(1) 밑넓이

(2) 옆넓이

(3) 겉넓이

3

(1) 밑넓이

(2) 옆넓이

(3) 겉넓이

4

(1) 밑넓이

(2) 옆넓이

(3) 겉넓이

5

(1) 밑넓이

(2) 옆넓이

(3) 겉넓이

6

(1) 밑넓이

(2) 옆넓이

(3) 겉넓이

☺ 내가 발견한 개념   각뿔의 옆면과 밑면의 특징은?

• 각뿔의 밑면의 개수 → ▢

• 옆면의 모양은 → ▢

● 다음 그림과 같은 정사각뿔의 겉넓이를 구하시오.

7

8 cm

4 cm

4 cm

8

7 cm

6 cm

6 cm

9

12 cm

9 cm

9 cm

개념모음문제

10 오른쪽 그림과 같은 정사각뿔의
겉넓이가 112 cm²일 때, x의 값
은?

x cm

4 cm

4 cm

① 10   ② 12
③ 14   ④ 16
⑤ 18

2nd ― 각뿔의 부피 구하기

● 아래 그림과 같은 각뿔에 대하여 다음을 구하시오.

11

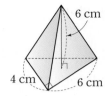

6 cm

4 cm   6 cm

(1) 밑넓이

(2) 높이

(3) 부피

12

9 cm

8 cm

5 cm

(1) 밑넓이

(2) 높이

(3) 부피

13

9 cm

6 cm

6 cm

(1) 밑넓이

(2) 높이

(3) 부피

14
5 cm
4 cm
4 cm

(1) 밑넓이

(2) 높이

(3) 부피

15
8 cm
6 cm
7 cm

(1) 밑넓이

(2) 높이

(3) 부피

16
12 cm
10 cm
8 cm

(1) 밑넓이

(2) 높이

(3) 부피

● **다음 그림과 같은 각뿔의 부피를 구하시오.**

17
10 cm
5 cm
9 cm

18
7 cm
8 cm
6 cm

19
9 cm
5 cm
5 cm

개념모음문제
20 오른쪽 그림과 같은 정사각뿔 의 부피가 500 cm³일 때, 이 정사각뿔의 높이는?
10 cm
10 cm

① 11 cm   ② 12 cm

③ 13 cm   ④ 14 cm

⑤ 15 cm

😊 내가 발견한 개념   각뿔과 각기둥의 부피 관계는?

각뿔의 부피 → 밑면과 높이가 같은 [   ]의 부피의 [   ]배

면의 크기냐? 공간의 크기냐?

원뿔의 겉넓이와 부피

부으면 $\frac{1}{3}$만 채워져!

면의 크기

공간의 크기

$\frac{1}{3} \times$

옆면

밑면

$2\pi r$

$\frac{1}{3} \times h$

겉넓이

(밑넓이)+(옆넓이)

$= \pi r^2 + \pi r l$

$\frac{1}{2} \times$(반지름의 길이)$\times$(호의 길이)
$= \frac{1}{2} \times l \times 2\pi r$
$= \pi r l$

부피

$\frac{1}{3} \times$(원기둥의 부피)

$= \frac{1}{3} \times$(밑넓이)$\times$(높이)

$= \frac{1}{3}\pi r^2 h$

원리확인 아래 그림과 같은 원뿔에 대하여 다음 □ 안에 알맞은 수를 써넣으시오.

❶

9 cm
5 cm
→
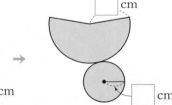
□ cm
□ cm

(1) (밑넓이)$= \pi \times \boxed{}^2 = \boxed{}$ (cm²)

(2) (옆넓이)$= \frac{1}{2} \times \left(2\pi \times \boxed{} \right) \times \boxed{}$

(부채꼴의 호의 길이)=(밑면인 원의 둘레의 길이)

$= \boxed{}$ (cm²)

(3) (겉넓이)$= \boxed{} + \boxed{}$
밑넓이   옆넓이

$= \boxed{}$ (cm²)

❷
7 cm
6 cm
→
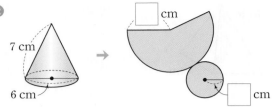
□ cm
□ cm

(1) (밑넓이)$= \pi \times \boxed{}^2 = \boxed{}$ (cm²)

(2) (옆넓이)$= \frac{1}{2} \times \left(2\pi \times \boxed{} \right) \times \boxed{}$

$= \boxed{}$ (cm²)

(3) (겉넓이)$= \boxed{} + \boxed{}$
밑넓이   옆넓이

$= \boxed{}$ (cm²)

❸

4 cm
3 cm

(1) (밑넓이)$= \pi \times \boxed{}^2 = \boxed{}$ (cm²)

(2) (높이)$= \boxed{}$ cm

(3) (부피)$= \frac{1}{3} \times \boxed{} \times \boxed{}$
밑넓이   높이

$= \boxed{}$ (cm³)

❹

8 cm
12 cm

(1) (밑넓이)$= \pi \times \boxed{}^2 = \boxed{}$ (cm²)

(2) (높이)$= \boxed{}$ cm

(3) (부피)$= \frac{1}{3} \times \boxed{} \times \boxed{}$
밑넓이   높이

$= \boxed{}$ (cm³)

1st — 원뿔의 겉넓이 구하기

● 아래 그림과 같은 원뿔에 대하여 다음을 구하시오.

1

(1) 밑넓이

(2) 옆넓이

(3) 겉넓이

2

(1) 밑넓이

(2) 옆넓이

(3) 겉넓이

3

(1) 밑넓이

(2) 옆넓이

(3) 겉넓이

● 다음 그림과 같은 원뿔의 겉넓이를 구하시오.

4

5

6

😊 **내가 발견한 개념**   원뿔의 겉넓이는?

(원뿔의 겉넓이)=(밑넓이)+(옆넓이)

    =(□ 의 넓이)+(□ 의 넓이)

● 다음 그림과 같은 전개도로 만든 원뿔의 겉넓이를 구하시오.

7

8 cm

→ 밑면의 반지름의 길이를 r cm라 하면

$2\pi \times \boxed{} \times \dfrac{\boxed{}}{360} = 2\pi r$이므로 $r = \boxed{}$

따라서 구하는 겉넓이는

$\pi \times \boxed{}^2 + \dfrac{1}{2} \times (2\pi \times \boxed{}) \times \boxed{}$

$= \boxed{}$ (cm²)

8
9 cm
120°

9
6 cm
150°

10

120°
4 cm

원뿔의 전개도에서
(부채꼴의 반지름의 길이)
=(원뿔의 모선의 길이)

→ 원뿔의 모선의 길이를 l cm라 하면

$2\pi \times l \times \dfrac{\boxed{}}{360} = 2\pi \times \boxed{}$이므로

$l = \boxed{}$

따라서 구하는 겉넓이는

$\pi \times \boxed{}^2 + \dfrac{1}{2} \times (2\pi \times \boxed{}) \times \boxed{}$

$= \boxed{}$ (cm²)

11
240°
6 cm

12
3 cm

개념모음문제

13 오른쪽 그림과 같은 원뿔의
겉넓이가 65π cm²일 때,
이 원뿔의 모선의 길이는?

5 cm

① 6 cm   ② 7 cm   ③ 8 cm

④ 9 cm   ⑤ 10 cm

:) 내가 발견한 개념   부채꼴의 옆면과 밑면의 특징은?

(옆면인 부채꼴의 $\boxed{}$ 의 길이)=(밑면인 원의 $\boxed{}$ 의 길이)

2nd— 원뿔의 부피 구하기

● 아래 그림과 같은 원뿔에 대하여 다음을 구하시오.

14

(1) 밑넓이

(2) 높이

(3) 부피

15

(1) 밑넓이

(2) 높이

(3) 부피

16

(1) 밑넓이

(2) 높이

(3) 부피

● 다음 그림과 같은 원뿔의 부피를 구하시오.

17

18

19

개념모음문제

20 오른쪽 그림과 같은 직각삼각형을 직선 l을 회전축으로 하여 1회전 시킬 때 생기는 입체도형의 부피는?

① $94\pi \ cm^3$ ② $96\pi \ cm^3$

③ $98\pi \ cm^3$ ④ $100\pi \ cm^3$

⑤ $102\pi \ cm^3$

면의 크기냐? 공간의 크기냐?

뿔대의 겉넓이와 부피

❶ 각뿔대

면의 크기 → 공간의 크기

큰 각뿔에서 작은 각뿔을 빼!

옆면 / 밑면 / 옆면

겉넓이

(두 밑넓이의 합)+(옆넓이)
↓
(사다리꼴 1개의 넓이)×(옆면의 개수)

부피

$\left(\begin{array}{c}\text{큰 각뿔의}\\\text{부피}\end{array}\right) - \left(\begin{array}{c}\text{작은 각뿔의}\\\text{부피}\end{array}\right)$

❷ 원뿔대

면의 크기 → 공간의 크기

큰 원뿔에서 작은 원뿔을 빼!

밑면 / 옆면 / 밑면

겉넓이

(두 밑넓이의 합)+(옆넓이)
↓
(큰 부채꼴의 넓이)−(작은 부채꼴의 넓이)

부피

$\left(\begin{array}{c}\text{큰 원뿔의}\\\text{부피}\end{array}\right) - \left(\begin{array}{c}\text{작은 원뿔의}\\\text{부피}\end{array}\right)$

원리확인 아래 그림과 같은 뿔대에 대하여 다음 □ 안에 알맞은 수를 써넣으시오.

❶

(1) (두 밑넓이의 합)$=12^2+\boxed{}^2=\boxed{}(\text{cm}^2)$

(2) (옆넓이)$=\left\{\dfrac{1}{2}\times(\boxed{}+12)\times\boxed{}\right\}\times 4$
  <u>사다리꼴의 넓이</u>
   $=\boxed{}(\text{cm}^2)$

---

(3) (겉넓이)$=\boxed{}+\boxed{}=\boxed{}(\text{cm}^2)$
  <u>두 밑넓이의 합</u> <u>옆넓이</u>

(4) (큰 각뿔의 부피)$=\dfrac{1}{3}\times(12\times\boxed{})\times\boxed{}$
   $=\boxed{}(\text{cm}^3)$

(5) (작은 각뿔의 부피)$=\dfrac{1}{3}\times(6\times\boxed{})\times 4$
   $=\boxed{}(\text{cm}^3)$

(6) (부피)$=\boxed{}-\boxed{}=\boxed{}(\text{cm}^3)$
  <u>큰 각뿔의 부피</u> <u>작은 각뿔의 부피</u>

❷

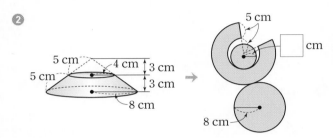

(1) (두 밑넓이의 합)$=\pi\times 8^2+\pi\times\boxed{}^2$
   $=\boxed{}(\text{cm}^2)$

(2) (옆넓이)$=\dfrac{1}{2}\times(2\pi\times\boxed{})\times\boxed{}$
  <u>큰 부채꼴의 넓이</u>
   $-\dfrac{1}{2}\times(2\pi\times\boxed{})\times\boxed{}$
    <u>작은 부채꼴의 넓이</u>
   $=\boxed{}(\text{cm}^2)$

(3) (겉넓이)$=\boxed{}+\boxed{}$
  <u>두 밑넓이의 합</u> <u>옆넓이</u>
   $=\boxed{}(\text{cm}^2)$

(4) (큰 원뿔의 부피)$=\dfrac{1}{3}\times(\pi\times\boxed{}^2)\times\boxed{}$
   $=\boxed{}(\text{cm}^3)$

(5) (작은 원뿔의 부피)$=\dfrac{1}{3}\times(\pi\times\boxed{}^2)\times\boxed{}$
   $=\boxed{}(\text{cm}^3)$

(6) (부피)$=\boxed{}-\boxed{}$
  <u>큰 원뿔의 부피</u> <u>작은 원뿔의 부피</u>
   $=\boxed{}(\text{cm}^3)$

1ˢᵗ — 뿔대의 겉넓이 구하기

● 다음 그림과 같은 뿔대의 겉넓이를 구하시오.

1

2

3

4

2ⁿᵈ — 뿔대의 부피 구하기

● 다음 그림과 같은 뿔대의 부피를 구하시오.

5

6

7

8

면의 크기냐? 공간의 크기냐?

구의 겉넓이와 부피

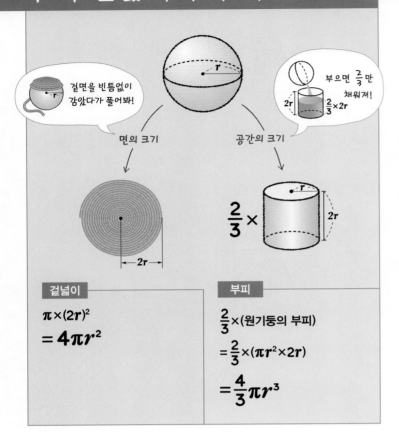

겉면을 빈틈없이 감았다가 풀어봐!

면의 크기

부으면 $\frac{2}{3}$만 채워져!

공간의 크기

겉넓이

$\pi \times (2r)^2$

$= 4\pi r^2$

부피

$\frac{2}{3} \times$ (원기둥의 부피)

$= \frac{2}{3} \times (\pi r^2 \times 2r)$

$= \frac{4}{3}\pi r^3$

1st — 구의 겉넓이 구하기

● 아래 그림 또는 조건을 이용하여 구의 겉넓이를 구하시오.

1

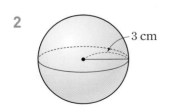

2 cm

➡ (겉넓이)$=4\pi \times \boxed{}^2 = \boxed{}$ (cm²)

2

3 cm

3

4 cm

4

10 cm

5 반지름의 길이가 6 cm인 구

6 지름의 길이가 14 cm인 구

😊 **내가 발견한 개념**
구의 겉넓이와 원의 넓이 사이의 관계는?

반지름의 길이가 r인 구의 겉넓이 → $\boxed{}$

반지름의 길이가 r인 원의 넓이 → $\boxed{}$ $\boxed{}$ 배

개념모음문제

7 겉넓이가 256π cm²인 구의 반지름의 길이는?

① 5 cm   ② 7 cm   ③ 8 cm

④ 9 cm   ⑤ 10 cm

2nd ― 구의 부피 구하기

• 아래 그림 또는 조건을 이용하여 구의 부피를 구하시오.

8

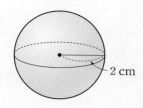
2 cm

→ (부피)=$\frac{4}{3}\pi \times$ ☐^{3} = ☐ (cm³)

9

3 cm

10

4 cm

11

12 cm

12 반지름의 길이가 5 cm인 구

13 지름의 길이가 2 cm인 구

😊 **내가 발견한 개념**   원기둥과 원뿔, 구의 부피의 관계는?

• (원뿔의 부피)=$\frac{☐}{3}$×(원기둥의 부피)

• (구의 부피)=$\frac{☐}{3}$×(원기둥의 부피)

개념모음문제

14 오른쪽 그림과 같은 평면도형을 직선 l을 회전축으로 하여 1회전 시킬 때 생기는 입체도형의 부피는?

5 cm

① $\frac{4}{3}\pi$ cm³   ② $\frac{32}{3}\pi$ cm³

③ 36π cm³   ④ $\frac{125}{6}\pi$ cm³

⑤ $\frac{500}{3}\pi$ cm³

아르키메데스의 아름다운 비율

1 : 2 : 3

$\frac{1}{3}$: $\frac{2}{3}$: 1

원기둥에 꼭 맞게 들어 있는 구, 원뿔 대하여
구의 반지름의 길이를 r 라 하면

(원뿔의 부피) : (구의 부피) : (원기둥의 부피)

$=\left(\frac{1}{3}\times\pi r^2\times 2r\right):\left(\frac{4}{3}\times\pi r^3\right):(\pi r^2\times 2r)$

$=\frac{2}{3}\times\pi r^3:\frac{4}{3}\times\pi r^3:2\pi r^3$

$=1:2:3$

면의 크기냐? 공간의 크기냐?

잘라낸 구의 겉넓이와 부피

면의 크기 → 곡면

공간의 크기 → 잘린 단면

반구의 겉넓이

$\frac{1}{2}\times$(구의 겉넓이)+(원의 넓이)

↓ 곡면의 넓이   ↓ 잘린 단면의 넓이

$=\frac{1}{2}\times 4\pi r^2+\pi r^2$

$=3\pi r^2$

반구의 부피

$\frac{1}{2}\times$(구의 부피)

$=\frac{1}{2}\times\frac{4}{3}\pi r^3$

$=\frac{2}{3}\pi r^3$

1st ─ 반구의 겉넓이와 부피 구하기

● 아래 그림과 같은 반구에 대하여 다음을 구하시오.

1

3 cm

(1) (겉넓이)=(곡면의 넓이)+(단면의 넓이)

$=\frac{1}{2}\times 4\pi\times\boxed{}^2+\pi\times\boxed{}^2$

$=\boxed{}+\boxed{}=\boxed{}$ (cm^2)

(2) (부피)$=\frac{1}{2}\times$(구의 부피)

$=\frac{1}{2}\times\left(\frac{4}{3}\pi\times\boxed{}^3\right)$

$=\boxed{}$ (cm^3)

2

4 cm

(1) 겉넓이

(2) 부피

3

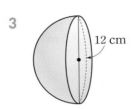
12 cm

(1) 겉넓이

(2) 부피

☺ **내가 발견한 개념**　　　　　　원 vs 구 vs 반구

• 반지름의 길이가 r인 원의 넓이 → □

• 반지름의 길이가 r인 구의 겉넓이 → □

• 반지름의 길이가 r인 반구의 겉넓이 → □

2nd ─ 잘라낸 구의 겉넓이 구하기

● 아래 그림과 같은 구의 일부분을 잘라낸 입체도형의 겉넓이를 구하시오.

4

2 cm　　구의 $\frac{1}{4}$을 잘라낸 입체도형이야!

→ (곡면의 넓이)$=\left(4\pi\times\boxed{}^2\right)\times\dfrac{\boxed{}}{4}$

$=\boxed{}$ (cm^2)

(단면의 넓이)$=\left(\pi\times\boxed{}^2\times\dfrac{1}{2}\right)\times\boxed{}$

$=\boxed{}$ (cm^2)

이므로

(겉넓이)=(곡면의 넓이)+(단면의 넓이)

$=\boxed{}+\boxed{}=\boxed{}$ (cm^2)

5

6 cm

6

8 cm

8 cm

7

2 cm

구의 $\frac{1}{8}$을 잘라낸 입체도형이야!

8

8 cm

3rd — 잘라낸 구의 부피 구하기

● 아래 그림과 같이 구의 일부분을 잘라낸 입체도형의 부피를 구하시오.

9

2 cm

→ $\left(\dfrac{4}{3}\pi \times \boxed{}^{3} \right) \times \dfrac{\boxed{}}{4} = \boxed{}$ (cm³)

10

3 cm

11

6 cm

12

8 cm

9. 입체도형의 겉넓이와 부피(2) **203**

면의 크기냐? 공간의 크기냐?

두 입체도형을 붙였을 때 겉넓이와 부피

| 면의 크기 | 공간의 크기 |

겉넓이

$$\binom{\text{위 뿔의}}{\text{옆넓이}}+\binom{\text{아래 뿔의}}{\text{옆넓이}}$$

부피

$$\binom{\text{위 뿔의}}{\text{부피}}+\binom{\text{아래 뿔의}}{\text{부피}}$$

1st — 두 입체도형을 붙였을 때 겉넓이 구하기

● 아래 그림과 같은 입체도형의 겉넓이를 구하시오.

1

6 cm
5 cm
4 cm

→ (겉넓이)
 = (원뿔의 옆넓이) + (원기둥의 옆넓이)
  + (원기둥의 밑넓이)

$$=\frac{1}{2}\times(\boxed{}\times\boxed{})\times\boxed{}$$

$$+2\pi\times\boxed{}\times\boxed{}+\pi\times\boxed{}^{2}$$

$$=\boxed{}+\boxed{}+\boxed{}$$

$$=\boxed{}\ (\text{cm}^{2})$$

2

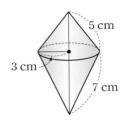

5 cm
3 cm
7 cm

3

5 cm
8 cm

4

2 cm
6 cm

5

3 cm 5 cm 3 cm

2ⁿᵈ─ 두 입체도형을 붙였을 때 부피 구하기

● 아래 그림과 같은 입체도형의 부피를 구하시오.

6

→ (부피)=(원뿔의 부피)+(원기둥의 부피)

$$= \frac{1}{3} \times (\pi \times \boxed{}^2) \times \boxed{}$$

$$+ (\pi \times \boxed{}^2) \times 5$$

$$= \boxed{} + \boxed{} = \boxed{} \ (\text{cm}^3)$$

7

8

9

10

3 cm 5 cm 3 cm

11

2 cm

6 cm

12

5 cm

3 cm

6 cm

개념모음문제

13 오른쪽 그림과 같은 평면도형을 직선 l을 회전축으로 하여 1회전 시킬 때 생기는 회전체의 겉넓이와 부피를 차례대로 구한 것은?

5 cm 4 cm
4 cm 3 cm
5 cm 4 cm

① $48\pi \ \text{cm}^2$, $54\pi \ \text{cm}^3$

② $48\pi \ \text{cm}^2$, $60\pi \ \text{cm}^3$

③ $54\pi \ \text{cm}^2$, $60\pi \ \text{cm}^3$

④ $54\pi \ \text{cm}^2$, $72\pi \ \text{cm}^3$

⑤ $60\pi \ \text{cm}^2$, $72\pi \ \text{cm}^3$

07

여러 가지 입체도형의 부피의 활용

$$(삼각뿔의 부피) = \frac{1}{3} \times \triangle ADC \times \overline{DB}$$

밑넓이　　　　높이

1st ― 삼각뿔의 부피 활용하기

● 다음 직육면체를 그림과 같이 세 점을 지나는 평면으로 자를 때 생기는 삼각뿔의 부피를 구하시오.

1

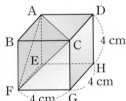

→ (밑면의 넓이) $= \frac{1}{2} \times \boxed{} \times \boxed{} = \boxed{}$ (cm²)

(높이) $= \boxed{}$ cm이므로

(부피) $= \frac{1}{3} \times \boxed{} \times \boxed{} = \boxed{}$ (cm³)

2

3

4

5

6

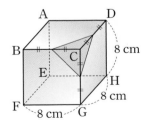

● 직육면체 모양의 그릇에 물을 가득 채운 후 그릇을 기울여 물을 흘려보냈다. 남은 물의 부피를 구하시오.
(단, 그릇의 두께는 생각하지 않는다.)

7

→ (물의 부피)=$\dfrac{1}{3}$×(밑면의 넓이)×(높이)

$=\dfrac{1}{3}×\left(\dfrac{1}{2}×9×\boxed{}\right)×\boxed{}$

$=\boxed{}$ (cm³)

8

8 cm
12 cm 12 cm

9

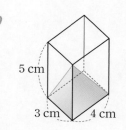

5 cm
3 cm 4 cm

10

2 cm
4 cm 8 cm

2nd ─ 부피가 같은 두 입체도형의 높이 구하기

● 다음 두 입체도형 A, B의 부피가 같을 때, h의 값을 구하시오.

11

A   B

→ (A의 부피)=$\left(\pi×\boxed{}^2\right)×\boxed{}$

$=\boxed{}$ (cm³) ······ ㉠

(B의 부피)=$\left(\pi×\boxed{}^2\right)×h$

$=\boxed{}$ (cm³) ······ ㉡

㉠=㉡이므로

$\boxed{}=\boxed{}$ 에서 $h=\boxed{}$

12

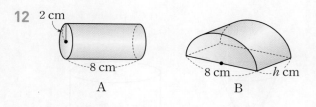

2 cm
8 cm
A

8 cm h cm
B

13

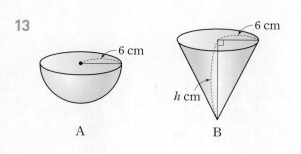

6 cm
A

6 cm
h cm
B

● 다음 두 그릇 A, B에 담긴 물의 부피가 같을 때, h의 값을 구하시오. (단, 그릇의 두께는 생각하지 않는다.)

14

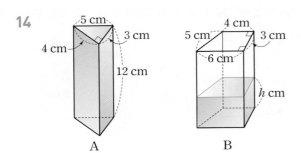

→ (A에 담긴 물의 부피)

$$=\left(\frac{1}{2}\times4\times3\right)\times\boxed{}$$

$$=\boxed{}\ (cm^3) \quad\cdots\cdots\ \text{㉠}$$

(B에 담긴 물의 부피)

$$=\left\{\frac{1}{2}\times\left(\boxed{}+\boxed{}\right)\times\boxed{}\right\}\times h$$

$$=\boxed{}\ (cm^3) \quad\cdots\cdots\ \text{㉡}$$

㉠=㉡이므로

$$\boxed{}=\boxed{}\ \text{에서}\ h=\boxed{}$$

15

16

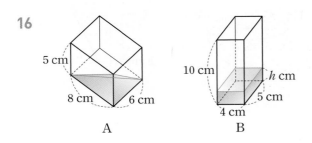

3rd — 원기둥에 내접하는 원뿔과 구의 관계 이해하기

● 다음 그림과 같이 원기둥 안에 원뿔과 구가 꼭 맞게 들어 있다. 물음에 답하시오.

17 원기둥의 부피를 구하시오.

원기둥의 높이는 구의 지름의 길이와 같아!

18 원뿔의 부피를 구하시오.

19 구의 부피를 구하시오.

20 (원기둥의 부피) : (원뿔의 부피) : (구의 부피)를 구하시오.

TEST
9. 입체도형의 겉넓이와 부피(2)

1 오른쪽 그림과 같은 정사각뿔의 겉넓이는?

① 156 cm²   ② 166 cm²

③ 176 cm²   ④ 186 cm²

⑤ 196 cm²

4 오른쪽 그림과 같은 반구의 겉넓이는?

① 9π cm²   ② 10π cm²

③ 11π cm²   ④ 12π cm²

⑤ 13π cm²

2 오른쪽 그림과 같은 전개도로 만들어지는 원뿔의 겉넓이가 54π cm²일 때, l의 값은?

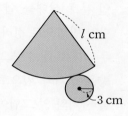

① 9   ② 12

③ 15   ④ 18

⑤ 20

5 오른쪽 그림은 반지름의 길이가 12 cm인 구의 일부분을 잘라낸 것이다. 이 입체도형의 부피를 구하시오.

3 오른쪽 그림과 같은 사다리꼴을 직선 l을 회전축으로 하여 1회전시킬 때 생기는 회전체의 부피를 구하시오.

6 오른쪽 그림과 같은 입체도형의 부피는?

① 96 cm³   ② 121 cm³

③ 136 cm³   ④ 144 cm³

⑤ 169 cm³

10

무질서한 자료를 질서있게,
자료의 정리와 해석(1)

(명)

```
22
20
18
16
14
12
10
8
6
4
2
0
   130  140  150  160  170  180 (cm)
```

키가 150 cm 이상 160 cm 미만인
학생이 가장 많군!

학생들의 키

---

01 줄기와 잎 그림

어떤 조건을 만족시키는 자료의 수나 자료의 체계적인 분포 상태를 쉽게 알아보기 위해서는 자료를 적당한 방법으로 정리할 필요가 있어.

우선 자료를 수량으로 나타낸 것을 변량이라 해. 변량을 줄기와 잎으로 구분한 후 자료를 정리하는 것을 줄기와 잎 그림이라 하지.

줄기와 잎 그림을 활용하면 원래의 값을 정확히 알 수 있을 뿐만 아니라 자료의 전체적인 분포 상태도 쉽게 알아볼 수 있어!

질서있게 보여주는!

수학 성적

(단위: 점)

76	62	83	87	68	74
88	90	81	95	74	84

변량

가장 높은 점수가 몇 점일까?

줄기와 잎 그림 (6|2는 62점)

줄기	잎
6	2 8
7	4 4 6
8	1 3 4 7 8
9	0 ⑤

가장 높은 점수는 95점!
한 눈에 잘 보이지?

---

02 도수분포표

변량을 일정한 간격으로 나눈 구간을 계급이라 해. 이때 구간의 너비를 계급의 크기, 각 계급에 속하는 자료의 수를 그 계급의 도수라 하지.

이때 자료를 몇 개의 계급으로 나누고 각 계급의 도수를 나타낸 표를 도수분포표라 해. 도수분포표를 보면 계급, 계급의 크기, 도수 등은 알 수 있지만 변량은 알 수 없어!

질서있게 보여주는!

수학 성적

(단위: 점)

76	62	83	87	68	74
88	90	81	95	74	84

가장 많은 점수대가 몇 명일까?

도수분포표

수학 성적(점)	학생 수(명)
60 이상 ~ 70 미만	2
70 ~ 80	3
80 ~ 90	5
90 ~ 100	2
합계	12

계급 · 도수

80점대가 5명으로 가장 많네!

계급의 개수 : **4**

계급의 크기 : **70 - 60 = 10**(점)

도수분포표

수학 성적(점)	학생 수(명)
60 이상 ~ 70 미만	2
70 ~ 80	3
80 ~ 90	5
90 ~ 100	2
합계	12

히스토그램

계급의 크기: **90 - 80 = 10**(점)

03 히스토그램

자료를 그래프로 나타내면 표로 나타내는 것보다 자료의 전체적인 분포 상태를 쉽게 알 수 있어.
도수분포표를 그래프로 나타낸 그림을 히스토그램이라 해. 히스토그램에서 직사각형의 세로의 길이는 각 계급의 도수를 나타내므로 자료의 분포 상태를 한눈에 알아볼 수 있지!

히스토그램

도수분포다각형

넓이가 같아

중앙의 점을 차례로 연결해! 양 끝에 도수가 0인 계급이 하나씩 더 있다고 생각해!

04 도수분포다각형

히스토그램의 각 직사각형의 윗변의 중앙의 점을 차례로 선분으로 연결하여 그린 그래프를 도수분포다각형이라 해.
도수분포다각형도 히스토그램과 마찬가지로 자료의 분포 상태를 한눈에 알아보기 편리해!

질서있게 보여주는!

줄기와 잎 그림

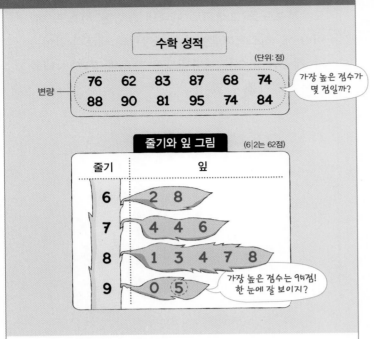

수학 성적

(단위: 점)

변량	76	62	83	87	68	74
	88	90	81	95	74	84

가장 높은 점수가 몇 점일까?

줄기와 잎 그림 (6|2는 62점)

줄기	잎
6	2 8
7	4 4 6
8	1 3 4 7 8
9	0 5

가장 높은 점수는 95점! 한 눈에 잘 보이지?

- **변량**: 키, 몸무게, 점수 등의 자료를 수량으로 나타낸 것
  예 다윤이의 키는 167 cm → 167
  자료　　　　변량
- **줄기와 잎 그림**: 줄기와 잎을 이용하여 자료를 나타낸 그림
  세로선을 긋고, 세로선을 중심으로 왼쪽에 있는 수를 줄기, 오른쪽에 있는 수를 잎으로 나타낸다.
- **줄기와 잎 그림을 그리는 순서**
  (i) 변량을 줄기와 잎으로 구분한다.
  (ii) 세로선을 긋고, 세로선을 중심으로 왼쪽에 줄기를 작은 값부터 차례로 세로로 쓴다.
  (iii) 세로선의 오른쪽에 각 줄기에 해당하는 잎을 작은 값부터 차례로 가로로 쓴다.
  참고 잎은 크기가 작은 값부터 차례로 쓰고, 중복되는 잎도 모두 쓴다.

원리확인 다음 □ 안에 알맞은 것을 써넣으시오.

〈서율이네 반 학생들의 봉사 활동 시간〉

(1|3은 13시간)

줄기	잎
1	3 4 7 9
2	0 2 2 5 6 8 8

❶ 줄기는 변량의 □ 의 자리의 숫자이고, 잎은 변량의 □ 의 자리의 숫자이다.

❷ 줄기는 1, □ 이다.

1ˢᵗ ─ 줄기와 잎 그림 그리기

● 다음 자료를 줄기와 잎 그림으로 나타낸 것이다. □ 안에 알맞은 수를 써넣으시오.

1 영화 동호회 회원들의 1년 동안의 영화 관람 횟수

(단위: 회)

12	30	42	25	38	27	18	49	32	15
23	39	41	10	27	22	16	45	29	37

↓

(1|0은 10회)

줄기	잎
1	0 2 5 6 □
2	2 □ 5 7 7 9
□	0 2 □ 8 9
4	□ 2 5 9

작은 수부터 적으면 분석할 때 편리해!

● 다음 자료를 줄기와 잎 그림으로 나타내시오.

2 지원이네 반 학생들의 수학 점수

(단위: 점)

88	77	94	62	68	73	86	82
76	96	67	70	88	65	75	96

↓

(6|2는 62점)

줄기	잎
6	2

:) **내가 발견한 개념**　　　잎의 총 개수의 의미는?

(잎의 총 개수)=(전체 □ 의 개수)

3 어느 대학교 학생들의 하루 동안의 휴대전화 사용 시간

(단위: 분)

32	20	40	36	29	44	38	15	24	35
35	25	43	26	18	58	27	55	54	49

(1|5는 15분)

줄기	잎
1	5

4 운동부 선수들의 멀리뛰기 기록

(단위: cm)

166	172	184	162	193	178	180
168	177	190	182	164	175	172

(16|2는 162 cm)

줄기	잎
16	2

2ⁿᵈ ─ 줄기와 잎 그림 이해하기

● 주어진 줄기와 잎 그림에 대하여 다음을 구하시오.

5 은서네 반 학생들의 아버지 연세

(3|7은 37세)

줄기	잎
3	7 8 8 9
4	0 0 2 4 5 5 5 6 6 6 7 8
5	0 0 1 5

(1) 줄기가 3인 잎

(2) 잎이 가장 많은 줄기

(3) 은서네 반 전체 학생 수

(4) 아버지 연세가 50세 이상인 학생 수

6 명준이네 반 학생들의 통학 시간

(0|3은 3분)

줄기	잎
0	3 4 4 5 6
1	2 2 3 6 7 9
2	0 1 1 2 4 5 8
3	2 5 5 7

(1) 잎이 가장 적은 줄기

(2) 명준이네 반 전체 학생 수

(3) 통학 시간이 10분 미만인 학생 수

7 수진이네 반 학생들의 과학 수행 평가 점수

(1|5는 15점)

줄기	잎
1	5 6 8 9
2	2 3 4 5 6 7 8
3	3 4 5 7 8
4	0 4 5 7

(1) 과학 수행 평가 점수가 가장 높은 학생의 점수

(2) 과학 수행 평가 점수가 30점 미만인 학생 수

(3) 과학 수행 평가 점수가 높은 쪽에서 5번째인 학생의 점수

(4) 과학 수행 평가 점수가 낮은 쪽에서 8번째인 학생의 점수

8 어느 마을 성인들의 나이

(3|0은 30세)

줄기	잎
3	0 1 3 4 7
4	1 2 4 5 6 9
5	2 3 6 8 9
6	1 2 7 9
7	2 3 5 8

(1) 60세 이상인 마을 성인의 수

(2) 나이가 많은 쪽에서 3번째인 성인의 나이

(3) 나이가 적은 쪽에서 10번째인 성인의 나이

9 어느 야구팀 타자들이 1년 동안 친 홈런의 개수

(0|3은 3개)

줄기	잎
0	3 4 5 5 8
1	0 2 3 5 6 7 8
2	1 2 4 9
3	2 3

(1) 홈런의 개수가 가장 많은 타자의 홈런의 개수

(2) 홈런의 개수가 15 미만인 타자의 수

(3) 홈런의 개수가 많은 쪽에서 6번째인 타자의 홈런의 개수

개념모음문제

10 아래는 어느 독서 동호회 회원들의 한 달 동안의 독서 시간을 조사하여 나타낸 줄기와 잎 그림이다. 다음 중 옳지 <u>않은</u> 것은?

(0|4는 4시간)

줄기	잎
0	4 7 8 9
1	0 3 5 7 8 8
2	1 2 2 4 7
3	4 5 6 8 9

① 잎이 가장 많은 줄기는 1이다.
② 전체 회원 수는 20명이다.
③ 독서 시간이 10시간 미만인 회원 수는 4명이다.
④ 독서 시간이 30시간 이상인 회원 수는 전체의 20 %이다.
⑤ 독서 시간이 가장 적은 회원과 가장 많은 회원의 독서 시간의 합은 43시간이다.

3rd 두 집단에서의 줄기와 잎 그림 이해하기

● 주어진 줄기와 잎 그림에 대하여 다음을 구하시오.

11 시현이네 반 남학생과 여학생의 수학 성적

(6|3은 63점)

잎(남학생)	줄기	잎(여학생)
7 5	6	3
9 5 4 1 0	7	0 4 7
8 7 4	8	2 7 8 8
3 0	9	1 5 8

(1) 시현이네 반 남학생 수

(2) 시현이네 반 여학생 수

(3) 잎이 가장 많은 줄기

(4) 수학 성적이 가장 높은 학생의 점수와 가장 낮은 학생의 점수의 차

(5) 수학 성적이 88점 이상인 학생 수

상행 서울방면		시	하행 강릉방면	
평일	토·일·공휴일		평일	토·일·공휴일
03 14 23 32 41 51	03 18 31 43 55	5		
00 09 17 25 32 39 44	07 18 29 39 50	6	05 19 31 41 52	06 21 34 47
01 13 21 29 36 42 48 55	00 10 18 26 34 42 50 58	7	01 10 18 27 35 44 52 59	00 12 24 36 47 59

몇 시 몇 분 버스를 타야 되누?

이중 줄기와 잎 그림 버스시간표네?

12 어느 중학교 1학년 1반과 2반 학생들의 한 달 동안의 컴퓨터 사용 시간

(1|0은 10시간)

잎(1반)	줄기	잎(2반)
9 6 6 2	1	0 3 6 8 9
8 6 5 1 1	2	3 4 7
6 5 3	3	1 5 8 8
9 8 6 2 1	4	0 3 4 5

(1) 1반과 2반의 학생 수

1반: ⋯⋯⋯⋯⋯⋯⋯⋯ 2반: ⋯⋯⋯⋯⋯⋯⋯⋯

(2) 컴퓨터를 가장 오래 사용한 학생이 속한 반

(3) 컴퓨터 사용 시간이 21시간 이하인 학생이 더 많은 반

(4) 컴퓨터를 6번째로 많이 사용한 학생의 컴퓨터 사용 시간

개념모음문제

13 다음은 어느 산악 동호회 회원들의 등산 횟수를 조사하여 나타낸 줄기와 잎 그림이다. 남자 중 등산 횟수가 가장 많은 회원과 여자 중 등산 횟수가 가장 적은 회원의 등산 횟수의 차는?

(0|3은 3회)

잎(남자)	줄기	잎(여자)
9 7 4	0	3 4 6
8 7 5 3 1	1	0 2 5 8
8 6 5 2	2	1 3 4 7

① 17회　　② 19회　　③ 21회
④ 23회　　⑤ 25회

질서있게 보여주는!

도수분포표

수학 성적

(단위: 점)

| 76 | 62 | 83 | 87 | 68 | 74 |
| 88 | 90 | 81 | 95 | 74 | 84 |

가장 많은 점수대가 몇 명일까?

도수분포표

수학 성적(점)	학생 수(명)
60 이상 ~ 70 미만	2
70 ~ 80	3
80 ~ 90	5
90 ~ 100	2
합계	12

계급 ─ 도수

80점대가 5명으로 가장 많네!

계급의 개수 : **4**

계급의 크기 : **70 - 60 = 10**(점)

- **계급** : 변량을 일정한 간격으로 나눈 구간
  (1) 계급의 크기 : 계급의 양 끝 값의 차, 즉 구간의 너비
  (2) 계급의 개수 : 변량을 나눈 구간의 수
  참고 계급값 : 계급을 대표하는 값으로 각 계급의 가운데 값
  $$\rightarrow (계급값) = \frac{(계급값의\ 양\ 끝\ 값의\ 합)}{2}$$
- **도수** : 각 계급에 속하는 변량의 개수
- **도수분포표** : 주어진 자료를 몇 개의 계급으로 나누고, 각 계급에 속하는 도수를 조사하여 나타낸 표
- **도수분포표를 만드는 방법**
  (i) 주어진 자료에서 가장 작은 변량과 가장 큰 변량을 찾는다.
  (ii) 계급의 개수와 크기를 정한다.
  (iii) 각 계급에 속하는 변량의 개수를 세어 계급의 도수를 구한다.
  참고 ① 일반적으로 도수분포표를 만들 때는 계급의 크기는 모두 같게 하고, 계급의 개수는 보통 5~15개 정도로 한다.
  ② 계급, 계급의 크기, 계급값, 도수를 구할 때만 단위를 붙여서 쓴다.

1ˢᵗ 도수분포표로 나타내기

- 다음 자료의 도수분포표를 완성하시오.

1 재석이네 반 학생들이 하루 동안 발송하는 문자 메시지의 개수

(단위: 개)

| 16 | 12 | 10 | 14 | 8 | 11 | 18 | 15 | 2 | 8 |
| 4 | 10 | 19 | 15 | 3 | 15 | 6 | 7 | 18 | 13 |

↓

문자 메시지의 개수(개)	학생 수(명)
0 이상 ~ 4 미만	2
4 ~ 8	
8 ~ 12	
12 ~ 16	
16 ~ 20	
합계	20

2 희진이네 반 학생들의 하루 운동 시간

(단위: 분)

20	100	70	50	45	60	15	5
80	35	55	90	80	75	25	10
35	65	15	140	95	65	130	50
15	40	120	20	70	110		

↓

운동 시간(분)	학생 수(명)
0 이상 ~ 30 미만	
30 ~ 60	
60 ~ 90	
90 ~ 120	
120 ~ 150	
합계	30

3 준우네 반 학생들의 키

(단위: cm)

155	178	158	159	172	140	163
164	177	145	148	150	144	169
159	155	148	161	156	160	

↓

키(cm)	학생 수(명)
$140^{이상} \sim 150^{미만}$	
합계	20

4 조선시대 왕들의 재위 기간

(단위: 년)

6	2	18	32	2	3	13	1	25	12
38	1	22	41	15	26	10	15	46	4
52	24	34	15	14	44	3			

↓

재위 기간(년)	도수(명)
$0^{이상} \sim 10^{미만}$	
합계	27

2ⁿᵈ — 도수분포표 이해하기

5 아래는 혜성이네 반 학생들의 1분 동안의 턱걸이 횟수를 조사하여 나타낸 도수분포표이다. 다음 □ 안에 알맞은 수를 써넣으시오.

턱걸이 횟수(회)	학생 수(명)
$0^{이상} \sim 3^{미만}$	6
3 ~ 6	8
6 ~ 9	4
9 ~ 12	2
합계	20

(1) 계급의 크기는 6 − □ = □ (회)

(2) 계급의 개수는 □이다.

(3) 턱걸이 횟수가 6회 이상 9회 미만인 계급의 도수는 □명이다.

(4) 도수가 가장 큰 계급은 □회 이상 □회 미만이다.

(5) 도수의 총합은 □명이다.

(6) 턱걸이 횟수가 6회 미만인 학생 수는
□ + □ = □ (명)

● 주어진 도수분포표에 대하여 다음을 구하시오.

6 청하네 반 학생들의 한 달 동안 읽은 책의 수

책의 수(권)	학생 수(명)
$0^{이상} \sim 2^{미만}$	3
2 ~ 4	10
4 ~ 6	5
6 ~ 8	8
8 ~ 10	4
합계	30

(1) 계급의 크기

(2) 계급의 개수

(3) 도수가 가장 큰 계급

(4) 도수가 가장 작은 계급에 속하는 학생 수

(5) 읽은 책이 5권인 학생이 속하는 계급의 도수

(6) 읽은 책이 4권 미만인 학생 수

(7) 읽은 책이 15번째로 많은 학생이 속하는 계급

7 어느 식당의 20일 동안의 일일 방문자 수

방문자 수(명)	일수(일)
$10^{이상} \sim 15^{미만}$	3
15 ~ 20	4
20 ~ 25	5
25 ~ 30	8
합계	20

(1) 계급의 크기

(2) 계급의 개수

(3) 도수가 가장 큰 계급

(4) 도수가 가장 작은 계급의 날의 수

(5) 방문자 수가 15명인 날이 속하는 계급의 도수

(6) 방문자 수가 20명 이상인 날의 수

(7) 방문자 수가 7번째로 적은 날이 속하는 계급

● 주어진 도수분포표에 대하여 다음 물음에 답하시오.

8 중학교 학생 30명이 수학 학습 게임에서 획득한 점수

게임 점수(점)	학생 수(명)
$0^{이상} \sim 10^{미만}$	2
10 $\sim$ 20	5
20 $\sim$ 30	11
30 $\sim$ 40	A
40 $\sim$ 50	3
합계	30

(1) A의 값을 구하시오.

(2) 게임 점수가 10점 이상 20점 미만인 학생 수를 구하시오.

(3) 게임 점수가 30점 이상인 학생 수를 구하시오.

(4) 도수가 두 번째로 큰 계급을 구하시오.

(5) 게임 점수가 10번째로 낮은 학생이 속하는 계급을 구하시오.

(6) 게임 점수가 40점 이상 50점 미만인 학생은 전체의 몇 %인지 구하시오.

9 어느 과수원에서 수확한 사과의 무게

사과의 무게(g)	개수(개)
$150^{이상} \sim 200^{미만}$	8
200 $\sim$ 250	A
250 $\sim$ 300	14
300 $\sim$ 350	7
350 $\sim$ 400	10
합계	50

(1) A의 값을 구하시오.

(2) 무게가 300 g 이상 350 g 미만인 사과의 개수를 구하시오.

(3) 무게가 250 g 미만인 사과의 개수를 구하시오.

(4) 무게가 350 g인 사과가 속하는 계급을 구하시오.

(5) 무게가 20번째로 무거운 사과가 속하는 계급을 구하시오.

(6) 무게가 200 g 이상 300 g 미만인 사과는 전체의 몇 %인지 구하시오.

😊 내가 발견한 개념   특정 계급의 백분율은 어떻게 구할까?

(특정 계급의 백분율)= $\dfrac{(그\ 계급의\ 도수)}{(전체\ 도수)}$ × ☐

03 히스토그램

도수분포표

수학 성적(점)	학생 수(명)
60^{이상} ~ 70^{미만}	2
70 ~ 80	3
80 ~ 90	5
90 ~ 100	2
합계	12

히스토그램

계급의 크기: **90 - 80 = 10**(점)

- **히스토그램**: 도수분포표에서 각 계급을 가로축에, 그 계급의 도수를 세로축에 표시하여 직사각형으로 나타낸 그림
- **히스토그램을 그리는 방법**
  (ⅰ) 가로축에는 각 계급의 양 끝 값을, 세로축에는 도수를 차례로 나타낸다.
  (ⅱ) 각 계급의 크기를 가로의 길이로, 그 도수를 세로의 길이로 하는 직사각형을 차례로 그린다.
- **히스토그램의 특징**
  (1) 도수의 분포 상태를 쉽게 알아볼 수 있다.
  (2) 각 직사각형의 넓이는 각 계급의 도수에 정비례한다.
  → (직사각형의 넓이)=(계급의 크기)×(그 계급의 도수)
  (3) (직사각형의 넓이의 합)=(계급의 크기)×(도수의 총합)
  참고 (직사각형의 가로의 길이)=(계급의 크기)
  (직사각형의 세로의 길이)=(각 계급의 도수)

1st ― 히스토그램으로 나타내기

● **다음 도수분포표를 히스토그램으로 나타내시오.**

1 성인 20명이 하루에 받는 스팸 메시지의 개수

스팸 메시지(개)	도수(명)
1^{이상}~3^{미만}	5
3 ~5	8
5 ~7	4
7 ~9	3
합계	20

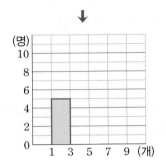

2 정우네 반 학생들의 하루 동안의 TV 시청 시간

시청 시간(분)	도수(명)
30^{이상}~ 60^{미만}	3
60 ~ 90	7
90 ~120	9
120 ~150	5
합계	24

3 승범이네 반 학생들의 키

키(cm)	도수(명)
$130^{이상} \sim 140^{미만}$	2
140 ~150	6
150 ~160	11
160 ~170	7
170 ~180	4
합계	30

↓

4 나래네 반 학생들의 100 m 달리기 기록

달리기 기록(초)	도수(명)
$13^{이상} \sim 15^{미만}$	6
15 ~17	4
17 ~19	8
19 ~21	2
합계	20

↓

2nd — 히스토그램 이해하기

5 아래 그림은 어느 자전거 동호회 회원들의 한 달 동안의 자전거 탑승 시간을 조사하여 나타낸 히스토그램이다. 다음 □ 안에 알맞은 수를 써넣으시오.

(1) (계급의 크기)=(직사각형의 □의 길이)

= □ −5= □ (시간)

(2) (계급의 개수)=(직사각형의 □)

= □

(3) (15시간 이상 20시간 미만인 계급의 도수)

=(해당 계급의 직사각형의 □의 길이)

= □ (명)

(4) 도수가 가장 큰 계급은 □시간 이상 □시간 미만이다.

(5) 탑승 시간이 10시간 이상 20시간 미만인 회원 수는 □+□=□ (명)

(6) 자전거 동호회의 전체 회원 수는

□+6+9+□+5+4=□ (명)

😊 **내가 발견한 개념**   히스토그램에서 가로의 길이와 세로의 길이는?

● **주어진 히스토그램에 대하여 다음 물음에 답하시오.**

6 선호네 반 학생들의 하루 수면 시간

(1) 계급의 크기를 구하시오.

(2) 계급의 개수를 구하시오.

(3) 6시간 이상 7시간 미만인 계급의 도수를 구하시오.

(4) 도수가 가장 작은 계급을 구하시오.

(5) 하루 수면 시간이 7시간 이상 9시간 미만인 학생 수를 구하시오.

(6) 선호네 반 전체 학생 수를 구하시오.

7 어느 독서 동호회 회원들이 일주일 동안 도서관에서 대여한 책의 수

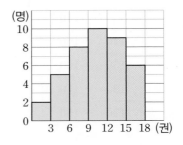

(1) 독서 동호회 전체 회원 수를 구하시오.

(2) 책을 14권 대여한 회원이 속하는 계급을 구하시오.

(3) 대여한 책이 6권 이상 12권 미만인 회원 수를 구하시오.

(4) 도수가 가장 큰 계급을 구하시오.

(5) 대여한 책이 5번째로 많은 회원이 속하는 계급을 구하시오.

(6) 대여한 책이 3권 미만인 회원은 전체의 몇 % 인지 구하시오.

😊 **내가 발견한 개념**　　히스토그램과 도수분포표 사이에는 어떤 관계가 있을까?

히스토그램에서

• (직사각형의 개수)=(계급의 [　　])

• (직사각형의 가로의 길이)=(계급의 [　　])

• (직사각형의 세로의 길이)=(각 계급의 [　　])

8 한 상자에 들어 있는 사과의 무게

(1) 한 상자에 들어 있는 사과의 개수를 구하시오.

(2) 무게가 290 g인 사과가 속하는 계급을 구하시오.

(3) 무게가 300 g 이상인 사과의 개수를 구하시오.

(4) 무게가 7번째로 가벼운 사과가 속하는 계급을 구하시오.

(5) 무게가 240 g 이상 280 g 미만인 사과는 전체의 몇 %인지 구하시오.

9 아래 그림을 어느 중학교 1학년 학생들이 신청한 체험학습 일수를 조사하여 나타낸 히스토그램이다. 다음 중 옳은 것은 ○표, 옳지 않은 것은 ✕표를 ( ) 안에 써넣으시오.

(1) 중학교 1학년 전체 학생 수는 40명이다.
( )

(2) 체험학습을 7일 신청한 학생이 속하는 계급은 6일 이상 8일 미만이다. ( )

(3) 체험학습을 12일 이상 신청한 학생 수는 6명이다. ( )

(4) 체험학습을 3번째로 적게 신청한 학생이 속하는 계급은 4일 이상 6일 미만이다. ( )

(5) 체험학습을 6일 미만 신청한 학생은 전체의 20 %이다. ( )

개념모음문제

10 오른쪽 그림은 어느 사이트 이용자의 만족도를 조사하여 나타낸 히스토그램이다. 다음 중 옳지 <u>않은</u> 것은?

① 만족도 조사에 참여한 이용자는 40명이다.
② 계급의 크기는 2점이다.
③ 만족도가 9점인 이용자가 속하는 계급의 도수는 2명이다.
④ 도수가 가장 큰 계급은 2점 이상 4점 미만이다.
⑤ 만족도가 2점 미만인 이용자는 전체의 30 %이다.

3rd — 히스토그램에서 직사각형의 넓이 구하기

● 주어진 히스토그램에 대하여 다음을 구하시오.

11 소미네 반 학생들의 기술 수행평가 점수

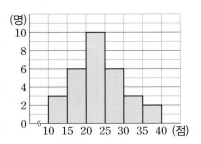

(1) 도수가 10명인 계급의 직사각형의 넓이

(2) 점수가 15점 이상 20점 미만인 계급의 직사각형의 넓이

(3) 모든 직사각형의 넓이의 합

(4) 점수가 34점인 학생이 속하는 계급의 직사각형의 넓이

12 어느 편의점에 하루 동안 방문한 고객의 나이

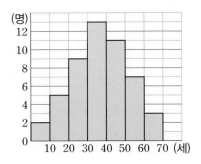

(1) 모든 직사각형의 넓이의 합

(2) 도수가 가장 큰 계급의 직사각형의 넓이

(3) 도수가 가장 작은 계급의 직사각형의 넓이

(4) 도수가 가장 큰 계급의 직사각형의 넓이와 도수가 가장 작은 계급의 직사각형의 넓이의 차

개념모음문제

13 오른쪽 그림은 현수네 반 학생들의 수학 성적을 조사하여 나타낸 히스토그램이다. 도수가 가장 큰 계급의 직사각형의 넓이와 도수가 가장 작은 계급의 직사각형의 넓이의 합은?

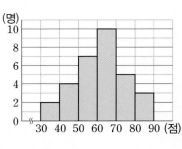

① 70   ② 120   ③ 130
④ 140   ⑤ 150

😊 **내가 발견한 개념**   히스토그램에서 직사각형의 넓이는 어떻게 구할까?

• (직사각형의 넓이)=(계급의 [　　])×(그 계급의 [　　])

• (직사각형의 넓이의 합)=(계급의 [　　])×([　　]의 총합)

4th ─ 찢어진 히스토그램 이해하기

● 다음 그림은 어떤 자료를 조사하여 나타낸 히스토그램인데 일부가 찢어져 보이지 않는다. 보이지 않는 계급의 도수를 구하시오.

14 학생 40명이 하루 동안 SNS에 올린 게시물의 개수

(보이지 않는 계급의 도수)
=(도수의 총합)
─(나머지 계급의 도수의 합)

15 과자 35봉지의 무게

16 학생 45명이 1분 동안 팔굽혀펴기를 한 횟수

● 아래 그림은 어떤 자료를 조사하여 나타낸 히스토그램인데 일부가 찢어져 보이지 않는다. 다음을 구하시오.

17 준희네 반 학생들의 키

키가 170 cm 이상 180 cm 미만인 학생이 전체의 12.5 %일 때

(1) 준희네 반 전체 학생 수

(2) 키가 160 cm 이상 170 cm 미만인 학생 수

(3) 키가 160 cm 이상인 학생 수

18 어느 지역의 낮 평균 기온

기온이 23℃ 이상 24℃ 미만인 날이 전체의 20 %일 때

(1) 기온이 22℃ 이상 23℃ 미만인 날의 수

(2) 조사한 전체 날의 수

(3) 기온이 20℃ 이상 21℃ 미만인 날의 수

도수분포다각형

히스토그램

도수분포다각형

넓이가 같아!

중앙의 점을 차례로 연결해! 양 끝에 도수가 0인 계급이 하나씩 더 있다고 생각해!

• **도수분포다각형** : 히스토그램에서 각 직사각형의 윗변의 중앙의 점을 차례로 선분으로 연결하여 그린 그래프
• **도수분포다각형을 그리는 방법**
  (ⅰ) 히스토그램에서 각 직사각형의 윗변의 중앙에 점을 찍는다.
  (ⅱ) 양 끝에 도수가 0인 계급이 하나씩 더 있는 것으로 생각하여 그 중앙에 점을 찍는다.
  (ⅲ) (ⅰ), (ⅱ)에서 찍은 점들을 선분으로 연결한다.
  주의 도수분포다각형에서 계급의 개수를 셀 때는 양 끝에 도수가 0인 계급은 세지 않는다.
• **도수분포다각형의 특징**
  (1) 도수의 분포 상태를 연속적으로 관찰할 수 있다.
  (2) 두 개 이상의 자료의 분포 상태를 비교하는 데 편리하다.

• 다음 도수분포표를 히스토그램과 도수분포다각형으로 나타내시오.

1 해인이네 반 학생들의 하루 수면 시간

수면 시간(시간)	도수(명)
$4^{이상} \sim 5^{미만}$	2
5 ～6	5
6 ～7	9
7 ～8	6
8 ～9	3
합계	25

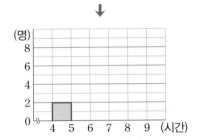

2 태운이네 반 학생들의 기상 후 등교할 때까지의 준비 시간

시간(분)	도수(명)
$10^{이상} \sim 20^{미만}$	3
20 ～30	7
30 ～40	11
40 ～50	5
50 ～60	4
합계	30

2nd ─ 도수분포다각형 이해하기

3 아래는 우성이네 반 학생들이 1분 동안 윗몸일으키기를 한 횟수를 조사하여 나타낸 도수분포다각형이다. 다음 □ 안에 알맞은 수를 써넣으시오.

(1) 계급의 크기는 20 − □ = □ (회)

(2) 계급의 개수는 □ 이다.

(3) 20회 이상 30회 미만인 계급의 도수는 □ 명이다.

(4) 도수가 가장 큰 계급은 □ 회 이상 □ 회 미만이다.

(5) 윗몸일으키기 횟수가 50회 이상인 학생 수는 □ + 1 = □ (명)

(6) 우성이네 반 전체 학생 수는 2 + □ + 8 + 5 + □ + 1 = □ (명)

● **주어진 도수분포다각형에 대하여 다음 물음에 답하시오.**

4 어느 댄스 동호회 회원들이 일주일 동안 댄스 연습을 한 시간

(1) 계급의 크기를 구하시오.

(2) 계급의 개수를 구하시오.

(3) 9시간 이상 11시간 미만인 계급의 도수를 구하시오.

(4) 도수가 가장 작은 계급을 구하시오.

(5) 댄스 연습 시간이 3시간 이상 7시간 미만인 회원 수를 구하시오.

(6) 댄스 동호회 전체 회원 수를 구하시오.

5 종현이네 반 학생들의 공 던지기 기록

(1) 종현이네 반 전체 학생 수를 구하시오.

(2) 공 던지기 기록이 31 m인 학생이 속하는 계급을 구하시오.

(3) 공 던지기 기록이 25 m 미만인 학생 수를 구하시오.

(4) 공 던지기 기록이 28 m인 학생이 속하는 계급의 도수를 구하시오.

(5) 공 던지기 기록이 11번째로 짧은 학생이 속하는 계급을 구하시오.

(6) 공 던지기 기록이 30 m 이상인 학생은 전체의 몇 %인지 구하시오.

6 아래 그림은 유진이네 반 학생들의 사회 점수를 조사하여 나타낸 도수분포다각형이다. 다음 중 옳은 것은 ○표, 옳지 않은 것은 ×표를 ( ) 안에 써넣으시오.

(1) 유진이네 반 전체 학생 수는 27명이다.

(   )

(2) 점수가 78점인 학생이 속하는 계급은 70점 이상 80점 미만이다.   (   )

(3) 점수가 40점 이상 60점 미만인 학생 수는 5명이다.   (   )

(4) 점수가 6번째로 낮은 학생이 속하는 계급은 50점 이상 60점 미만이다.   (   )

(5) 점수가 80점 이상인 학생은 전체의 20 %이다.   (   )

개념모음문제

7 오른쪽 그림은 어느 공연장에서 관람객의 나이를 조사하여 나타낸 도수분포다각형이다. 다음 중 옳지 않은 것은?

① 계급의 개수는 7개이다.
② 계급의 크기는 10세이다.
③ 나이가 30세 이상 40세 미만인 계급의 도수는 14명이다.
④ 나이가 30세 미만인 관람객은 18명이다.
⑤ 나이가 40세 이상인 관람객은 전체의 36 %이다.

3rd — 도수분포다각형에서 넓이 구하기

8 도수분포다각형과 가로축으로 둘러싸인 부분의 넓이를 히스토그램을 이용하여 구하려고 한다. 다음 물음에 답하시오.

(1) 히스토그램에서 모든 직사각형의 넓이의 합을 구하시오.

(2) 도수분포다각형과 가로축으로 둘러싸인 부분의 넓이를 구하시오.

● 주어진 그림에서 도수분포다각형과 가로축으로 둘러싸인 부분의 넓이를 구하시오.

9 지우네 반 학생들이 하루 동안 가족과 대화한 시간

10 어느 공원에 있는 나무들의 키

11 컴퓨터 동아리 학생들의 1분당 컴퓨터 타수

😊 **내가 발견한 개념**   도수분포다각형의 넓이는?

(도수분포다각형과 가로축으로 둘러싸인 부분의 넓이)

=(⬚ 에서 모든 직사각형의 넓이의 합)

=(계급의 ⬚)×(⬚ 의 총합)

12 다음 그림은 어느 독서실 이용자 30명이 주말 동안 독서실에서 공부한 시간을 조사하여 나타낸 도수분포다각형인데 일부가 찢어져 보이지 않는다. 보이지 않는 계급의 도수를 구하시오.

13 아래 그림은 어느 농장에서 생산한 포도 35송이의 무게를 조사하여 나타낸 도수분포다각형인데 일부가 찢어져 보이지 않는다. 다음 물음에 답하시오.

(1) 550 g 이상 600 g 미만인 계급의 도수를 구하시오.

(2) 무게가 550 g 이상 600 g 미만인 포도는 전체의 몇 %인지 구하시오.

• 아래 그림은 어떤 자료를 조사하여 나타낸 도수분포다각형인데 일부가 찢어져 보이지 않는다. 다음을 구하시오.

14 수정이네 반 학생들의 앉은키

앉은키가 78 cm 이상 82 cm 미만인 학생이 전체의 25 %일 때

(1) 앉은키가 78 cm 이상 82 cm 미만인 학생 수

(2) 수정이네 반 전체 학생 수

(3) 앉은키가 82 cm 이상 86 cm 미만인 학생 수

15 주형이네 반 학생들의 1학기 봉사 활동 시간

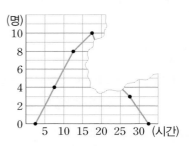

봉사 활동 시간이 25시간 이상 30시간 미만인 학생이 전체의 10 %일 때

(1) 봉사 활동 시간이 25시간 이상 30시간 미만인 학생 수

(2) 주형이네 반 전체 학생 수

(3) 봉사 활동 시간이 20시간 이상 25시간 미만인 학생 수

😊 **내가 발견한 개념**   보이지 않는 계급의 도수는 어떻게 구할까?

(보이지 않는 계급의 도수)

=(도수의 [   ])-(보이는 계급의 [   ]의 합)

TEST 10. 자료의 정리와 해석(1)

1 다음은 한얼이네 반 학생들의 줄넘기 횟수를 조사하여 나타낸 줄기와 잎 그림이다. 한얼이네 반 전체 학생 수는?

(3|2는 32회)

줄기	잎
3	2 5 8 9
4	3 3 4 4 5 7 8
5	2 4 5 6 6 8
6	2 3 5

① 17명   ② 18명   ③ 19명
④ 20명   ⑤ 21명

2 오른쪽은 연두네 반 학생들의 일주일 동안의 통화 시간을 조사하여 나타낸 도수분포표이다. 계급의 크기를 a시간, 계급의 개수를 b라 할 때, $a-b$의 값을 구하시오.

통화 시간(시간)	도수(명)
0^{이상} ~ 5^{미만}	4
5 ~10	7
10 ~15	5
15 ~20	4
합계	20

3 오른쪽은 야구 선수 30명의 홈런 개수를 조사하여 나타낸 도수분포표이다. 홈런을 15개 이상 친 선수는 전체의 몇 %인지 구하시오.

홈런 개수(개)	도수(명)
0^{이상} ~ 5^{미만}	4
5 ~10	7
10 ~15	10
15 ~20	6
20 ~25	3
합계	30

4 오른쪽 그림은 어느 중학교 방송반 학생들의 키를 조사하여 나타낸 히스토그램이다. 다음 중 옳지 않은 것을 모두 고르면? (정답 2개)

① 계급의 크기는 5 cm이다.
② 도수가 가장 큰 계급은 165 cm 이상 170 cm 미만이다.
③ 계급의 개수는 6이다.
④ 전체 학생 수는 40명이다.
⑤ 모든 직사각형의 넓이의 합은 100이다.

5 오른쪽은 수지네 반 학생들의 수학 서술형 평가 점수를 조사하여 나타낸 히스토그램인데 일부가 찢어져 보이지 않는다.

점수가 20점 미만인 학생이 전체의 36 %일 때, 점수가 20점 이상 30점 미만인 학생 수를 구하시오.

6 오른쪽 그림은 교내 발명 대회에 응시한 학생 30명의 점수를 조사하여 나타낸 도수분포다각형인데 일부가 찢어져 보이지 않는다. 보이지 않는 계급의 도수를 구하시오.

11

무질서한 자료를 질서있게,
자료의
정리와 해석(2)

여학생의 키와 남학생의 키

전체에서 차지하는 비율!

도수분포표

하루 스마트폰 사용 시간(분)	학생 수(명)
30 이상 ~ 60 미만	3
60 ~ 90	12
90 ~ 120	9
120 ~ 150	6
합계	30

전체에서 이 계급의
도수의 비율은?

하루 스마트폰 사용 시간이
90분 이상 120분 미만인 학생이 ➡ $\dfrac{9}{30} = 0.3$
전체에서 차지하는 비율

01 상대도수

어떤 자료의 분포를 알아볼 때 도수보다는 도수가 전체에서 차지하는 비율을 고려해야 하는 경우가 있어. 이 비율을 알아보기 위해서는 각 계급의 도수를 전체 도수로 나눈 값을 이용해야 해.
이때 도수분포표에서 전체 도수에 대한 각 계급의 도수의 비율을 그 계급의 상대도수라 해!

전체를 1로 보는!

상대도수의 분포표

하루 스마트폰 사용 시간(분)	학생 수(명)	상대도수
30 이상 ~ 60 미만	3	$\dfrac{3}{30} = 0.1$
60 ~ 90	12	$\dfrac{12}{30} = 0.4$
90 ~ 120	9	$\dfrac{9}{30} = 0.3$
120 ~ 150	6	$\dfrac{6}{30} = 0.2$
합계	30	1

4배

상대도수의 총합은 항상 1이야!

02 상대도수의 분포표

도수분포표에서 각 계급의 상대도수를 구하여 도수를 상대도수로 나타낸 것을 상대도수의 도수분포표라 해. 일반적으로 각 계급의 상대도수는 0 이상 1 이하이고, 상대도수의 총합은 1이야!

03 상대도수의 분포를 나타낸 그래프

도수분포표와 마찬가지로 상대도수의 분포표도 그래프로 나타내면 자료의 분포 상태를 한눈에 알아볼 수 있어.

상대도수의 분포표를 그래프로 나타내는 방법은 도수분포표를 히스토그램이나 도수분포다각형으로 나타내는 것과 같아. 이때 그래프의 세로축에는 도수 대신 상대도수를 적으면 돼!

상대도수의 분포표

하루 스마트폰 사용 시간(분)	상대도수
30 이상 ~ 60 미만	0.1
60 ~ 90	0.4
90 ~ 120	0.3
120 ~ 150	0.2
합계	1

상대도수의 분포를 나타낸 그래프

04 도수의 총합이 다른 두 자료의 비교

도수의 총합이 다른 두 자료의 분포를 비교할 때 각 계급의 도수를 비교하는 것보다 상대도수를 비교하는 것이 더 적절해. 왜냐하면 도수의 총합이 다른 두 자료는 각 계급의 도수를 비교하는 것이 의미가 없지만 각 계급의 상대도수를 비교하면 각 도수의 총합에 따른 각 계급의 분포 상태를 비교할 수 있기 때문이야!

하루 스마트폰 사용 시간(분)	A 그룹 도수	A 그룹 상대도수	B 그룹 도수	B 그룹 상대도수
30 이상 ~ 60 미만	3	0.1	5	0.05
60 ~ 90	12	0.4	20	0.2
90 ~ 120	9	0.3	50	0.5
120 ~ 150	6	0.2	25	0.25
합계	30	1	100	1

도수의 총합이 다를 때는 상대도수로 비교해!

상대적으로 A 그룹보다 B 그룹이
하루 스마트폰 사용 시간이 더 많은 편이다.

01

전체에서 차지하는 비율!

상대도수

도수분포표

하루 스마트폰 사용 시간(분)	학생 수(명)
30 이상 ~ 60 미만	3
60 ~ 90	12
90 ~ 120	9
120 ~ 150	6
합계	30

전체에서 이 계급의 도수의 비율은?

하루 스마트폰 사용 시간이
90분 이상 120분 미만인 학생이
전체에서 차지하는 비율 ➡ $\dfrac{9}{30} = 0.3$

- **상대도수**: 전체 도수에 대한 각 계급의 도수의 비율

➡ (어떤 계급의 상대도수) = $\dfrac{(그 계급의 도수)}{(전체 도수)}$

(1) (어떤 계급의 도수)

   = (전체 도수) × (그 계급의 상대도수)

(2) (전체 도수) = $\dfrac{(그 계급의 도수)}{(어떤 계급의 상대도수)}$

- 도수의 총합이 다른 두 집단을 비교할 때,
상대도수를 이용하면 편리하다.

> (참고) 상대도수는 분수보다 소수로 나타내는 것이 크기를 비교하기 좋으므로 일반적으로 소수로 나타낸다.

원리확인 다음 □ 안에 알맞은 수를 써넣으시오.

❶ 10명의 학생 중 혈액형이 O형인 학생이 2명일 때,

  혈액형이 O형인 학생의 비율은 $\dfrac{\boxed{}}{10} = \boxed{}$

❷ 50명의 학생 중에서 안경을 쓴 학생이 30명일 때,

  안경을 쓴 학생의 비율은 $\dfrac{\boxed{}}{50} = \dfrac{\boxed{}}{100} = \boxed{}$

❸ 전체 도수가 100이고 어떤 계급의 도수가 27일 때, 전체 도수에 대한 이 계급의 도수의 비율은

  $\dfrac{\boxed{}}{100} = \boxed{}$

1st ─ 상대도수 이해하기

1 다음 중 옳은 것은 ○표, 옳지 않은 것은 ×표를 ( ) 안에 써넣으시오.

(1) 전체 도수에 대한 각 계급의 도수의 비율을 상대도수라 한다.   ( )

(2) 어떤 계급의 상대도수는 그 계급의 도수를 전체 도수로 나눈 값이다.   ( )

(3) 어떤 계급의 도수는 전체 도수를 그 계급의 상대도수로 나눈 값이다.   ( )

(4) (전체 도수) = $\dfrac{(그\ 계급의\ 도수)}{(어떤\ 계급의\ 상대도수)}$ 이다.
   ( )

(5) 도수의 총합이 다른 두 집단을 비교할 때, 상대도수를 이용하면 편리하다.   ( )

상대도수

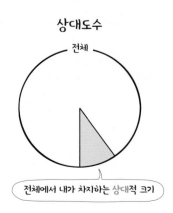

전체

전체에서 내가 차지하는 상대적 크기

2 전체 도수와 어떤 계급의 도수가 다음과 같을 때, 그 계급의 상대도수를 구하시오.

(1) 전체 도수가 20, 어떤 계급의 도수가 3

(2) 전체 도수가 18, 어떤 계급의 도수가 9

(3) 전체 도수가 60, 어떤 계급의 도수가 12

(4) 전체 도수가 50, 어떤 계급의 도수가 18

3 전체 도수와 어떤 계급의 상대도수가 다음과 같을 때, 그 계급의 도수를 구하시오.

(1) 전체 도수가 100, 상대도수가 0.72

(2) 전체 도수가 40, 상대도수가 0.2

(3) 전체 도수가 25, 상대도수가 0.8

(4) 전체 도수가 50, 상대도수가 0.14

4 어떤 계급의 도수와 그 계급의 상대도수가 다음과 같을 때, 전체 도수를 구하시오.

(1) 어떤 계급의 도수가 10, 상대도수가 0.2

(2) 어떤 계급의 도수가 6, 상대도수가 0.4

(3) 어떤 계급의 도수가 14, 상대도수가 0.35

(4) 어떤 계급의 도수가 1, 상대도수가 0.05

(5) 어떤 계급의 도수가 3, 상대도수가 0.12

(6) 어떤 계급의 도수가 8, 상대도수가 0.25

개념모음문제

5 다음 표는 어느 여행 동호회 남자 회원 60명, 여자 회원 40명 중에서 제주도를 방문한 경험이 있는 회원의 상대도수를 조사하여 나타낸 것이다. 전체 회원 100명에 대하여 제주도를 방문한 회원의 상대도수는?

상대 도수	
남자 회원	여자 회원
0.7	0.8

① 0.7　　　② 0.72　　　③ 0.74

④ 0.76　　　⑤ 0.78

😊 **내가 발견한 개념**　　　어떤 계급의 상대도수는?

(어떤 계급의 상대도수)= (그 계급의 ☐) / (전체 ☐)

전체를 1로 보는!

상대도수의 분포표

상대도수의 분포표

하루 스마트폰 사용 시간(분)	학생 수(명)	상대도수
30 이상 ~ 60 미만	3	$\frac{3}{30}=0.1$
60 ~ 90	12	$\frac{12}{30}=0.4$
90 ~ 120	9	$\frac{9}{30}=0.3$
120 ~ 150	6	$\frac{6}{30}=0.2$
합계	30	1

상대도수의 총합은 항상 1이야!

- **상대도수의 분포표** : 각 계급의 상대도수를 나타낸 표
- **상대도수의 특징**
  (1) 상대도수의 총합은 항상 1이다.

  참고 (상대도수의 총합) $=\dfrac{(각\ 계급의\ 도수의\ 합)}{(전체\ 도수)}$

  $=\dfrac{(도수의\ 총합)}{(도수의\ 총합)}=1$

  (2) 각 계급의 상대도수는 그 계급의 도수에 정비례한다.

원리확인 다음 상대도수의 분포표에서 □ 안에 알맞은 수를 써넣으시오.

개수(개)	도수(명)	상대도수
10 이상 ~ 20 미만	2	$\frac{2}{20}=0.1$
20 ~ 30	□	$\frac{8}{20}=0.4$
30 ~ 40	10	$\dfrac{□}{20}=□$
합계	20	□

1st ― 상대도수의 분포표 만들기

● 다음 상대도수의 분포표를 완성하시오.

1

횟수(회)	도수(명)	상대도수
5 이상 ~ 10 미만	2	$\frac{2}{25}=0.08$
10 ~ 15	3	
15 ~ 20	5	
20 ~ 25	7	
25 ~ 30	8	
합계	25	1

2

성적(점)	도수(명)	상대도수
50 이상 ~ 60 미만	4	
60 ~ 70	6	
70 ~ 80	12	
80 ~ 90	10	
90 ~ 100	8	
합계	40	1

3

키(cm)	도수(명)	상대도수
140 이상 ~ 145 미만	1	
145 ~ 150	2	
150 ~ 155	5	
155 ~ 160	8	
160 ~ 165	4	
합계	20	1

4

몸무게(kg)	학생 수(명)	상대도수
$35^{이상} \sim 40^{미만}$	$0.1 \times 20 = 2$	0.1
40 ~45		0.3
45 ~50		0.25
50 ~55		0.2
55 ~60		0.15
합계	20	1

5

득점(점)	도수(팀)	상대도수
$0^{이상} \sim 2^{미만}$		0.12
2 ~ 4		0.2
4 ~ 6		0.28
6 ~ 8		0.36
8 ~10		0.04
합계	25	1

6

시간(분)	도수(명)	상대도수
$0^{이상} \sim 10^{미만}$		0.04
10 ~20		0.14
20 ~30		0.42
30 ~40		0.2
40 ~50		0.16
50 ~60		0.04
합계	50	1

:) **내가 발견한 개념**　　　　　　　　상대도수의 총합은?

상대도수의 총합은 항상 [　] 이다.

2nd ─ 상대도수의 분포표 이해하기

7 아래는 성준이네 반 학생들의 한 달 동안의 지하철 탑승 횟수를 조사하여 나타낸 상대도수의 분포표이다. 다음 물음에 답하시오.

횟수(회)	상대도수
$0^{이상} \sim 3^{미만}$	0.12
3 ~ 6	0.28
6 ~ 9	0.32
9 ~12	0.22
12 ~15	0.06
합계	1

(1) 지하철 탑승 횟수가 3회 이상 6회 미만인 학생의 상대도수를 구하시오.

(2) 지하철 탑승 횟수가 3회 이상 6회 미만인 학생은 전체의 몇 %인지 구하시오.

(3) 지하철 탑승 횟수가 9회 이상인 학생은 전체의 몇 %인지 구하시오.

(4) 지하철 탑승 횟수가 6회 미만인 학생은 전체의 몇 %인지 구하시오.

상대도수

전체는 항상 1!

1

0.1

전체에서 내가 차지하는 상대적 비율

● 주어진 상대도수의 분포표에 대하여 다음 물음에 답하시오.

8 찬혁이네 학교 학생 50명이 하루 동안 가족과 대화한 시간

대화 시간(분)	도수(명)	상대도수
$0^{이상} \sim 20^{미만}$	4	A
20 ~ 40	9	0.18
40 ~ 60		0.3
60 ~ 80	B	0.24
80 ~ 100	10	
합계	50	1

(1) A의 값을 구하시오.

(2) B의 값을 구하시오.

(3) 가족과 대화한 시간이 40분 미만인 학생은 전체의 몇 %인지 구하시오.

(4) 가족과 대화하는 시간이 15번째로 적은 학생이 속한 계급의 상대도수를 구하시오.

(5) 가족과 대화한 시간이 60분 이상인 학생은 전체의 몇 %인지 구하시오.

9 예진이네 반 학생들의 수학 점수

점수(점)	도수(명)	상대도수
$50^{이상} \sim 60^{미만}$	7	A
60 ~ 70	6	0.3
70 ~ 80	4	
80 ~ 90		0.1
90 ~ 100	B	0.05
합계		1

(1) 예진이네 반 전체 학생 수를 구하시오.

(2) A, B의 값을 각각 구하시오.

(3) 수학 점수가 70점 미만인 학생은 전체의 몇 %인지 구하시오.

(4) 수학 점수가 70점 이상 90점 미만인 학생은 전체의 몇 %인지 구하시오.

(5) 수학 점수가 4번째로 좋은 학생이 속하는 계급의 상대도수를 구하시오.

10 지현이네 학교 학생들의 뮤지컬 관람 횟수

관람 횟수(회)	도수(명)	상대도수
0^{이상} ~ 5^{미만}		0.1
5 ~ 10	30	
10 ~ 15	C	0.3
15 ~ 20	24	B
20 ~ 25	18	0.15
합계		A

(1) 지현이네 학교 전체 학생 수를 구하시오.

(2) A, B, C의 값을 각각 구하시오.

(3) 뮤지컬 관람 횟수가 15회 이상인 학생은 전체의 몇 %인지 구하시오.

(4) 뮤지컬 관람 횟수가 20번째로 적은 학생이 속하는 계급의 상대도수를 구하시오.

(5) 뮤지컬 관람 횟수가 5회 이상 15회 미만인 학생은 전체의 몇 %인지 구하시오.

3rd — 상대도수의 특징 이해하기

11 다음 중 옳은 것은 ○표, 옳지 않은 것은 ×표를 ( ) 안에 써넣으시오.

(1) 상대도수는 0 이상 1 이하의 수로만 나타난다. ( )

(2) 하나의 도수분포표에서 상대도수가 같아도 도수는 다를 수 있다. ( )

(3) 어떤 계급의 도수와 상대도수를 알면 전체 도수를 알 수 있다. ( )

(4) 하나의 도수분포표에서 도수가 가장 큰 계급의 상대도수가 가장 작다. ( )

(5) 상대도수의 총합은 항상 1이다. ( )

(6) 어떤 계급의 도수는 전체 도수와 상대도수의 총합을 곱한 값이다. ( )

개념모음문제
12 다음은 어느 동물원에서 사육했던 토끼의 수명을 조사하여 나타낸 상대도수의 분포표이다. 수명이 8년 이상인 토끼는 전체의 몇 %인가?

수명(년)	도수(마리)	상대도수
0^{이상} ~ 4^{미만}		
4 ~ 8	12	0.24
8 ~ 12	18	
12 ~ 16	14	
합계		

① 36 % ② 43 % ③ 50 %
④ 57 % ⑤ 64 %

전체를 1로 보는!

상대도수의 분포를 나타낸 그래프

상대도수의 분포표	
하루 스마트폰 사용 시간(분)	상대도수
30이상 ~ 60미만	0.1
60 ~ 90	0.4
90 ~ 120	0.3
120 ~ 150	0.2
합계	1

상대도수의 분포를 나타낸 그래프

(계급값, 상대도수)

- 상대도수의 분포를 나타낸 그래프 : 상대도수의 분포표를 히스토그램이나 도수분포다각형과 같은 모양으로 나타낸 그래프
- 상대도수의 분포를 나타낸 그래프를 그리는 방법
  (ⅰ) 가로축에는 각 계급의 양 끝 값을 차례로 써넣는다.
  (ⅱ) 세로축에 상대도수를 차례로 써넣는다.
  (ⅲ) 히스토그램이나 도수분포다각형과 같은 모양으로 그린다.

1st ─ 상대도수의 분포를 나타낸 그래프 그리기

● 다음 상대도수의 분포표를 히스토그램 모양의 그래프로 나타내시오.

1

횟수(회)	상대도수
10이상 ~ 20미만	0.05
20 ~ 30	0.2
30 ~ 40	0.35
40 ~ 50	0.25
50 ~ 60	0.15
합계	1

2

개수(개)	상대도수
0이상 ~ 5미만	0.1
5 ~ 10	0.25
10 ~ 15	0.4
15 ~ 20	0.15
20 ~ 25	0.1
합계	1

😊 **내가 발견한 개념**   세로축의 의미는?

- 히스토그램, 도수분포다각형의 세로축 → ☐

- 상대도수의 분포를 나타낸 그래프의 세로축 → ☐

2nd 상대도수의 분포를 나타낸 그래프 이해하기

● 주어진 상대도수의 분포를 나타낸 그래프에 대하여 다음 물음에 답하시오.

3 어느 중학교 1학년 200명의 영어 점수

(1) 도수가 가장 작은 계급을 구하시오.

(2) 상대도수가 가장 작은 계급의 도수를 구하시오.

(3) 영어 점수가 60점 이상 70점 미만인 학생은 전체의 몇 %인지 구하시오.

(4) 영어 점수가 80점 이상인 학생은 전체의 몇 %인지 구하시오.

(5) 영어 점수가 80점 이상인 학생 수를 구하시오.

4 지율이네 학교 남학생 80명의 멀리뛰기 기록

(1) 도수가 가장 큰 계급을 구하시오.

(2) 상대도수가 가장 큰 계급의 도수를 구하시오.

(3) 기록이 140 cm 이상 160 cm 미만인 학생은 전체의 몇 %인지 구하시오.

(4) 기록이 100 cm 미만인 학생은 전체의 몇 %인지 구하시오.

(5) 기록이 100 cm 미만인 학생 수를 구하시오.

5 어느 독서 동호회 회원들이 작년에 구매한 도서의 수

구입한 도서가 20권 이상 30권 미만인 회원이 6명일 때

(1) 독서 동호회 전체 회원 수를 구하시오.

(2) 상대도수가 가장 작은 계급의 도수를 구하시오.

(3) 구입한 도서가 50권 이상 60권 미만인 회원 수를 구하시오.

(4) 구입한 도서가 30권 미만인 회원 수를 구하시오.

(5) 구입한 도서가 11번째로 많은 회원이 속하는 계급을 구하시오.

6 어느 방송국 직원들의 하루 동안 라디오 청취 시간

청취 시간이 90분 이상 120분 미만인 직원이 33명일 때

(1) 방송국 전체 직원 수를 구하시오.

(2) 상대도수가 가장 큰 계급의 도수를 구하시오.

(3) 청취 시간이 30분 이상 60분 미만인 직원 수를 구하시오.

(4) 청취 시간이 120분 이상인 직원 수를 구하시오.

(5) 청취 시간이 46번째로 짧은 직원이 속하는 계급을 구하시오.

3rd — 찢어진 상대도수의 분포를 나타낸 그래프 이해하기

● 아래 그림은 어떤 자료를 조사하여 상대도수의 분포를 나타낸 그래프인데 일부가 찢어져 보이지 않는다. 다음을 구하시오.

7 민호네 반 학생 20명의 키

(1) 155 cm 이상 160 cm 미만인 계급의 상대도수

(2) 키가 155 cm 이상 160 cm 미만인 학생 수

8 어느 등산 동호회 회원 60명의 일주일 동안의 등산 시간

(1) 9시간 이상 12시간 미만인 계급의 상대도수

(2) 등산 시간이 9시간 이상 12시간 미만인 회원 수

9 어느 중학교 1학년 학생들의 필통 속 필기구의 수

필기구가 6자루 이상 8자루 미만인 학생 수가 120명일 때

(1) 6자루 이상 8자루 미만인 계급의 상대도수

(2) 전체 학생 수

10 어느 영화 동호회 회원들의 수면 시간

수면 시간이 6시간 이상 7시간 미만인 회원 수가 17명일 때

(1) 6시간 이상 7시간 미만인 계급의 상대도수

(2) 전체 회원 수

상대도수로 쉽게 알 수 있는!

도수의 총합이 다른 두 자료의 비교

하루 스마트폰 사용 시간(분)	A 그룹		B 그룹	
	도수	상대도수	도수	상대도수
30이상 ~ 60미만	3	0.1	5	0.05
60 ~ 90	12	0.4	20	0.2
90 ~ 120	9	0.3	50	0.5
120 ~ 150	6	0.2	25	0.25
합계	30	1	100	1

도수의 총합이 다를 때는 상대도수로 비교해!

A 그룹
B 그룹
우리가 A 그룹보다 오른쪽으로 더 치우쳐져 있어!

상대적으로 **A 그룹**보다 **B 그룹**이
하루 스마트폰 사용 시간이 **더 많은** 편이다.

• **도수의 총합이 다른 두 자료의 분포를 비교할 때**
(1) 각 계급의 도수를 비교하는 것보다 상대도수를 비교하는 것이 더 적절하다.
(2) 상대도수의 분포를 나타낸 그래프를 이용하면 편리하다.

내가 안타수가 더 많아!
휫! 넌 타율도 모르냐?

	A	B
전체 타수	30	20
안타수	9	7
타율	$\frac{9}{30} = 0.3$	$\frac{7}{20} = 0.35$

1st 도수의 총합이 다른 두 자료 비교하기

● 주어진 상대도수의 분포표에 대하여 다음 물음에 답하시오.

1 어느 중학교 1학년과 2학년의 줄넘기 횟수

횟수(회)	도수(명)		상대도수	
	1학년	2학년	1학년	2학년
30이상~40미만	8	25		
40 ~50	32	45		
50 ~60	40	75		
60 ~70	64	65		
70 ~80	56	40		
합계	200	250	1	1

(1) 위의 표를 완성하고, 1학년과 2학년의 줄넘기 횟수에 대한 상대도수의 분포표를 도수분포다각형 모양의 그래프로 각각 나타내시오.

(2) 1학년과 2학년 중에서 줄넘기 횟수가 60회 이상 70회 미만인 학생의 비율은 어느 학년이 더 높은지 말하시오.

(3) 1학년과 2학년 중에서 줄넘기 횟수가 60회 미만인 학생의 비율은 어느 학년이 더 높은지 말하시오.

(4) 1학년과 2학년 중에서 줄넘기를 상대적으로 더 많이 한 학년을 말하시오.

2 A 중학교 학생 200명과 B 중학교 학생 300명의 주말 동안의 휴대전화 사용 시간

(1) 두 중학교 A, B 중에서 휴대전화 사용 시간이 6시간 이상 8시간 미만인 학생의 비율은 어느 중학교가 더 높은지 말하시오.

(2) 두 중학교 A, B 중에서 휴대전화 사용 시간이 6시간 미만인 학생의 비율은 어느 중학교가 더 높은지 말하시오.

(3) A 중학교에서 휴대전화 사용 시간이 6시간 이상 10시간 미만인 학생 수를 구하시오.

(4) B 중학교에서 휴대전화 사용 시간이 8시간 이상인 학생 수를 구하시오.

(5) 두 중학교 A, B 중에서 휴대전화를 상대적으로 더 많이 사용한 중학교를 말하시오.

3 어느 중학교 1학년 남학생 150명과 여학생 100명의 통학 시간

(1) 남학생과 여학생 중에서 통학 시간이 30분 이상 40분 미만인 학생의 비율은 어느 쪽이 더 높은지 말하시오.

(2) 남학생과 여학생 중에서 통학 시간이 40분 이상인 학생의 비율은 어느 쪽이 더 높은지 말하시오.

(3) 통학 시간이 30분 미만인 남학생 수를 구하시오.

(4) 통학 시간이 20분 이상 40분 미만인 여학생 수를 구하시오.

(5) 남학생과 여학생 중에서 통학 시간이 상대적으로 더 오래 걸리는 쪽을 말하시오.

● 주어진 상대도수의 분포표를 나타낸 그래프에 대하여 다음 중 옳은 것은 ○표, 옳지 않은 것은 ✕표를 (　) 안에 써넣으시오.

4 어느 중학교 1반과 2반 학생들이 일주일 동안 읽은 책의 수

(1) 1반과 2반의 도수의 총합은 같다. (　　)

(2) 읽은 책이 8권 이상 10권 미만인 학생의 비율은 1반이 2반보다 더 높다. (　　)

(3) 1반의 상대도수가 2반의 상대도수보다 더 큰 계급은 모두 4개이다. (　　)

(4) 읽은 책이 4권 이상 6권 미만인 학생 수는 1반이 2반보다 더 많다. (　　)

(5) 1반보다 2반의 읽은 책의 수가 상대적으로 더 많은 편이다. (　　)

5 어느 중학교 1학년과 2학년 학생들의 몸무게

(1) 1학년과 2학년의 상대도수의 총합은 같다. (　　)

(2) 몸무게가 55 kg 이상 60 kg 미만인 학생의 비율은 1학년이 2학년보다 더 높다. (　　)

(3) 1학년에서 도수가 가장 큰 계급은 65 kg 이상 70 kg 미만이다. (　　)

(4) 2학년에서 몸무게가 50 kg 미만인 학생은 전체의 26 %이다. (　　)

(5) 1학년보다 2학년이 상대적으로 몸무게가 더 많이 나가는 편이다. (　　)

😊 내가 발견한 개념　　　　　　　　총합이 다른 두 자료의 비교는?

도수의 총합이 다른 두 자료의 분포 비교

→ [　　　　]를 이용하면 분포 상태를 한눈에 비교할 수 있다.

TEST 11. 자료의 정리와 해석(2)

1 전체 도수가 25, 어떤 계급의 도수가 4일 때, 이 계급의 상대도수는?

① 0.12   ② 0.16   ③ 0.2
④ 0.24   ⑤ 0.28

2 다음은 민식이네 반 학생 40명의 추석 연휴 동안의 TV 시청 시간을 조사하여 나타낸 상대도수의 분포표이다. TV 시청 시간이 5시간 미만인 학생 수는?

시청 시간(시간)	상대도수
1^{이상} ~ 3^{미만}	0.15
3 ~ 5	0.2
5 ~ 7	0.4
7 ~ 9	0.25
합계	1

① 10명   ② 11명   ③ 12명
④ 13명   ⑤ 14명

3 다음은 어느 회사 근무자들이 하루 동안 시계를 보는 횟수를 조사하여 나타낸 상대도수의 분포표이다. $A+B$의 값은?

횟수(회)	도수(명)	상대도수
0^{이상} ~ 4^{미만}		
4 ~ 8	A	0.16
8 ~ 12	10	0.2
12 ~ 16	13	B
합계		1

① 5.42   ② 6.35   ③ 7.54
④ 8.26   ⑤ 9.18

4 오른쪽 표는 어느 중학교 남학생 30명, 여학생 20명 중에서 순댓국을 좋아하는 학생의 상대도수를 조사하여 나타낸 것이다.

상대도수	
남학생	여학생
0.4	0.35

남학생과 여학생을 합한 전체 학생에 대하여 순댓국을 좋아하는 학생의 상대도수를 구하시오.

5 오른쪽 그림은 어느 보건소 방문자의 1분당 맥박 수를 조사하여 상대도수의 분포를 나타낸 그래프이다.

맥박 수가 70회 이상 75회 미만인 방문자가 20명일 때, 이 보건소의 전체 방문자의 수를 구하시오.

6 오른쪽 그림은 어느 중학교 1학년 학생 200명의 음악 수행 평가 점수를 조사하여 상대도수의 분포를 나타낸

그래프인데 일부가 찢어져 보이지 않는다. 보이지 않는 계급의 도수를 구하시오.

빠른 정답 찾기

1 기본 도형

01 점, 선, 면 10쪽
1 ○ 2 × 3 ○ 4 ×
5 ○ 6 × 7 ×
8 (1) ㄱ, ㄷ, ㅂ (2) ㄴ, ㄹ, ㅁ 9 꼭짓점 C
10 꼭짓점 E 11 꼭짓점 D 12 꼭짓점 H
13 모서리 BC 14 모서리 AE 15 8, 12
16 5, 8 17 6, 9 18 7, 12
☺ 꼭짓점, 모서리 19 ③

02 직선, 반직선, 선분 12쪽
원리확인 $\overrightarrow{AB}$, 반직선 AB, $\overrightarrow{BA}$, 반직선 BA,
$\overline{AB}(\overline{BA})$, 선분 AB(선분 BA)

1 $\overrightarrow{MN}$ 2 $\overrightarrow{MN}$ 3 $\overrightarrow{NM}$ 4 $\overline{MN}$

5 A B
6 A B
7 A C
8 A B C
9 A B C
10 A B C
11 A B C
   A B C , =
12 A B C D
   A B C D , =
13 A B C D
   A B C D , ≠
14 A B C D
   A B C D , =
15 A B C D
   A B C D , ≠
16 A B C D
   A B C D , =

17 = 18 ≠ 19 =
☺ 시작점, 방향 20 $\overrightarrow{CA}$ 21 $\overrightarrow{BC}$
22 $\overrightarrow{CB}$ 23 $\overrightarrow{AB}$ 24 $\overline{CB}$ 25 $\overline{BA}$
26 ④, ⑤ 27 , 무수히 많다.

28 , 1 ☺ 무수히 많다, 하나
29 3 30 6 31 3 32 6
33 12 34 6 ☺ 2 35 ②

03 두 점 사이의 거리 16쪽
1 7 2 12 3 5 4 13
5 8 6 15 cm 7 17 cm 8 21 cm
9 9 cm 10 18 cm ☺ 4
11 (1) $\frac{1}{2}$, 8 (2) $\frac{1}{2}$, 8 (3) 2, 2
12 (1) $\frac{1}{2}$, 17 (2) $\frac{1}{2}$, 17
13 (1) 3 (2) 2, 6 14 (1) 7 (2) 2, 14
15 (1) 12 (2) $\frac{1}{2}$, 6 (3) 2, 24
16 (1) $\frac{1}{2}$, 15 (2) $\frac{1}{2}$, $\frac{1}{2}$, $\frac{1}{2}$, $\frac{1}{4}$, $\frac{15}{2}$
(3) 30, $\frac{15}{2}$, $\frac{45}{2}$
17 (1) $\frac{1}{2}$, 14 (2) $\frac{1}{2}$, $\frac{1}{2}$, $\frac{1}{2}$, $\frac{1}{4}$, 7 (3) 21

(4) 2, 2, 4
18 (1) $\frac{1}{2}$, $\frac{1}{2}$ (2) $\frac{1}{2}$, $\frac{1}{2}$, $\frac{1}{2}$, $\frac{1}{2}$ (3) 2, 16
19 3 cm 20 20 cm 21 30 cm 22 22 cm
23 (1) 3 (2) $\frac{1}{3}$, 6 (3) 2, 12
24 (1) 5 cm (2) 10 cm (3) 15 cm 25 ③, ⑤

04 각 20쪽
원리확인 ❶ 직 ❷ 예 ❸ 둔 ❹ 평 ❺ 예 ❻ 둔

1 × 2 ○ 3 × 4 ○
5 × 6 ○ 7 ○
8 ∠BAC, ∠CAB 9 ∠ABC, ∠CBA
10 ∠ACB, ∠BCA 11 ∠ABC, ∠CBA
12 ∠ACB, ∠BCA 13 ∠ACD, ∠DCA
14 둔각 15 직각 16 예각 17 평각
18 예각 19 둔각 20 직각 21 평각
☺ 90, 평각, 예각, 90, 180
22 40 (✐ 90, 40) 23 20 24 10
25 22 26 20 27 16 28 15
29 137 (✐ 180, 137) 30 70 31 80
32 54 33 20 34 35 35 30
36 $\angle x=40°$, $\angle y=60°$, $\angle z=80°$,
(✐ 2, 40, 3, 60, 4, 80)
37 $\angle x=60°$, $\angle y=96°$, $\angle z=24°$
38 $\angle x=90°$, $\angle y=30°$, $\angle z=60°$
39 $\angle x=70°$, $\angle y=60°$, $\angle z=50°$

05 맞꼭지각 24쪽
1 ∠DOE 또는 ∠EOD 2 ∠COD 또는 ∠DOC
3 ∠AOE 또는 ∠EOA 4 ∠COA 또는 ∠AOC
5 ∠DOB 또는 ∠BOD 6 ∠COE 또는 ∠EOC
7 ∠AOF 또는 ∠FOA 8 ∠COB 또는 ∠BOC
9 $\angle x=50°$ 10 $\angle x=110°$ 11 $\angle x=90°$
12 $\angle x=20°$, $\angle y=65°$ 13 $\angle x=30°$, $\angle y=85°$
14 28 15 105 16 14
17 15 18 58 ☺ $\angle b$, $\angle c$
19 $\angle x=130°$, $\angle y=50°$ (✐ 130, 180, 50)
20 $\angle x=80°$, $\angle y=100°$
21 $\angle x=38°$, $\angle y=142°$
22 $\angle x=124°$, $\angle y=56°$
23 $\angle x=140°$, $\angle y=140°$
24 $\angle x=35°$, $\angle y=65°$
25 $\angle x=30°$, $\angle y=75°$
26 $\angle x=12°$, $\angle y=90°$
27 $\angle x=135°$, $\angle y=45°$
28 $\angle x=15°$, $\angle y=60°$ 29 60 (✐ 180, 60)
30 80 31 38 32 21 33 14
34 28 35 9 36 13 ☺ 180°
37 ④

06 수직과 직선 28쪽
원리확인 ❶ ⊥ ❷ O ❸ 수직이등분선

1 × 2 O 3 × 4 O
5 $\overline{AB} \perp \overline{AD}$, $\overline{AB} \perp \overline{BC}$ (✐ ⊥, $\overline{BC}$)
6 $\overline{AB} \perp \overline{BC}$ 7 $\overline{PM}$ 8 $\overline{PM}$
9 5 10 90 11 90 ☺
12 (1) (2) 3, 2, 1, 4
(3) 점 C
(4) 점 D
13 (1) (2) 2, 4, 3, 2
(3) 점 A, 점 D
(4) 점 B
14 (1) 점 D (2) 6 cm (3) 8 cm
15 (1) 점 H (2) 8 cm 16 (1) 점 C (2) 12 cm
17 점 B 18 점 G 19 5 cm 20 11 cm
21 ②, ⑤

TEST 31쪽
1 22 2 ②, ⑤ 3 30 cm
4 ③ 5 65 6 ④

2 위치 관계

01 점과 직선, 점과 평면의 위치 관계 34쪽
원리확인 ❶ (1) 있다 (2) 있지 않다
❷ (1) 있다 (2) 있지 않다

1 점 A, 점 C (✐ A, C) 2 점 C, 점 D
3 점 B, 점 D, 점 E 4 점 A, 점 B, 점 E
5 점 C 6 점 B, 점 E 7 있지 않다
8 있다 9 있다 10 있지 않다
11 점 A, 점 B 12 점 C, 점 D
☺ 지난다, 포함한다 13 $\overline{AB}$, $\overline{AC}$, $\overline{AD}$
14 점 E, 점 F
15 점 A, 점 D, 점 F, 점 C
16 점 D, 점 E, 점 F 17 면 ABED, 면 DEF
18 ③

02 평면에서 두 직선의 위치 관계 36쪽
1 만나지 않는다 2 한 점에서 만난다
3 한 점에서 만난다 4 평행하다
5 일치한다 ☺
6 변 AD, 변 BC 7 변 AB, 변 CD
8 변 BC 9 변 AD, 변 BC
10 변 AB, 변 CD 11 변 AD
12 직선 EF
13 직선 AB, 직선 BC, 직선 CD, 직선 EF,
직선 FG, 직선 GH
14 직선 FG 15 직선 CD, 직선 DE
☺ 0, 1, 2 16 ①, ③

(5) 20점 이상 30점 미만 (6) 10 % ☺ 100

9 (1) 11 (2) 7 (3) 19 (4) 350 g 이상 400 g 미만
(5) 250 g 이상 300 g 미만 (6) 50 %

03 히스토그램 220쪽

1 풀이 참조 2 풀이 참조
3 풀이 참조 4 풀이 참조
5 (1) 가로, 10, 5 (2) 개수, 6 (3) 세로, 9
(4) 20, 25 (5) 6, 9, 15 (6) 5, 11, 40
☺ 도수, 계급, 크기 6 (1) 1시간 (2) 5 (3) 4명
(4) 4시간 이상 5시간 미만 (5) 12명 (6) 20명
☺ 개수, 크기, 도수
7 (1) 40명 (2) 12권 이상 15권 미만 (3) 18명
(4) 9권 이상 12권 미만
(5) 15권 이상 18권 미만 (6) 5 %
8 (1) 30 (2) 280 g 이상 300 g 미만 (3) 10
(4) 260 g 이상 280 g 미만 (5) 30 %
9 (1) ○ (2) ○ (3) × (4) × (5) ○
10 ⑤ 11 (1) 50 (2) 30 (3) 150 (4) 15
☺ 크기, 도수, 크기, 도수
12 (1) 500 (2) 130 (3) 20 (4) 110
13 ② 14 10명 15 14봉지 16 11명
17 (1) 32명 (2) 8명 (3) 12명
18 (1) 4일 (2) 30일 (3) 9일

04 도수분포다각형 226쪽

1 풀이 참조 2 풀이 참조
3 (1) 10, 10 (2) 6 (3) 3 (4) 30, 40 (5) 4, 5
(6) 3, 4, 23
4 (1) 2시간 (2) 6 (3) 7명 (4) 13시간 이상 15시
간 미만 (5) 13명 (6) 34명
5 (1) 25명 (2) 30 m 이상 35 m 미만 (3) 8명
(4) 7명 (5) 25 m 이상 30 m 미만 (6) 40 %
6 (1) × (2) ○ (3) ○ (4) × (5) ○
7 ① 8 (1) 300 (2) 300
☺ 히스토그램, 크기, 도수
9 300 10 1450 11 3300 12 11명
13 (1) 14송이 (2) 40 % ☺ 총합, 도수
14 (1) 6명 (2) 24명 (3) 8명
15 (1) 3명 (2) 30명 (3) 5명

TEST 231쪽

1 ④ 2 1 3 30 %
4 ②, ⑤ 5 8명 6 10명

11 자료의 정리와 해석(2)
01 상대도수 234쪽

원리확인 ❶ 2, 0.2 ❷ 30, 60, 0.6 ❸ 27, 0.27

1 (1) ○ (2) ○ (3) × (4) ○ (5) ○
2 (1) 0.15 (2) 0.5 (3) 0.2 (4) 0.36
3 (1) 72 (2) 8 (3) 20 (4) 7 ☺ 도수, 도수

4 (1) 50 (2) 15 (3) 40 (4) 20 (5) 25 (6) 32
5 ③

02 상대도수의 분포표 236쪽

원리확인 8, 10, 0.5, 1

1 0.08, 0.12, 0.2, 0.28, 0.32
2 0.1, 0.15, 0.3, 0.25, 0.2
3 0.05, 0.1, 0.25, 0.4, 0.2
4 2, 6, 5, 4, 3 5 3, 5, 7, 9, 1
6 2, 7, 21, 10, 8, 2 ☺ 1
7 (1) 0.28 (2) 28 % (3) 28 % (4) 40 %
8 (1) 0.08 (2) 12 (3) 26 % (4) 0.3 (5) 44 %
9 (1) 20명 (2) $A=0.35$, $B=1$ (3) 65 %
(4) 30 % (5) 0.2
10 (1) 120명 (2) $A=1$, $B=0.2$, $C=36$
(3) 35 % (4) 0.25 (5) 55 %
11 (1) ○ (2) × (3) ○ (4) × (5) ○ (6) ×
12 ⑤

03 상대도수의 분포를 나타낸 그래프 240쪽

1 풀이 참조 2 풀이 참조
☺ 도수, 상대도수 3 (1) 40점 이상 50점 미만
(2) 12명 (3) 20 % (4) 32 % (5) 64명
4 (1) 120 cm 이상 140 cm 미만 (2) 28명
(3) 15 % (4) 20 % (5) 16명
5 (1) 40명 (2) 4명 (3) 8명 (4) 10명
(5) 40권 이상 50권 미만
6 (1) 150명 (2) 51명 (3) 27명 (4) 39명
(5) 60분 이상 90분 미만
7 (1) 0.35 (2) 7명 8 (1) 0.45 (2) 27명
9 (1) 0.3 (2) 400명 10 (1) 0.34 (2) 50명

04 도수의 총합이 다른 두 자료의 비교 244쪽

1 (1)

		(풀이 참조)
0.04	0.1	
0.16	0.18	(2) 1학년
0.2	0.3	(3) 2학년
0.32	0.26	(4) 1학년
0.28	0.16	

2 (1) A 중학교 (2) A 중학교 (3) 128명
(4) 168명 (5) B 중학교 3 (1) 남학생
(2) 여학생 (3) 90명 (4) 36명 (5) 여학생
4 (1) × (2) ○ (3) ○ (4) × (5) ○
☺ 상대도수
5 (1) ○ (2) × (3) × (4) ○ (5) ○

TEST 247쪽

1 ② 2 ⑤ 3 ④
4 0.38 5 80명 6 36명

12 $x=20$, $y=18$ 13 $x=63$, $y=2$
14 72° (✏2, 72)   15 54°   16 135°
17 120° (✏2, 120)   18 168°
19 COB, 30, DAO, 30, 120, AOD, 120, 20
20 35   21 25
22 COB, 30, OCD, 30, 120, COD, 120, 12
23 15   24 5
25 20, 20, 40, OCD, 40, 40, 60, BOD, 60, 3
26 10   27 8

03 부채꼴; 중심각의 크기와 넓이　132쪽

원리확인 2 cm², 3 cm², 4 cm², 정비례

1 5   2 10   3 70   4 20
☺ 넓이, 중심각   5 5 (✏15, 5)
6 15   7 80   8 75   ☺ 정비례
9 30   10 $\frac{25}{2}$ 11 9   12 2
13 ⑤

04 부채꼴; 중심각의 크기와 현의 길이　134쪽

원리확인 ❶ ○   ❷ ○   ❸ ○
❹ ×   ❺ ○   ❻ ×

1 3   2 4   3 8   4 15
☺ 현, 중심각   5 65   6 135
7 70   8 50
☺ 정비례한다, 정비례하지 않는다
9 ○   10 ○   11 ○   12 ×
13 ○   14 ⑤

05 원; 둘레의 길이와 넓이　136쪽

1 6π cm (✏3, 6π)   2 10π cm   3 12π cm
4 20π cm   5 9π cm² (✏3, 9π)
6 144π cm²   7 4π cm²   8 100π cm²
9 3 cm, 9π cm² (✏6π, 3, 3, 9π)
10 6 cm, 36π cm²   11 9 cm, 81π cm²
12 12 cm, 144π cm²   13 20 cm, 400π cm²
14 2 cm, 4π cm (✏4π, 2, 2, 4π)
15 5 cm, 10π cm   16 8 cm, 16π cm
17 10 cm, 20π cm   18 16 cm, 32π cm
☺ $2\pi r$, πr^2

06 부채꼴; 호의 길이와 넓이　138쪽

1 4π cm (✏18, 40, 4π)
2 π cm   3 2π cm   4 $\frac{40}{3}$π cm
5 (6π+18) cm (✏9, 120, 6π, 18)
6 (π+6) cm   7 (8π+20) cm
8 (7π+28) cm   9 $\left(\frac{10}{3}\pi+8\right)$ cm
10 36π cm² (✏18, 40, 36π)
11 96π cm²   12 $\frac{9}{2}$π cm²   13 27π cm²
14 54π cm²   15 $\frac{75}{4}$π cm²   ☺ $\frac{x}{360}$, $\frac{x}{360}$

16 9 cm (✏60, 9, 9)   17 12 cm   18 9 cm
19 16 cm   20 18 cm   21 10 cm   22 $\frac{9}{2}$ cm
23 ②   24 72° (✏10, 72, 72)   25 150°
26 45°   27 240°   28 288°   29 30°
30 81°   31 6 cm (✏120, 36, 6, 6)
32 2 cm   33 5 cm   34 12 cm   35 9 cm
36 4 cm   37 80° (✏3, 80, 80)   38 150°
39 90°   40 135°   41 210°   42 30°

07 부채꼴; 호의 길이와 넓이 사이의 관계　142쪽

1 6π cm² (✏3π, 6π)   2 8π cm²   3 27π cm²
4 8 cm (✏2π, 8π, 8, 8)   5 6 cm
6 15 cm   7 5 cm   8 10 cm   ☺ $\frac{1}{2}rl$
9 6π cm (✏9, 27π, 6π, 6π)   10 3π cm
11 5π cm   12 6π cm   13 6π cm   14 2π cm
15 120° (✏2π, 3π, 3, 3, 3π, 120, 120)
16 225°   17 120°

08 색칠한 부분의 둘레의 길이와 넓이　144쪽

1 (1) 9, 18π, 5, 10π, 4, 8π, 36π
　(2) 9, 5, 4, 81π, 41π, 40π
2 18π cm, 27π cm²   3 12π cm, 12π cm²
4 40π cm, 50π cm²
5 (10π+4) cm, 10π cm²
6 20π cm, 24π cm²
7 (1) 12, 120, 8π, 3, 120, 2π, 9, 18, 10π+18
　(2) 12, 120, 3, 120, 48π, 3π, 45π
8 (3π+8) cm, 6π cm²
9 (25π+36) cm, 225π cm²
10 $\left(\frac{25}{6}\pi+6\right)$ cm, $\frac{25}{4}$π cm²
11 $\left(\frac{7}{2}\pi+10\right)$ cm, $\frac{35}{4}$π cm²
12 $\left(\frac{7}{4}\pi+6\right)$ cm, $\frac{21}{8}$π cm²
13 (6π+6) cm, 9π cm²
14 (1) 4, 2π, 4, 8, 2π+8   (2) 4, 4, 16−4π
15 (4π+16) cm, (64−16π) cm²
16 (5π+20) cm, (100−25π) cm²
17 (6π+24) cm, (72−18π) cm²
18 (20π+40) cm, (400−100π) cm²
19 (8π+16) cm, (128−32π) cm²
20 (30π+120) cm, (900−225π) cm²
21 (1) 10, 5π, 5, 5π, 10, 10π+10
　(2) 10, 5, 25π, $\frac{25}{2}$π, $\frac{25}{2}$π
22 (4π+4) cm, 2π cm²
23 (6π+6) cm, $\frac{9}{2}$π cm²
24 (5π+5) cm, $\frac{25}{8}$π cm²
25 (4π+12) cm, (16−2π) cm²

26 (12π+36) cm, (144−18π) cm²
27 (8π+8) cm, 8π cm²
28 (1) 8, 4π, 8   (2) 8, 8, 16π−32, 32π−64
29 10π cm, (50π−100) cm²
30 20π cm, (200π−400) cm²
31 (4π+16) cm, (32−8π) cm²
32 (6π+24) cm, (72−18π) cm²
33 (2π+8) cm, (8−2π) cm²
34 (9π+12) cm, (45π−36) cm²
35 (1) 2, π, 4π   (2) 2, 4, 16−4π
36 12π cm, (144−36π) cm²
37 24π cm, (72π−144) cm²
38 (10π+20) cm, (200−50π) cm²
39 (16π+48) cm, (256−64π) cm²
40 20π cm, (50π−100) cm²
41 6π cm, $\left(\frac{9}{2}\pi−9\right)$ cm²
42 (1) 10, 10π, 5, 5π, 20π   (2) 10, 50π
43 (4π+4) cm, 8 cm² 44 14π cm, 98 cm²
45 10π cm, 50 cm²   46 $\frac{9}{2}$π cm, $\frac{9}{4}$π cm²
47 48π cm, 128π cm²
48 (8π+16) cm, 32 cm²
49 (1) 12, 6π, 6, 6π, 18π   (2) 12, 12, 36π−72
50 (5π+10) cm, $\frac{25}{2}$ cm²
51 (10π+20) cm, 50 cm²
52 (6π+12) cm, 18 cm²
53 (4π+4) cm, 2π cm²
54 (15π+20) cm, $\frac{25}{2}$π cm²
55 (24π+32) cm, 32π cm²
56 (1) 2, 2π, $\frac{3}{2}$, $\frac{3}{2}$π, $\frac{5}{2}$, $\frac{5}{2}$π, 6π
　(2) 2, 2, $\frac{3}{2}$, 2, 4, $\frac{5}{2}$, 2, 6
57 15π cm, 30 cm²
58 (1) 6, 6π, 12, 4π, 6, 6π, 16π
　(2) 6, 12, 6, 24π   59 5π cm, 2π cm²

TEST　153쪽

1 ⑤   2 ⑤   3 ③   4 ③
5 (3π+10) cm, $\frac{15}{2}$ cm²   6 ①

7 다면체와 회전체
01 다면체　156쪽

원리확인 ❶ ○   ❷ ○   ❸ ×
❹ ×   ❺ ○   ❻ ×

1

4	8	8
6	12	12
4	6	6
사면체	육면체	육면체

2

6	6	7
9	10	12
5	6	7
오면체	육면체	칠면체

1 삼각형, 3, 3, 3　　**2** 오각형, 5, 5, 5

3 육각형, 6, 6, 6　　**4** 칠각형, 7, 7, 7

5 팔각형, 8, 8, 8　　☺ 같다

6, **7**, **8**, **9** (도형)

10 (도형)　　**11** 130° (✐50, 130)　　**12** 80°

13 65°　　**14** 85°　　**15** 50°　　☺ 180°

16 (1) 60°　(2) 120°　(3) 125°

17 (1) 90°　(2) 95°　(3) 110°

18 (1) 45°　(2) 130°　(3) 65°　(4) 110°

19 (1) 55°　(2) 125° (✐55, 125)　(3) 60°

20 (1) 55°　(2) 95°　(3) 90°

21 (1) 115°　(2) 100°　(3) 120°　(4) 130°

22 $\angle x=65°$, $\angle y=130°$

23 $\angle x=96°$, $\angle y=127°$

24 $\angle x=77°$, $\angle y=75°$

25 $\angle x=85°$, $\angle y=55°$

26 $\angle x=108°$, $\angle y=72°$

27 ○　　**28** ×　　**29** ×　　**30** ○

31 ○　　**32** ×　　**33** ×　　**34** ③

02 정다각형 96쪽

원리확인 **❶** ○　**❷** ×　**❸** ×　**❹** ○

1 같다, 같다, 정다각형이다

2 같다, 같다, 정다각형이다

3 같다, 같지 않다, 정다각형이 아니다

4 같지 않다, 같다, 정다각형이 아니다

5 정삼각형 (✐삼)　　**6** 정오각형

7 정구각형　**8** 정육각형　**9** 정십이각형

10 ○　　**11** ×　　**12** ○　　**13** ○

14 ○　　**15** ×　　**16** ×　　**17** ③

03 다각형의 대각선 100쪽

원리확인 **❶** 0　**❷** 1　**❸** 3　**❹** 5

1 오각형 (✐2, 5, 오)　**2** 구각형　**3** 십일각형

4 십오각형　☺ $n-3$　**5** 5 (✐5, 2, 5)

6 20　　**7** 54　　**8** 152

9 9 (✐3, 6, 육각형, 6, 2, 9)　　**10** 20

11 65　　**12** 90　　**13** 209

14 칠각형 (✐14, 7, 7, 칠각형)　　**15** 구각형

16 십각형　　**17** 십삼각형　　**18** 십사각형

19 십팔각형　☺ $n-3$

04 삼각형; 내각의 크기의 합 102쪽

원리확인 $\angle ACE$, $\angle ECD$, 180°

1 40°　**2** 40°　**3** 20° (✐180, 20)

4 30°　**5** 10°　**6** 25°　**7** 15°

☺ 180　**8** 60° (✐50 / 50, 180, 60)

9 65°　　**10** 35°　　**11** 32°　　**12** 45°

13 30° (✐1, 30, 180, 180, 30)　　**14** 40°

15 45°　　**16** 30°　　**17** 40°　　**18** ②

05 삼각형; 외각의 성질 104쪽

원리확인 $\angle ECD$, $\angle ACE$, $\angle ACE$, $\angle ECD$

1 105° (✐30, 105)　**2** 115°　**3** 110°

4 120°　**5** 60°　☺ b, c, a, c, a, b

6 20° (✐$\angle x$, $3\angle x$, 20)　**7** 45°

8 22°　　**9** 20°　　**10** 30°

11 $\angle x=55°$, $\angle y=155°$ (✐25, 55, 80, 155)

12 $\angle x=80°$, $\angle y=120°$

13 $\angle x=130°$, $\angle y=60°$

14 $\angle x=70°$, $\angle y=25°$

06 삼각형; 내각과 외각의 성질의 활용 106쪽

1 80, 40, 60, 30 / 30, 110　　**2** 95°

3 75°　**4** 80°　**5** 95°　**6** 100°

7 95, 40 / 80, 80, 135　**8** 160°　**9** 125°

10 75°　　**11** 95°　　**12** 85°　　**13** 95°

14 50, 50, 65 / 65, 115　**15** 110°　**16** 125°

17 150°　**18** 50°　**19** 100°　**20** 68°

21 80, 80, 40 / 40　**22** 25°　**23** 34°

24 35°　**25** 60°　**26** 74°　**27** 80°

28 80, 35 / 80, 25

29 $\angle x=45°$, $\angle y=30°$

30 $\angle x=40°$, $\angle y=50°$

31 $\angle x=30°$, $\angle y=65°$

32 $\angle x=70°$, $\angle y=40°$

33 $\angle x=110°$, $\angle y=75°$

34 $\angle x=90°$, $\angle y=30°$

35 65, 95 / 95, 120　**36** 145°　**37** 25°

38 145° (✐180, 35, 180, 35, 145)　**39** 120°

40 115°　**41** 25, 50, 50 / 50, 75　**42** 60°

43 90°　**44** 126°　**45** 39°　**46** 38°

47 111°　**48** $b, d / c, e / d, c$, 180

49 50°　**50** 55°　**51** 35°　**52** 30°

53 43°

07 다각형의 내각의 크기의 합 114쪽

1 1260° (✐2, 7, 7, 1260)

2 1440° (✐2, 1440)　**3** 1800°　**4** 2340°

5 2880°　**6** 3240°　**7** 3600°

8 540° (✐2, 2, 3, 2, 3, 540)　**9** 900°

10 1080°　**11** 1440°　**12** 1800°　**13** 2340°

☺ $n-2$, $n-2$

14 구각형 (✐2, 2, 9, 구각형)　　**15** 육각형

16 칠각형　　**17** 팔각형　　**18** 십각형

19 십칠각형　　**20** ②

21 65° (✐2, 360, 360, 65)

22 90°　**23** 115°　**24** 120°　**25** 80°

26 110°　**27** 110°　**28** 125°　**29** ④

30 108° (✐5, 5, 108)　**31** 120°　**32** 135°

33 144°　**34** 150°　**35** 156°　**36** 162°

37 정오각형 (✐n, n, 108, 108, 72, 5, 정오각형)

38 정사각형　**39** 정육각형　**40** 정구각형

41 정십이각형　**42** 정이십각형　☺ $n-2$, n

08 다각형의 외각의 크기의 합 118쪽

1 360°　**2** 360°　**3** 360°　**4** 360°

5 360°　**6** 360°　**7** 360°　☺ 360

8 70° (✐360, 70)　**9** 85°　**10** 80°

11 65°　　**12** 110°

13 50° (✐360, 360, 50)　　**14** 30°

15 85°　**16** 70°　**17** 360°

18 72° (✐5, 72)　**19** 90°　**20** 60°

21 45°　**22** 30°　**23** 20°　**24** 18°

25 정오각형 (✐72, 5, 정오각형)

26 정삼각형　**27** 정육각형　**28** 정팔각형

29 정구각형　**30** 정십이각형　**31** 정이십각형

32 정육각형 (✐1, 60, 60, 6, 정육각형)

33 정사각형　　**34** 정오각형

35 정십이각형　　**36** ④

37 140° (✐2, 2, 9, 정구각형, 9, 140)

38 120°　**39** 135°　**40** 144°　**41** 150°

42 108° (✐2, 5, 정오각형, 5, 5, 108)

43 135°　**44** 144°　**45** 150°　**46** ③

47 60° (✐2, 2, 2, 6, 정육각형, 6, 60)

48 72°　**49** 45°　**50** 30°

☺ $n-2$, 360

TEST 123쪽

1 ③, ④　　**2** ⑤　　**3** ②

4 ②　　**5** 34°　　**6** 정구각형

6 원과 부채꼴

01 원과 부채꼴 126쪽

원리확인 **❶** 활꼴　**❷** 호　**❸** 현　**❹** 부채꼴

1, **2**, **3**, **4** (도형)

5 $\overarc{AB}$　**6** $\overarc{BC}$　**7** $\overline{BC}$　**8** $\angle AOB$

9 $\angle BOC$　**10** $\angle BOC$　**11** ×　**12** ○

13 ○　**14** ×　**15** ○　**16** ×

17 ④

02 부채꼴; 중심각의 크기와 호의 길이 128쪽

원리확인 2 cm, 3 cm, 4 cm, 정비례

1 10　**2** 3　**3** 40　**4** 65

☺ 호, 중심각　　**5** 6 (✐12, 6)

6 6　　**7** 5　　**8** 35　　☺ 정비례

9 $x=4$, $y=105$ (✐2, 4, 6, 105)

10 $x=4$, $y=75$　　**11** $x=10$, $y=50$

13 $\angle x=45°$, $\angle y=135°$

14 $\angle x=44°$, $\angle y=136°$

15 $\angle x=50°$, $\angle y=130°$

16 $\angle x=115°$, $\angle y=65°$

17 $\angle x=85°$, $\angle y=120°$ (✏ 85, 60, 120)

18 $\angle x=80°$, $\angle y=70°$

19 $\angle x=42°$, $\angle y=105°$

20 $\angle x=131°$, $\angle y=50°$

21 $\angle x=120°$, $\angle y=100°$

22 $\angle x=96°$, $\angle y=50°$

23 $\angle x=125°$, $\angle y=85°$

24 $\angle x=120°$, $\angle y=60°$

25 $\angle x=80°$, $\angle y=135°$

☺ 180°, $\angle h$, 180°

26 60° (✏ 180, 80, 40, 180, 60)

27 70°   **28** 55°   **29** 90°   **30** 80°

31 60° (✏ 180, 72, 48, 180, 60)

32 62°   **33** 40°   **34** 30°   **35** ①

03 평행선과 꺾인 선 62쪽

1 85° (✏ 30, 55, 85)   **2** 98°   **3** 65°

4 80°   **5** 20°   ☺ $\angle a$, $\angle b$

6 100° (✏ 40, 60, 100) **7** 45°   **8** 33°

9 ①

10 115° (✏ 70, ④, 30, 70, 40, 40, 75, 40, 75, 115)   **11** 30°   **12** 35°

04 평행선과 종이접기 64쪽

원리확인 ❶ 55, 55, 180, 55, 55, 180, 70

❷ 70, 70, 180, 70, 70, 180, 40

1 54°   **2** 100°   **3** 134°   **4** 24°

5 26°   **6** 44°   **7** 40°   **8** 52°

9 78°   **10** 82°   **11** 73°   **12** 75°

13 54°   **14** 30°   **15** ④

05 두 직선이 평행할 조건 66쪽

1 동위각, 같으므로, 평행하다

2 44, 엇각, 같지 않으므로, 평행하지 않다

3 70, 72, l, n, 동위각, 70, l, n

4 44, l, m, 엇각, 44, l, m **5** ③

TEST 67쪽

1 ④   **2** $\angle x=48°$, $\angle y=67°$ **3** ①

4 ②   **5** 34°   **6** ②

4 작도와 합동

01 길이가 같은 선분의 작도 70쪽

1 ×   **2** ○   **3** ×   **4** ×

5 ×   **6** ○   **7** ×   **8** ×

9 ❶ 눈금 없는 자 ❷ 컴퍼스 ❸ $\overline{AB}$

10 풀이 참조   **11** 풀이 참조

12 풀이 참조   **13** 풀이 참조

---

14 ❶ 컴퍼스 ❷ $\overline{AB}$, C ❸ 눈금 없는 자

☺ ❸, ❶, ❷   **15** ②, ③

02 크기가 같은 각의 작도 72쪽

1 ❶ A, B ❷ D ❸ 컴퍼스, $\overline{AB}$ ❹ $\overline{AB}$, C

❺ CPD

2 풀이 참조   **3** 풀이 참조   **4** 풀이 참조

5 풀이 참조   ☺ ❺, ❶, ❹

6 ❶ Q ❷ A, B ❸ C ❹ 컴퍼스, $\overline{AB}$

❺ $\overline{AB}$, D ❻ P, D, PD

7 풀이 참조   **8** 풀이 참조

☺ ❺, ❶, ❻, ❷   **9** ①, ④

03 삼각형 74쪽

1 (1) $\overline{BC}$ (2) $\overline{AC}$ (3) $\overline{AB}$ (4) $\angle C$ (5) $\angle A$

(6) $\angle B$ **2** (1) 5 cm (2) 7 cm (3) 67°

3 (1) 7 cm (2) 52° (3) 80°   **4** >, 3, 없다

5 ○   **6** ×   **7** ○

8 ○   **9** ×   **10** ×

11 6, 4, 6, 10, 6, 6, 4, x, 2, 2, 10

12 $2<x<12$ **13** $4<x<16$ **14** $x>3$

15 $x>4$ **16** ⑤

04 삼각형의 작도 76쪽

1 ❶ l, 선분, a, BC ❷ c, b ❸ B, A

2 풀이 참조   **3** 풀이 참조   **4** 풀이 참조

5 풀이 참조   **6** 풀이 참조   **7** 풀이 참조

☺ ❺, ❶, ❷, ❺, ❷, ❶

8 ❶ 각 ❷ 선분, c, a ❸ C

9 풀이 참조   **10** 풀이 참조   **11** 풀이 참조

12 풀이 참조   **13** 풀이 참조   **14** 풀이 참조

☺ ❹, ❶, ❸, ❷, ❶, ❸

15 ❶ 선분, a ❷ 각, B, C ❸ A

16 풀이 참조   **17** 풀이 참조   **18** 풀이 참조

19 풀이 참조   **20** 풀이 참조   **21** 풀이 참조

☺ ❷, ❶, ❹, ❶   **22** ○   **23** ○

24 ○   **25** ×   **26** ○   **27** ○

05 삼각형의 결정조건 80쪽

1 ○   **2** ○   **3** ○   **4** ×

5 ○   **6** ×   **7** ○   **8** ×

☺ b, c, B, B, C

9 (1) × (2) ○ (3) ○ (4) ○

10 (1) ○ (2) ○ (3) ○ (4) ○

11 (1) ○ (2) × (3) ○ **12** (1) ○ (2) ○ (3) ○

13 ⑤

06 도형의 합동 82쪽

1 △DEF **2** △HGI **3** △GIH **4** □ILKJ

5 □HEFG **6** 점 E   **7** 점 H   **8** 점 C

9 변 EF   **10** 변 FG   **11** 변 CD   **12** $\angle H$

13 $\angle B$ **14** $\angle A$

15 (1) 점 E (2) 변 AC (3) $\angle D$

16 (1) 점 C (2) 변 ED (3) $\angle A$ **17** ③, ④

---

18 (1) 8 cm (2) 60° (3) 70°

19 (1) 6 cm (2) 30° (3) 25°

20 (1) 7 cm (2) 60° (3) 65°

21 (1) 8 cm (2) 45° (3) 80°

22 (1) 7 cm (2) 8 cm (3) 90° (4) 100°

23 (1) 9 cm (2) 8 cm (3) 95° (4) 95°

24 (1) 5 cm (2) 75° (3) 90° (4) 55°

25 (1) 6 cm (2) 80° (3) 115° (4) 90°

26 ○   **27** ○   **28** ○   **29** ○

30 ×   **31** ×   **32** ×   **33** ×

34 ×   ☺ D, E, $\overline{EF}$ **35** ⑤

07 삼각형의 합동 조건 86쪽

원리확인 ❶ $\overline{DE}$, $\overline{BC}$, $\overline{FD}$, 변, 길이, SSS

❷ $\overline{DE}$, $\angle E$, $\overline{BC}$, 변, 길이, 끼인각, 크기, SAS

❸ $\angle A$, $\overline{DE}$, $\angle E$, 변, 길이, 각, 크기, ASA

1 △ACB, $\overline{BA}$, 10, $\angle$OMN, 32, $\overline{AC}$, 5, △ACB, SAS

2 △IGH, $\overline{GHI}$, 45, $\overline{HI}$, 8, $\angle$GIH, 180, 65, △IGH, ASA

3 △FDE, $\overline{FD}$, 6, $\overline{KL}$, 10, $\overline{EF}$, 8, △FDE, SSS

4 ✕   **5** ✕   **6** ○   **7** ×

8 ○   **9** ×   **10** ○   **11** ○

12 ×

13 (1) $\overline{EF}$, △DEF, SSS (2) $\angle D$, △DEF, SAS

14 (1) $\overline{DF}$, △DFE, SAS (2) $\angle E$, △DFE, ASA

(3) $\angle F$, 180, 180, $\angle F$, $\angle E$, △DFE, ASA

15 (1) $\overline{DE}$, △DEF, ASA

(2) $\overline{EF}$, $\angle F$, △DEF, ASA

(3) $\overline{FD}$, $\angle F$, △DEF, ASA

16 $\overline{AD}$, $\overline{DC}$, $\overline{CA}$, △ADC, SSS

17 $\overline{OC}$, $\overline{OD}$, $\angle$COD, △OCD, SAS

18 $\overline{AC}$, $\overline{DC}$, $\angle$DCA, $\overline{BC}$, $\angle$CAD, △CDA, ASA

19 $\overline{MC}$, ⊥, $\overline{AM}$, $\overline{CM}$, $\angle$AMC, 90, $\angle$ACM, SAS

20 $\overline{CD}$, $\overline{CB}$, $\overline{BD}$, △CDB, SSS

21 △CDA, SAS

22 $\overline{CO}$, $\overline{OB}$, $\angle$O, △COB, SAS

23 △DOC, ASA   **24** △BOP, ASA

25 ④

TEST 91쪽

1 ⑤   **2** ①   **3** 5

4 125   **5** ⑤   **6** ③, ⑤

5 다각형의 성질

01 다각형 94쪽

원리확인 ❶ ×   ❷ ○   ❸ ×

❹ ○   ❺ ×   ❻ ×

❹ 10   **❺** 2π, 10, 20π

1 (1) (36π+144) cm² (2) 72π cm³
2 (1) (56π+96) cm² (2) 96π cm³
3 (1) (14π+20) cm² (2) 10π cm³

TEST 187쪽

1 ③   2 80π cm³ 3 ②   4 ④
5 ⑤   6 (64π+120) cm², 120π cm³

9 입체도형의 겉넓이와 부피(2)
01 각뿔의 겉넓이와 부피 190쪽

원리확인 ❶ 5 (1) 6, 36 (2) 5, 60 (3) 36, 60, 96
❷ (1) 4, 5, 10 (2) 6 (3) 10, 6, 20

1 (1) 25 cm² (2) 90 cm² (3) 115 cm²
2 (1) 36 cm² (2) 96 cm² (3) 132 cm²
3 (1) 49 cm² (2) 168 cm² (3) 217 cm²
4 (1) 16 cm² (2) 40 cm² (3) 56 cm²
5 (1) 100 cm² (2) 260 cm² (3) 360 cm²
6 (1) 36 cm² (2) 108 cm² (3) 144 cm²
☺ 1, 삼각형   7 80 cm² 8 120 cm²
9 297 cm² 10 ②
11 (1) 12 cm² (2) 6 cm (3) 24 cm³
12 (1) 20 cm² (2) 9 cm (3) 60 cm³
13 (1) 36 cm² (2) 9 cm (3) 108 cm³
14 (1) 16 cm² (2) 5 cm (3) $\frac{80}{3}$ cm³
15 (1) 42 cm² (2) 8 cm (3) 112 cm³
16 (1) 80 cm² (2) 12 cm (3) 320 cm³
☺ 각기둥, $\frac{1}{3}$ 17 75 cm³ 18 112 cm³
19 75 cm³ 20 ⑤

02 원뿔의 겉넓이와 부피 194쪽

원리확인 ❶ 9, 5 (1) 5, 25π (2) 5, 9, 45π
(3) 25π, 45π, 70π
❷ 7, 3 (1) 3, 9π (2) 3, 7, 21π
(3) 9π, 21π, 30π
❸ (1) 3, 9π (2) 4 (3) 9π, 4, 12π
❹ (1) 6, 36π (2) 8 (3) 36π, 8, 96π

1 (1) 16π cm² (2) 36π cm² (3) 52π cm²
2 (1) 25π cm² (2) 60π cm² (3) 85π cm²
3 (1) 9π cm² (2) 18π cm² (3) 27π cm²
4 126π cm² 5 75π cm² 6 200π cm²
☺ 원, 부채꼴
7 20π cm² (✎ 8, 90, 2, 2, 2, 8, 20π)
8 36π cm² 9 $\frac{85}{4}$π cm² ☺ 호, 둘레
10 64π cm² (✎ 120, 4, 12, 4, 4, 12, 64π)
11 90π cm² 12 45π cm² 13 ③
14 (1) 25π cm² (2) 12 cm (3) 100π cm³
15 (1) 9π cm² (2) 4 cm (3) 12π cm³
16 (1) 25π cm² (2) 9 cm (3) 75π cm³

17 147π cm³   18 8π cm³
19 144π cm³   20 ②

03 뿔대의 겉넓이와 부피 198쪽

원리확인 ❶ 5 (1) 6, 180 (2) 6, 5, 180
(3) 180, 180, 360 (4) 12, 8, 384 (5) 6, 48
(6) 384, 48, 336 ❷ 4 (1) 4, 80π
(2) 8, 10, 4, 5, 60π (3) 80π, 60π, 140π
(4) 8, 6, 128π (5) 4, 3, 16π
(6) 128π, 16π, 112π

1 138 cm²   2 240 cm²   3 164 cm²
4 82π cm²   5 224 cm³   6 78 cm²
7 84π cm³   8 228π cm³

04 구의 겉넓이와 부피 200쪽

1 16π cm² (✎ 2, 16π)   2 36π cm²
3 64π cm²   4 100π cm²   5 144π cm²
6 196π cm² ☺ 4πr², πr², 4
7 ③   8 $\frac{32}{3}$π cm³ (✎ 2, $\frac{32}{3}$π)
9 36π cm³   10 $\frac{256}{3}$π cm³ 11 288π cm³
12 $\frac{500}{3}$π cm³ 13 $\frac{4}{3}$π cm³ ☺ 1, 2
14 ④

05 잘라낸 구의 겉넓이와 부피 202쪽

1 (1) 27π cm² (✎ 3, 3, 18π, 9π, 27π)
(2) 18π cm³ (✎ 3, 18π)
2 (1) 48π cm² (2) $\frac{128}{3}$π cm³
3 (1) 108π cm² (2) 144π cm³
☺ πr², 4πr², 3πr²
4 16π cm² (✎ 2, 3, 12π, 2, 2, 4π, 12π, 4π, 16π)
5 144π cm²   6 128π cm²   7 17π cm²
8 80π cm²   9 8π cm³ (✎ 2, 3, 8π)
10 9π cm³   11 252π cm³ 12 $\frac{256}{3}$π cm³

06 두 입체도형을 붙였을 때 겉넓이와 부피 204쪽

1 80π cm²
(✎ 2π, 4, 6, 4, 5, 4, 24π, 40π, 16π, 80π)
2 36π cm² 3 155π cm² 4 20π cm² 5 66π cm²
6 112π cm³ (✎ 4, 6, 4, 32π, 80π, 112π)
7 30π cm³   8 $\frac{850}{3}$π cm³ 9 16π cm³
10 81π cm³ 11 $\frac{448}{3}$π cm³ 12 159π cm³
13 ③

07 여러 가지 입체도형의 부피의 활용 206쪽

1 $\frac{32}{3}$ cm³ (✎ 4, 4, 8, 4, 8, 4, $\frac{32}{3}$) 2 $\frac{125}{6}$ cm³
3 32 cm³ 4 $\frac{35}{2}$ cm³ 5 $\frac{21}{2}$ cm³ 6 $\frac{32}{3}$ cm³
7 27 cm³ (✎ 6, 3, 27) 8 192 cm³ 9 10 cm³

10 $\frac{32}{3}$ cm³
11 8 (✎ 6, 2, 72π, 3, 9πh, 72π, 9πh, 8)
12 4   13 12
14 $\frac{24}{5}$ (✎ 12, 72, 4, 6, 3, 15h, 72, 15h, $\frac{24}{5}$)
15 $\frac{4}{3}$ 16 2   17 432π cm³
18 144π cm³ 19 288π cm³ 20 3 : 1 : 2

TEST 209쪽

1 ③   2 ③   3 1300π cm³
4 ④   5 2016π cm³ 6 ④

10 자료의 정리와 해석(1)
01 줄기와 잎 그림 212쪽

원리확인 ❶ 십, 일 ❷ 2

1 8, 3, 3, 7, 1

2

6	2 5 7 8
7	0 3 5 6 7
8	2 6 8 8
9	4 6 6

☺ 자료

3

1	5 8
2	0 4 5 6 7 9
3	2 5 5 6 8
4	0 3 4 9
5	4 5 8

4

16	2 4 6 8
17	2 2 5 7 8
18	0 2 4
19	0 3

5 (1) 7, 8, 8, 9 (2) 4 (3) 20명 (4) 4명
6 (1) 3 (2) 22명 (3) 5명
7 (1) 47점 (2) 11명 (3) 38점 (4) 25점
8 (1) 8명 (2) 73세 (3) 46세
9 (1) 33 (2) 8명 (3) 21   10 ④
11 (1) 12명 (2) 11명 (3) 7 (4) 35점 (5) 8명
12 (1) 17명, 16명 (2) 1반 (3) 1반 (4) 43시간
13 ⑤

02 도수분포표 216쪽

1 3, 5, 6, 4   2 8, 7, 8, 4, 3

3

140이상 ~150미만	5
150 ~160	7
160 ~170	5
170 ~180	3

4

0이상 ~10미만	8
10 ~20	8
20 ~30	4
30 ~40	3
40 ~50	3
50 ~60	1

5 (1) 3, 3 (2) 4 (3) 4 (4) 3, 6 (5) 20
(6) 6, 8, 14
6 (1) 2권 (2) 5 (3) 2권 이상 4권 미만 (4) 3명
(5) 5명 (6) 13명 (7) 4권 이상 6권 미만
7 (1) 5명 (2) 4 (3) 25명 이상 30명 미만
(4) 3일 (5) 4일 (6) 13일
(7) 15명 이상 20명 미만
8 (1) 9 (2) 5명 (3) 12명 (4) 30점 이상 40점 미만

원리확인 ✕

1 풀이 참조, $\overline{AD}$, $\overline{AE}$, $\overline{BC}$, $\overline{BF}$ ($\diagdown\overline{AE}$, $\overline{BC}$, $\overline{BF}$)
2 풀이 참조, $\overline{AB}$, $\overline{BF}$, $\overline{CD}$, $\overline{CG}$
3 풀이 참조, $\overline{BC}$, $\overline{CD}$, $\overline{FG}$, $\overline{GH}$
4 풀이 참조, $\overline{AE}$, $\overline{EF}$, $\overline{DH}$, $\overline{HG}$
5 풀이 참조, $\overline{CD}$, $\overline{EF}$, $\overline{GH}$ ($\diagdown\overline{EF}$, $\overline{GH}$)
6 풀이 참조, $\overline{AE}$, $\overline{CG}$, $\overline{DH}$
7 풀이 참조, $\overline{AD}$, $\overline{BC}$, $\overline{EH}$
8 풀이 참조, $\overline{AE}$, $\overline{BF}$, $\overline{CG}$
9 풀이 참조, $\overline{DH}$, $\overline{EH}$, $\overline{CG}$, $\overline{FG}$ ($\diagdown\overline{EH}$, $\overline{CG}$, $\overline{FG}$)
10 풀이 참조, $\overline{AB}$, $\overline{AD}$, $\overline{EF}$, $\overline{EH}$
11 풀이 참조, $\overline{AB}$, $\overline{AE}$, $\overline{CD}$, $\overline{DH}$
12 풀이 참조, $\overline{AB}$, $\overline{BC}$, $\overline{EF}$, $\overline{FG}$
☺ 한 점에서 만난다, 일치한다 / 평행하다, 꼬인 위치에 있다 / 한 점에서 만난다, 일치한다, 평행하다
13 (1) $\overline{AB}$, $\overline{AD}$, $\overline{BC}$, $\overline{CD}$ (2) $\overline{AD}$ (3) $\overline{AB}$
14 (1) $\overline{AB}$, $\overline{BC}$, $\overline{AD}$, $\overline{CF}$ (2) $\overline{AD}$, $\overline{CF}$ (3) $\overline{AB}$, $\overline{AC}$, $\overline{AD}$
15 $\overline{AB}$, $\overline{BC}$, $\overline{AE}$, $\overline{ED}$ (2) $\overline{BC}$, $\overline{CD}$ (3) $\overline{AB}$, $\overline{AE}$
16 (1) $\overline{AB}$, $\overline{BF}$, $\overline{CD}$, $\overline{CG}$ (2) $\overline{AB}$, $\overline{CD}$, $\overline{EF}$ (3) $\overline{AD}$, $\overline{CD}$, $\overline{EH}$, $\overline{GH}$
17 (1) $\overline{AB}$, $\overline{BC}$, $\overline{AD}$, $\overline{CD}$, $\overline{AE}$, $\overline{CG}$ (2) $\overline{AD}$, $\overline{EH}$, $\overline{FG}$ (3) $\overline{BF}$, $\overline{DH}$, $\overline{EF}$, $\overline{FG}$, $\overline{GH}$, $\overline{EH}$
18 (1) $\overline{AB}$, $\overline{AC}$, $\overline{AD}$, $\overline{BE}$, $\overline{DE}$, $\overline{EF}$ (2) $\overline{AC}$, $\overline{DG}$ (3) $\overline{AB}$, $\overline{AE}$, $\overline{BE}$, $\overline{DE}$, $\overline{EF}$
19 ○ 20 ○ 21 × 22 ○
23 × ☺ 0, 1, 2 24 ③, ④

원리확인 ✕

1 풀이 참조, $\overline{AE}$, $\overline{BF}$, $\overline{CG}$, $\overline{DH}$ ($\diagdown\overline{BF}$, $\overline{CG}$, $\overline{DH}$)
2 풀이 참조, $\overline{AD}$, $\overline{BC}$, $\overline{FG}$, $\overline{EH}$
3 풀이 참조, $\overline{AB}$, $\overline{CD}$, $\overline{EF}$, $\overline{GH}$
4 풀이 참조, $\overline{AD}$, $\overline{BC}$, $\overline{EH}$, $\overline{FG}$
5 풀이 참조, $\overline{AB}$, $\overline{CD}$, $\overline{EF}$, $\overline{GH}$
6 풀이 참조, $\overline{EF}$, $\overline{FG}$, $\overline{GH}$, $\overline{HE}$ ($\diagdown\overline{FG}$, $\overline{GH}$, $\overline{HE}$)
7 풀이 참조, $\overline{CD}$, $\overline{DH}$, $\overline{GH}$, $\overline{CG}$
8 풀이 참조, $\overline{AD}$, $\overline{AE}$, $\overline{EH}$, $\overline{DH}$
9 풀이 참조, $\overline{AB}$, $\overline{BF}$, $\overline{EF}$, $\overline{AE}$
10 풀이 참조, $\overline{BC}$, $\overline{BF}$, $\overline{CG}$, $\overline{FG}$
11 풀이 참조, 면 ABCD, 면 ABFE ($\diagdown$ABFE)

12 풀이 참조, 면 ABFE, 면 BFGC
13 풀이 참조, 면 AEHD, 면 EFGH
14 풀이 참조, 면 ABCD, 면 BFGC
15 풀이 참조, 면 AEHD, 면 CGHD
16 풀이 참조, 면 ABFE, 면 CGHD ($\diagdown$CGHD)
17 풀이 참조, 면 ABCD, 면 EFGH
18 풀이 참조, 면 AEHD, 면 BFGC
19 풀이 참조, 면 ABFE, 면 CGHD
☺ ⊥
20 (1) 면 ABC, 면 ABED (2) $\overline{AD}$, $\overline{BE}$, $\overline{CF}$ (3) 면 BEFC (4) 면 ABC, 면 DEF
21 (1) 면 BFGC, 면 AEHD, 면 AEFB (2) 면 BFGC, 면 EFGH (3) $\overline{AD}$, $\overline{AE}$, $\overline{EH}$, $\overline{DH}$ (4) $\overline{AE}$, $\overline{BF}$, $\overline{CG}$, $\overline{DH}$
22 (1) $\overline{CD}$, $\overline{CG}$, $\overline{GH}$, $\overline{DH}$ (2) $\overline{AD}$, $\overline{BC}$, $\overline{EH}$, $\overline{FG}$, $\overline{CG}$, $\overline{DH}$ (3) $\overline{AB}$, $\overline{CD}$, $\overline{EF}$, $\overline{GH}$ (4) 면 AEHD, 면 BFGC
23 (1) 면 ABCDEF, 면 GHIJKL (2) 면 BHGA, 면 AGLF (3) $\overline{AG}$, $\overline{BH}$, $\overline{CI}$, $\overline{DJ}$, $\overline{EK}$, $\overline{FL}$ (4) 점 G
24 × 25 ○ 26 ○ 27 ○
28 × ☺ 0, 1, 2 29 ③

원리확인 ✕

1 면 ABFE, 면 BFGC, 면 CGHD, 면 AEHD ($\diagdown$BFGC, CGHD, AEHD)
2 면 ABCD, 면 BFGC, 면 EFGH, 면 AEHD
3 면 ABCD, 면 ABFE, 면 EFGH, 면 CGHD
4 면 ABCD, 면 BFGC, 면 EFGH, 면 AEHD
5 면 ABFE, 면 BFGC, 면 CGHD, 면 AEHD
6 면 EFGH ($\diagdown$EFGH)
7 면 CGHD 8 면 AEHD 9 면 ABFE
10 면 ABCD
11 면 ABFE, 면 BFGC, 면 CGHD, 면 AEHD($\diagdown$BFGC, CGHD, AEHD)
12 면 ABCD, 면 BFGC, 면 EFGH, 면 AEHD
13 면 ABCD, 면 ABFE, 면 EFGH, 면 CGHD
14 면 ABCD, 면 BFGC, 면 EFGH, 면 AEHD
15 면 ABFE, 면 BFGC, 면 CGHD, 면 AEHD
16 (1) 면 DEF (2) 면 ABC, 면 ABED, 면 DEF, 면 ADFC (3) 면 ABC, 면 ADFC, 면 DEF
17 (1) 면 ABCD (2) 면 ABCD, 면 BFGC, 면 EFGH, 면 AEHD, 면 AEFB (3) 면 ABCD, 면 EFGH
18 (1) 면 ABHG, 면 FLKE, 면 ABCDEF, 면 GHIJKL, 면 BHIC, 면 DJKE (2) 면 DJKE

(3) 면 ABHG, 면 BHIC, 면 CIJD, 면 DJKE, 면 FLKE, 면 AGLF
19 (1) 면 ABC (2) $\overline{CF}$ (3) 면 ADEB, 면 DEF
20 (1) 면 EFGH (2) $\overline{AE}$ (3) 면 BFGC, 면 CGHD
21 (1) 면 FGHIJ (2) $\overline{FJ}$ (3) 면 AFGB, 면 AFJE
22 ○ 23 × 24 ○ 25 ×
26 ○ ☺ ✕ 27 ③ 28 $\overline{AD}$, $\overline{BF}$
29 $\overline{AE}$, $\overline{AD}$, $\overline{EF}$, $\overline{DG}$ 30 면 BFGC
31 면 AEB, 면 BEF 32 면 DEFG
33 면 AED, 면 BEF, 면 BFGC, 면 ADGC
34 직선 AD, 직선 DH, 직선 BC, 직선 CG, 직선 HG
35 직선 DH, 직선 EH, 직선 CG, 직선 FG, 직선 HG
36 $\overline{AE}$, $\overline{BF}$, $\overline{CG}$, $\overline{DH}$, $\overline{EF}$, $\overline{HG}$
37 $\overline{AE}$, $\overline{EH}$, $\overline{DH}$, $\overline{AD}$
38 면 AEHD, 면 BFGC
39 면 BFGC 40 × 41 ○
42 × 43 ○ 44 × 45 ○
46 × 47 ○ 48 ○ 49 ×
50 ○ 51 × 52 × 53 ○

TEST 53쪽

1 ② 2 ㄴ, ㄹ 3 ④, ⑤ 4 ⑤
5 (1) 면 BFGC, 면 EFGH (2) 면 CGHD, 면 EFGH (3) $\overline{AE}$, $\overline{BF}$, $\overline{CG}$, $\overline{DH}$ 6 3

3 평행선
01 동위각과 엇각 56쪽

1 (1) $\angle e$ (2) $\angle f$ (3) $\angle h$ (4) $\angle a$ (5) $\angle c$ (6) $\angle d$
2 (1) $\angle f$ (2) $\angle e$ (3) $\angle c$ (4) $\angle d$
3 (1) $\angle y$ (2) $\angle w$ (3) $\angle a$ (4) $\angle c$ (5) $\angle d$ (6) $\angle b$ ☺ 동위각, 엇각
4 (1) 110, 70 (2) 110
5 (1) $\angle f$, $\angle f$, 75, 105 (2) $\angle e$, $\angle e$, 75
6 (1) $\angle c$, $\angle c$, 60, 120 (2) $\angle d$, $\angle d$, 40, 140
7 (1) 85° (2) 70° (3) 110° (4) 70°
8 (1) 65° (2) 115° (3) 100° (4) 80° 9 ④

02 평행선의 성질 58쪽

1 72° 2 65° 3 45° 4 140°
5 55° 6 30° 7 110° ☺ =, =
8 $\angle x=55°$, $\angle y=125°$ ($\diagdown$55, 55, 125)
9 $\angle x=70°$, $\angle y=110°$
10 $\angle x=85°$, $\angle y=95°$
11 $\angle x=75°$, $\angle y=105°$
12 $\angle x=155°$, $\angle y=25°$

수학은 개념이다!

디딤돌의 중학 수학 시리즈는
여러분의 수학 자신감을 높여 줍니다.

개념 이해
디딤돌수학 개념연산

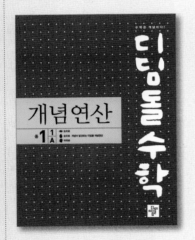

다양한 이미지와 단계별 접근을 통해
개념이 쉽게 이해되는 교재

개념 적용
디딤돌수학 개념기본

개념 이해, 개념 적용, 개념 완성으로
개념에 강해질 수 있는 교재

개념 응용
최상위수학 라이트

개념을 다양하게 응용하여
문제해결력을 키워주는 교재

개념 완성

디딤돌수학 개념연산과 개념기본은 동일한 학습 흐름으로 구성되어 있습니다.
연계 학습이 가능한 개념연산과 개념기본을 통해
중학 수학 개념을 완성할 수 있습니다.

수학은 개념이다!

개념연산

중 1 1/2 정답과 풀이

디딤돌수학

수학은 개념이다!

디딤돌수학

개념연산

중 **1** / **2**   정답과 풀이

디딤돌

1 기본 도형

01

본문 10쪽

점, 선, 면

1 ○   2 ×   3 ○   4 ×

5 ○   6 ×   7 ×

8 (1) ㄱ, ㄷ, ㅂ (2) ㄴ, ㄹ, ㅁ   9 꼭짓점 C

10 꼭짓점 E 11 꼭짓점 D 12 꼭짓점 H 13 모서리 BC

14 모서리 AE   15 8, 12   16 5, 8

17 6, 9   18 7, 12   ☺ 꼭짓점, 모서리

19 ③

2 점이 움직인 자리는 선이 된다.

4 교점은 선과 선, 선과 면이 만나서 생긴다.

6 한 평면 위에 있는 도형은 평면도형이다.

7 삼각형과 사각형은 평면도형이고, 오각뿔은 입체도형이다.

19 ㄴ. 교선은 모두 9개이다.
ㄷ. 모서리 BE와 모서리 EF의 교점은 꼭짓점 E이다.
따라서 옳은 것은 ③이다.

02

본문 12쪽

직선, 반직선, 선분

원리확인

$\overrightarrow{AB}$, 반직선 AB, $\overrightarrow{BA}$, 반직선 BA, $\overline{AB}(\overline{BA})$,
선분 AB(선분 BA)

1 $\overleftrightarrow{MN}$ 2 $\overrightarrow{MN}$ 3 $\overrightarrow{NM}$ 4 $\overline{MN}$

17 =   18 ≠   19 =   ☺ 시작점, 방향

20 $\overrightarrow{CA}$ 21 $\overrightarrow{BC}$ 22 $\overrightarrow{CB}$ 23 $\overrightarrow{AB}$

24 $\overline{CB}$ 25 $\overline{BA}$ 26 ④, ⑤

27 , 무수히 많다.

28 , 1   ☺ 무수히 많다, 하나

29 3   30 6   31 3   32 6

33 12   34 6   ☺ 2   35 ②

26 ① $\overleftrightarrow{PQ}=\overleftrightarrow{QP}$
② $\overrightarrow{PQ}$와 $\overrightarrow{QR}$는 시작점이 다르므로 $\overrightarrow{PQ}\neq\overrightarrow{QR}$
③ $\overrightarrow{PQ}\neq\overrightarrow{QR}$

29 $\overleftrightarrow{AB}$, $\overleftrightarrow{BC}$, $\overleftrightarrow{CA}$

30 $\overrightarrow{AB}$, $\overrightarrow{BA}$, $\overrightarrow{BC}$, $\overrightarrow{CB}$, $\overrightarrow{CA}$, $\overrightarrow{AC}$

31 $\overline{AB}$, $\overline{BC}$, $\overline{CA}$

32 $\overleftrightarrow{AB}$, $\overleftrightarrow{BC}$, $\overleftrightarrow{CD}$, $\overleftrightarrow{DA}$, $\overleftrightarrow{AC}$, $\overleftrightarrow{BD}$

33 $\overrightarrow{AB}$, $\overrightarrow{BA}$, $\overrightarrow{BC}$, $\overrightarrow{CB}$, $\overrightarrow{CD}$, $\overrightarrow{DC}$, $\overrightarrow{DA}$, $\overrightarrow{AD}$, $\overrightarrow{AC}$, $\overrightarrow{CA}$, $\overrightarrow{BD}$, $\overrightarrow{DB}$

34 $\overline{AB}$, $\overline{BC}$, $\overline{CD}$, $\overline{DA}$, $\overline{AC}$, $\overline{BD}$

35 서로 다른 직선은 l의 1개이므로 $a=1$

서로 다른 반직선은 $\overrightarrow{PQ}$, $\overrightarrow{QP}$, $\overrightarrow{QR}$, $\overrightarrow{RQ}$, $\overrightarrow{RS}$, $\overrightarrow{SR}$의

6개이므로 $b=6$

서로 다른 선분은 $\overline{PQ}$, $\overline{PR}$, $\overline{PS}$, $\overline{QR}$, $\overline{QS}$, $\overline{RS}$의

6개이므로 $c=6$

따라서 $a+b+c=1+6+6=13$

두 점 사이의 거리

1 7	**2** 12	**3** 5	**4** 13
5 8	**6** 15 cm	**7** 17 cm	**8** 21 cm
9 9 cm	**10** 18 cm ☺ 4		

11 (1) $\frac{1}{2}$, 8　(2) $\frac{1}{2}$, 8　(3) 2, 2

12 (1) $\frac{1}{2}$, 17　(2) $\frac{1}{2}$, 17　**13** (1) 3　(2) 2, 6

14 (1) 7　(2) 2, 14　　　　　**15** (1) 12　(2) $\frac{1}{2}$, 6　(3) 2, 24

16 (1) $\frac{1}{2}$, 15　(2) $\frac{1}{2}$, $\frac{1}{2}$, $\frac{1}{2}$, $\frac{1}{4}$, $\frac{15}{2}$　(3) 30, $\frac{15}{2}$, $\frac{45}{2}$

17 (1) $\frac{1}{2}$, 14　(2) $\frac{1}{2}$, $\frac{1}{2}$, $\frac{1}{2}$, $\frac{1}{4}$, 7　(3) 21　(4) 2, 2, 4

18 (1) $\frac{1}{2}$, $\frac{1}{2}$　(2) $\frac{1}{2}$, $\frac{1}{2}$, $\frac{1}{2}$, $\frac{1}{2}$　(3) 2, 16

19 3 cm　**20** 20 cm　**21** 30 cm　**22** 22 cm

23 (1) 3　(2) $\frac{1}{3}$, 6　(3) 2, 12

24 (1) 5 cm　(2) 10 cm　(3) 15 cm　　**25** ③, ⑤

---

19 $\overline{MB}=\frac{1}{2}\overline{AB}$이므로

$\overline{MN}=\frac{1}{2}\overline{MB}=\frac{1}{2}\times\frac{1}{2}\overline{AB}$

$=\frac{1}{4}\overline{AB}=\frac{1}{4}\times12=3(\text{cm})$

20 $\overline{AM}=2\overline{NM}$이므로

$\overline{AB}=2\overline{AM}=2\times2\overline{NM}=4\overline{NM}=4\times5=20(\text{cm})$

21 $\overline{AM}=\overline{MB}=\frac{1}{2}\overline{AB}$이므로

$\overline{MN}=\frac{1}{2}\overline{MB}=\frac{1}{2}\times\frac{1}{2}\overline{AB}=\frac{1}{4}\overline{AB}$

따라서

$\overline{AN}=\overline{AM}+\overline{MN}=\frac{1}{2}\overline{AB}+\frac{1}{4}\overline{AB}$

$=\frac{3}{4}\overline{AB}=\frac{3}{4}\times40=30(\text{cm})$

---

22 $\overline{AB}=2\overline{MB}$, $\overline{BC}=2\overline{BN}$이므로

$\overline{AC}=\overline{AB}+\overline{BC}=2\overline{MB}+2\overline{BN}$

$=2(\overline{MB}+\overline{BN})=2\overline{MN}$

$=2\times11=22(\text{cm})$

24 (1) $\overline{MN}=\overline{AM}=5$ cm

(2) $\overline{MB}=2\overline{AM}=2\times5=10(\text{cm})$

(3) $\overline{AB}=3\overline{AM}=3\times5=15(\text{cm})$

25 ③ $\overline{AB}=\frac{1}{2}\overline{BD}$

⑤ $\overline{AB}=\overline{BC}=\overline{CD}=\frac{1}{3}\overline{AD}$이므로

$2\overline{AC}=2\times\frac{2}{3}\overline{AD}=\frac{4}{3}\overline{AD}$

따라서 옳지 않은 것은 ③, ⑤이다.

각

원리확인

❶ 직　　　❷ 예　　　❸ 둔

❹ 평　　　❺ 예　　　❻ 둔

1 ×	**2** ○	**3** ×	**4** ○
5 ×	**6** ○	**7** ○	

8 ∠BAC, ∠CAB　　**9** ∠ABC, ∠CBA

10 ∠ACB, ∠BCA　　**11** ∠ABC, ∠CBA

12 ∠ACB, ∠BCA　　**13** ∠ACD, ∠DCA

14 둔각　**15** 직각　**16** 예각　**17** 평각

18 예각　**19** 둔각　**20** 직각　**21** 평각

☺ 90, 평각, 예각, 90, 180

22 40 (✏ 90, 40)　　**23** 20　　**24** 10

25 22　　**26** 20　　**27** 16　　**28** 15

29 137 (✏ 180, 137)　　**30** 70　　**31** 80

32 54　　**33** 20　　**34** 35　　**35** 30

36 $\angle x=40°$, $\angle y=60°$, $\angle z=80°$,

(✏ 2, 40, 3, 60, 4, 80)

37 $\angle x=60°$, $\angle y=96°$, $\angle z=24°$

38 $\angle x=90°$, $\angle y=30°$, $\angle z=60°$

39 $\angle x=70°$, $\angle y=60°$, $\angle z=50°$

3 평각의 크기는 $180°$이다.

5 둔각은 $90°$보다 크고 $180°$보다 작은 각이다.

6 평각은 $180°$이므로 $180° \times \dfrac{1}{2} = 90°$

14 $\angle \mathrm{AOD} = 130°$이므로 둔각이다.

15 $\angle \mathrm{AOC} = 90°$이므로 직각이다.

16 $\angle \mathrm{BOC} = 50°$이므로 예각이다.

17 $\angle \mathrm{AOE} = 180°$이므로 평각이다.

18 $\angle \mathrm{BOD} = 75°$이므로 예각이다.

19 $\angle \mathrm{BOE} = 105°$이므로 둔각이다.

20 $\angle \mathrm{COE} = 90°$이므로 직각이다.

21 $\angle \mathrm{EOA} = 180°$이므로 평각이다.

23 $x + 70 = 90$이므로 $x = 20$

24 $5x + 4x = 90$이므로 $9x = 90$
따라서 $x = 10$

25 $x + (3x+2) = 90$이므로 $4x = 88$
따라서 $x = 22$

26 $(x+3) + (3x+7) = 90$이므로 $4x = 80$
따라서 $x = 20$

27 $(2x+15) + (3x-5) = 90$이므로 $5x = 80$
따라서 $x = 16$

28 $(5x-30) + (90-3x) = 90$이므로 $2x = 30$
따라서 $x = 15$

30 $x + 110 = 180$이므로 $x = 70$

31 $70 + x + 30 = 180$이므로 $x = 80$

32 $36 + 90 + x = 180$이므로 $x = 54$

33 $(5x+5) + (2x+35) = 180$이므로 $7x = 140$
따라서 $x = 20$

34 $(2x-25) + (4x-5) = 180$이므로 $6x = 210$
따라서 $x = 35$

35 $x + 3x + 2x = 180$이므로 $6x = 180$
따라서 $x = 30$

37 $\angle x = 180° \times \dfrac{5}{5+8+2} = 60°$

$\angle y = 180° \times \dfrac{8}{5+8+2} = 96°$

$\angle z = 180° \times \dfrac{2}{5+8+2} = 24°$

38 $\angle x = 180° \times \dfrac{3}{3+1+2} = 90°$

$\angle y = 180° \times \dfrac{1}{3+1+2} = 30°$

$\angle z = 180° \times \dfrac{2}{3+1+2} = 60°$

39 $\angle x = 180° \times \dfrac{7}{7+6+5} = 70°$

$\angle y = 180° \times \dfrac{6}{7+6+5} = 60°$

$\angle z = 180° \times \dfrac{5}{7+6+5} = 50°$

05

본문 24쪽

맞꼭지각

1 $\angle \mathrm{DOE}$ 또는 $\angle \mathrm{EOD}$ **2** $\angle \mathrm{COD}$ 또는 $\angle \mathrm{DOC}$

3 $\angle \mathrm{AOE}$ 또는 $\angle \mathrm{EOA}$ **4** $\angle \mathrm{COA}$ 또는 $\angle \mathrm{AOC}$

5 $\angle \mathrm{DOB}$ 또는 $\angle \mathrm{BOD}$ **6** $\angle \mathrm{COE}$ 또는 $\angle \mathrm{EOC}$

7 $\angle \mathrm{AOF}$ 또는 $\angle \mathrm{FOA}$ **8** $\angle \mathrm{COB}$ 또는 $\angle \mathrm{BOC}$

9 $\angle x = 50°$ **10** $\angle x = 110°$

11 $\angle x = 90°$ **12** $\angle x = 20°$, $\angle y = 65°$

13 $\angle x = 30°$, $\angle y = 85°$ **14** 28   **15** 105

16 14   **17** 15   **18** 58   ☺ $\angle b$, $\angle c$

19 $\angle x = 130°$, $\angle y = 50°$ (✏ 130, 180, 50)

20 $\angle x = 80°$, $\angle y = 100°$ **21** $\angle x = 38°$, $\angle y = 142°$

22 $\angle x = 124°$, $\angle y = 56°$ **23** $\angle x = 140°$, $\angle y = 140°$

24 $\angle x = 35°$, $\angle y = 65°$ **25** $\angle x = 30°$, $\angle y = 75°$

14   $3x=84$에서 $x=28$

15   $x+15=120$에서 $x=105$

16   $7x-10=88$에서 $x=14$

17   $2x+15+90=135$에서 $x=15$

18   $44+90=x+76$에서 $x=58$

20   $\angle x=80°$(맞꼭지각)
     $80°+\angle y=180°$이므로 $\angle y=100°$

21   $\angle x=38°$(맞꼭지각)
     $38°+\angle y=180°$이므로 $\angle y=142°$

22   $\angle x=124°$(맞꼭지각)
     $124°+\angle y=180°$이므로 $\angle y=56°$

23   $\angle x+40°=180°$이므로 $\angle x=140°$
     $\angle y=\angle x=140°$(맞꼭지각)

24   $\angle x=35°$(맞꼭지각)
     $\angle y+35°+80°=180°$이므로 $\angle y=65°$

25   $\angle x=30°$(맞꼭지각)
     $75°+30°+\angle y=180°$이므로 $\angle y=75°$

26   $\angle x=12°$(맞꼭지각)
     $78°+12°+\angle y=180°$이므로 $\angle y=90°$

27   $\angle x=90°+45°=135°$(맞꼭지각)
     $135°+\angle y=180°$이므로 $\angle y=45°$

28   $3\angle x+15°=2\angle x+30°$(맞꼭지각)이므로 $\angle x=15°$
     $(\angle y+60°)+(2\times15°+30°)=180°$이므로 $\angle y=60°$

30   $43+x+57=180$이므로 $x=80$

31   $90+x+52=180$이므로 $x=38$

32   $69+x+90=180$이므로 $x=21$

33   $6x+4x+40=180$이므로 $10x=140$
     따라서 $x=14$

34   $28+3x+(2x+12)=180$이므로 $5x=140$
     따라서 $x=28$

35   $110+(3x-10)+(4x+17)=180$이므로 $7x=63$
     따라서 $x=9$

36   $6x+(2x+10)+(7x-25)=180$이므로 $15x=195$
     따라서 $x=13$

37   $y=x+47$이므로
     $(3x-5)+(x+47)+(2x-30)=180$
     $6x=168$, 즉 $x=28$
     따라서 $y=x+47=28+47=75$이므로
     $x+y=28+75=103$

06   본문 28쪽

수직과 직선

원리확인

❶ ⊥   ❷ O   ❸ 수직이등분선

1 ×   2 ○   3 ×   4 ○
5 $\overline{AB}\perp\overline{AD}$, $\overline{AB}\perp\overline{BC}$ (✎ ⊥, $\overline{BC}$)   6 $\overline{AB}\perp\overline{BC}$
7 $\overleftrightarrow{PM}$ 8 $\overleftrightarrow{PM}$ 9 5   10 90
11 90   ☺

12 (1)   (2) 3, 2, 1, 4
                           (3) 점 C
                           (4) 점 D

13 (1)   (2) 2, 4, 3, 2
                           (3) 점 A, 점 D
                           (4) 점 B

14 (1) 점 D (2) 6 cm (3) 8 cm

15 (1) 점 H (2) 8 cm **16** (1) 점 C (2) 12 cm

17 점 B **18** 점 G **19** 5 cm **20** 11 cm

21 ②, ⑤

1 $\overline{AB} \perp \overline{AD}$, $\overline{AB} \perp \overline{BC}$

3 $\overline{AD}$의 수선은 $\overline{AB}$이다.

21 ② $\overline{CD}$와 수직으로 만나는 선분은 없다.
⑤ 점 D와 $\overline{BC}$ 사이의 거리는 $\overline{AB}$의 길이와 같으므로
12 cm이다.
따라서 옳지 않은 것은 ②, ⑤이다.

TEST 1. 기본 도형

본문 31쪽

1 22	**2** ②, ⑤	**3** 30 cm
4 ③	**5** 65	**6** ④

1 $a =$ (교점의 개수) $=$ (꼭짓점의 개수) $= 6$
$b =$ (교선의 개수) $=$ (모서리의 개수) $= 10$
따라서 $2a + b = 2 \times 6 + 10 = 22$

3 $\overline{AM} = \overline{MB}$, $\overline{BN} = \overline{NC}$이므로
$\overline{AC} = \overline{AM} + \overline{MN} + \overline{NC}$
$\quad = \overline{MB} + \overline{MN} + \overline{BN}$
$\quad = 2\overline{MN} = 2 \times 15 = 30 \text{(cm)}$

4 $(2x + 16) + (6x - 4) + 6x = 180$
$14x = 168$에서 $x = 12$
따라서 $\angle \text{COD} = 6x° = 6 \times 12° = 72°$

5 $4x + 35 = 7x - 10$(맞꼭지각)이므로
$3x = 45$, 즉 $x = 15$
$(4x + 35) + (2y - 15) = 180$이므로
$60 + 35 + 2y - 15 = 180$, $2y = 100$, 즉 $y = 50$
따라서 $x + y = 15 + 50 = 65$

6 ④ 점 A와 $\overline{CD}$ 사이의 거리는 $\overline{BC}$의 길이와 같으므로
8 cm이다.
따라서 옳지 않은 것은 ④이다.

2 위치 관계

01

본문 34쪽

점과 직선, 점과 평면의 위치 관계

원리확인

❶ (1) 있다 (2) 있지 않다

❷ (1) 있다 (2) 있지 않다

1 점 A, 점 C (✏ A, C) **2** 점 C, 점 D

3 점 B, 점 D, 점 E **4** 점 A, 점 B, 점 E

5 점 C **6** 점 B, 점 E

7 있지 않다 **8** 있다

9 있다 **10** 있지 않다

11 점 A, 점 B **12** 점 C, 점 D

☺ 지난다, 포함한다 **13** $\overline{AB}$, $\overline{AC}$, $\overline{AD}$

14 점 E, 점 F **15** 점 A, 점 D, 점 F, 점 C

16 점 D, 점 E, 점 F **17** 면 ABED, 면 DEF

18 ③

18 ㄴ. 직선 l 위에 있지 않은 점은 점 A, 점 B, 점 E의 3개
이다.
ㄷ. 평면 P 위에 있지 않은 점은 점 A, 점 B이다.
따라서 옳은 것은 ㄱ, ㄹ이다.

02

본문 36쪽

평면에서 두 직선의 위치 관계

1 만나지 않는다 **2** 한 점에서 만난다

3 한 점에서 만난다 **4** 평행하다

5 일치한다 ☺ ✕

6 변 AD, 변 BC **7** 변 AB, 변 CD

8 변 BC **9** 변 AD, 변 BC

10 변 AB, 변 CD **11** 변 AD **12** 직선 EF

13 직선 AB, 직선 BC, 직선 CD, 직선 EF, 직선 FG,
직선 GH

14 직선 FG **15** 직선 CD, 직선 DE

☺ 0, 1, 2 **16** ①, ③

16 ① $\overline{AB}$와 $\overline{CD}$는 평행하지 않는다.
　　③ $\overline{AB}$와 $\overline{DC}$는 수직이 아니다.
　　따라서 옳지 않은 것은 ①, ③이다.

03

본문 38쪽

공간에서 두 직선의 위치 관계

원리확인

1 , $\overline{AD}$, $\overline{AE}$, $\overline{BC}$, $\overline{BF}$ ($\overline{AE}$, $\overline{BC}$, $\overline{BF}$)

2 , $\overline{AB}$, $\overline{BF}$, $\overline{CD}$, $\overline{CG}$

3 , $\overline{BC}$, $\overline{CD}$, $\overline{FG}$, $\overline{GH}$

4 , $\overline{AE}$, $\overline{EF}$, $\overline{DH}$, $\overline{HG}$

5 , $\overline{CD}$, $\overline{EF}$, $\overline{GH}$ ($\overline{EF}$, $\overline{GH}$)

6 , $\overline{AE}$, $\overline{CG}$, $\overline{DH}$

7 , $\overline{AD}$, $\overline{BC}$, $\overline{EH}$

8 , $\overline{AE}$, $\overline{BF}$, $\overline{CG}$

9 , $\overline{DH}$, $\overline{EH}$, $\overline{CG}$, $\overline{FG}$ ($\overline{EH}$, $\overline{CG}$, $\overline{FG}$)

10 , $\overline{AB}$, $\overline{AD}$, $\overline{EF}$, $\overline{EH}$

11 , $\overline{AB}$, $\overline{AE}$, $\overline{CD}$, $\overline{DH}$

12 , $\overline{AB}$, $\overline{BC}$, $\overline{EF}$, $\overline{FG}$

☺ 한 점에서 만난다, 일치한다 /
평행하다, 꼬인 위치에 있다 /
한 점에서 만난다, 일치한다, 평행하다

13 (1) $\overline{AB}$, $\overline{AD}$, $\overline{BC}$, $\overline{CD}$　(2) $\overline{AD}$　(3) $\overline{AB}$

14 (1) $\overline{AB}$, $\overline{BC}$, $\overline{AD}$, $\overline{CF}$　(2) $\overline{AD}$, $\overline{CF}$
　　(3) $\overline{AB}$, $\overline{AC}$, $\overline{AD}$

15 (1) $\overline{AB}$, $\overline{BC}$, $\overline{AE}$, $\overline{ED}$　(2) $\overline{BC}$, $\overline{CD}$　(3) $\overline{AB}$, $\overline{AE}$

16 (1) $\overline{AB}$, $\overline{BF}$, $\overline{CD}$, $\overline{CG}$　(2) $\overline{AB}$, $\overline{CD}$, $\overline{EF}$
　　(3) $\overline{AD}$, $\overline{CD}$, $\overline{EH}$, $\overline{GH}$

17 (1) $\overline{AB}$, $\overline{BC}$, $\overline{AD}$, $\overline{CD}$, $\overline{AE}$, $\overline{CG}$　(2) $\overline{AD}$, $\overline{EH}$, $\overline{FG}$
　　(3) $\overline{BF}$, $\overline{DH}$, $\overline{EF}$, $\overline{FG}$, $\overline{GH}$, $\overline{EH}$

18 (1) $\overline{AB}$, $\overline{AC}$, $\overline{AD}$, $\overline{BE}$, $\overline{DE}$, $\overline{EF}$　(2) $\overline{AC}$, $\overline{DG}$
　　(3) $\overline{AB}$, $\overline{AE}$, $\overline{BE}$, $\overline{DE}$, $\overline{EF}$

19 ○　　　**20** ○　　　**21** ×　　　**22** ○

23 ×　　☺ 0, 1, 2　　**24** ③, ④

21 직선 AB와 직선 CD는 한 점에서 만난다.

23 직선 AE와 꼬인 위치에 있는 직선은 $\overleftrightarrow{BG}$, $\overleftrightarrow{CH}$, $\overleftrightarrow{DI}$, $\overleftrightarrow{FG}$, $\overleftrightarrow{GH}$, $\overleftrightarrow{HI}$, $\overleftrightarrow{IJ}$의 7개이다.

24 ① 만나지 않는 두 직선 중 평행한 두 직선은 한 평면 위에 있다.
　② 한 평면 위에서 두 직선이 만나면 한 점에서 만나거나 일치한다.
　⑤ 꼬인 위치에 있는 두 직선을 포함하는 평면은 없다.
　따라서 옳은 것은 ③, ④이다.

04

공간에서 직선과 평면의 위치 관계

원리확인

1 , $\overline{AE}$, $\overline{BF}$, $\overline{CG}$, $\overline{DH}$ (✏ $\overline{BF}$, $\overline{CG}$, $\overline{DH}$)

2 , $\overline{AD}$, $\overline{BC}$, $\overline{FG}$, $\overline{EH}$

3 , $\overline{AB}$, $\overline{CD}$, $\overline{EF}$, $\overline{GH}$

4 , $\overline{AD}$, $\overline{BC}$, $\overline{EH}$, $\overline{FG}$

5 , $\overline{AB}$, $\overline{CD}$, $\overline{EF}$, $\overline{GH}$

6 , $\overline{EF}$, $\overline{FG}$, $\overline{GH}$, $\overline{HE}$ (✏ $\overline{FG}$, $\overline{GH}$, $\overline{HE}$)

7 , $\overline{CD}$, $\overline{DH}$, $\overline{GH}$, $\overline{CG}$

8 , $\overline{AD}$, $\overline{AE}$, $\overline{EH}$, $\overline{DH}$

9 , $\overline{AB}$, $\overline{BF}$, $\overline{EF}$, $\overline{AE}$

10 , $\overline{BC}$, $\overline{BF}$, $\overline{CG}$, $\overline{FG}$

11 , 면 ABCD, 면 ABFE (✏ ABFE)

12 , 면 ABFE, 면 BFGC

13 , 면 AEHD, 면 EFGH

14 , 면 ABCD, 면 BFGC

15 , 면 AEHD, 면 CGHD

16 , 면 ABFE, 면 CGHD (✏ CGHD)

17 , 면 ABCD, 면 EFGH

18 , 면 AEHD, 면 BFGC

19 , 면 ABFE, 면 CGHD

☺ ⊥

20 (1) 면 ABC, 면 ABED　(2) $\overline{AD}$, $\overline{BE}$, $\overline{CF}$
(3) 면 BEFC　(4) 면 ABC, 면 DEF

21 (1) 면 BFGC, 면 AEHD, 면 AEFB
(2) 면 BFGC, 면 EFGH　(3) $\overline{AD}$, $\overline{AE}$, $\overline{EH}$, $\overline{DH}$
(4) $\overline{AE}$, $\overline{BF}$, $\overline{CG}$, $\overline{DH}$

22 (1) $\overline{CD}$, $\overline{CG}$, $\overline{GH}$, $\overline{DH}$
(2) $\overline{AD}$, $\overline{BC}$, $\overline{EH}$, $\overline{FG}$, $\overline{CG}$, $\overline{DH}$
(3) $\overline{AB}$, $\overline{CD}$, $\overline{EF}$, $\overline{GH}$　(4) 면 AEHD, 면 BFGC

23 (1) 면 ABCDEF, 면 GHIJKL
(2) 면 BHGA, 면 AGLF
(3) $\overline{AG}$, $\overline{BH}$, $\overline{CI}$, $\overline{DJ}$, $\overline{EK}$, $\overline{FL}$　(4) 점 G

24 × **25** ○ **26** ○ **27** ○

28 × ☺ 0, 1, 2 **29** ③

24 모서리 BF와 면 AEHD는 평행하므로 만나지 않는다.

27 면 ABCD와 수직인 모서리는 $\overline{AE}$, $\overline{BF}$, $\overline{CG}$, $\overline{DH}$의 4개이다.

28 모서리 AB와 한 점에서 만나는 면은 면 AEHD, 면 BFGC의 2개이다.

29 면 BFHD와 한 점에서 만나는 모서리는 $\overline{AB}$, $\overline{BC}$, $\overline{CD}$, $\overline{AD}$, $\overline{EF}$, $\overline{EH}$, $\overline{FG}$, $\overline{GH}$이므로 $a=8$
모서리 AD와 수직인 면은 면 ABFE, 면 CGHD이므로 $b=2$
따라서 $ab=8 \times 2=16$

05
본문 46쪽

공간에서 두 평면의 위치 관계

원리확인

1 면 ABFE, 면 BFGC, 면 CGHD, 면 AEHD
(✏ BFGC, CGHD, AEHD)

2 면 ABCD, 면 BFGC, 면 EFGH, 면 AEHD

3 면 ABCD, 면 ABFE, 면 EFGH, 면 CGHD

4 면 ABCD, 면 BFGC, 면 EFGH, 면 AEHD

5 면 ABFE, 면 BFGC, 면 CGHD, 면 AEHD

6 면 EFGH (✏ EFGH)

7 면 CGHD   **8** 면 AEHD

9 면 ABFE   **10** 면 ABCD

11 면 ABFE, 면 BFGC, 면 CGHD, 면 AEHD
(✏ BFGC, CGHD, AEHD)

12 면 ABCD, 면 BFGC, 면 EFGH, 면 AEHD

13 면 ABCD, 면 ABFE, 면 EFGH, 면 CGHD

14 면 ABCD, 면 BFGC, 면 EFGH, 면 AEHD

15 면 ABFE, 면 BFGC, 면 CGHD, 면 AEHD

16 (1) 면 DEF
(2) 면 ABC, 면 ABED, 면 DEF, 면 ADFC
(3) 면 ABC, 면 ADFC, 면 DEF

17 (1) 면 ABCD
(2) 면 ABCD, 면 BFGC, 면 EFGH, 면 AEHD, 면 AEFB
(3) 면 ABCD, 면 EFGH

18 (1) 면 ABHG, 면 FLKE, 면 ABCDEF, 면 GHIJKL, 면 BHIC, 면 DJKE
(2) 면 DJKE
(3) 면 ABHG, 면 BHIC, 면 CIJD, 면 DJKE, 면 FLKE, 면 AGLF

19 (1) 면 ABC (2) $\overline{CF}$ (3) 면 ADEB, 면 DEF

20 (1) 면 EFGH (2) $\overline{AE}$ (3) 면 BFGC, 면 CGHD

21 (1) 면 FGHIJ (2) $\overline{FJ}$ (3) 면 AFGB, 면 AFJE

22 ○ **23** × **24** ○ **25** ×

26 ○ ☺ **27** ③ **28** $\overline{AD}$, $\overline{BF}$

29 $\overline{AE}$, $\overline{AD}$, $\overline{EF}$, $\overline{DG}$ **30** 면 BFGC

31 면 AEB, 면 BEF **32** 면 DEFG

33 면 AED, 면 BEF, 면 BFGC, 면 ADGC

34 직선 AD, 직선 DH, 직선 BC, 직선 CG, 직선 HG

35 직선 DH, 직선 EH, 직선 CG, 직선 FG, 직선 HG

36 $\overline{AE}$, $\overline{BF}$, $\overline{CG}$, $\overline{DH}$, $\overline{EF}$, $\overline{HG}$

37 $\overline{AE}$, $\overline{EH}$, $\overline{DH}$, $\overline{AD}$ **38** 면 AEHD, 면 BFGC

39 면 BFGC **40** × **41** ○

42 × **43** ○ **44** × **45** ○

46 × **47** ○ **48** ○ **49** ×

50 ○ **51** × **52** × **53** ○

23 면 AEHD와 면 CGHD는 수직이다.

24 면 EFGH와 한 직선에서 만나는 면은 면 ABFE, 면 BFGC, 면 CGHD, 면 AEHD의 4개이다.

25 면 ABFE와 평행한 면은 면 CGHD의 1개이다.

27 면 BHIC와 평행한 면은 면 FLKE의 1개이므로 $a=1$,
면 GHIJKL과 수직인 면은 면 ABHG, 면 BHIC, 면 CIJD, 면 DJKE, 면 FLKE, 면 AGLF의 6개이므로 $b=6$,
면 DJKE와 한 직선에서 만나는 면은 면 ABCDEF, 면 CIJD, 면 FLKE, 면 GHIJKL, 면 BHIC, 면 AGLF의 6개이므로 $c=6$
따라서 $a+b+c=1+6+6=13$

40 $l /\!/ m$인 직선 l, m에 대하여 $m \perp n$인 직선 n을 나타내면 오른쪽 그림과 같이 $l \perp n$ 또는 l과 n은 꼬인 위치에 있다.

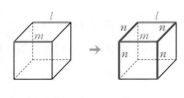

41 $l /\!/ m$인 직선 l, m에 대하여 $l /\!/ n$인 직선 n을 나타내면 오른쪽 그림과 같으므로 $m /\!/ n$이다.

42 $l /\!/ m$인 직선 l, m에 대하여 $l \perp n$인 직선 n을 나타내면 오른쪽 그림과 같으므로 $m \perp n$ 또는 m과 n은 꼬인 위치에 있다.

43 $l \perp m$인 직선 l, m에 대하여 $m \perp n$인 직선 n을 나타내면 오른쪽 그림과 같으므로 $l /\!/ n$ 또는 $l \perp n$ 또는 l과 n은 꼬인 위치에 있다.

44 $l \perp m$인 직선 l, m에 대하여 $l \perp n$인 직선 n을 나타내면 오른쪽 그림과 같으므로 $m /\!/ n$ 또는 $m \perp n$ 또는 m과 n은 꼬인 위치에 있다.

45 $l /\!/ m$인 직선 l, m에 대하여 $m /\!/ n$인 직선 n을 나타내면 오른쪽 그림과 같으므로 $l /\!/ n$이다.

46 $l \perp m$인 직선 l, m에 대하여 $m /\!/ n$인 직선 n을 나타내면 오른쪽 그림과 같으므로 $l \perp n$ 또는 l과 n은 꼬인 위치에 있다.

47 $l \perp P$인 직선 l, 평면 P에 대하여 $l \perp Q$인 평면 Q를 나타내면 오른쪽 그림과 같으므로 $P /\!/ Q$이다.

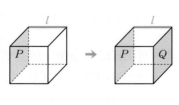

48 $l \perp P$인 직선 l과 평면 P에 대하여 $l /\!/ Q$인 평면 Q를 나타내면 오른쪽 그림과 같으므로 $P \perp Q$이다.

49 $l \perp m$인 직선 l, m에 대하여 $l /\!/ P$인 평면 P를 나타내면 오른쪽 그림과 같으므로 $m \perp P$ 또는 $m /\!/ P$이다.

50 $l \perp P$인 직선 l과 평면 P에 대하여 $P /\!/ Q$인 평면 Q를 나타내면 오른쪽 그림과 같으므로 $l \perp Q$이다.

51 $l \perp P$인 직선 l과 평면 P에 대하여 $P \perp Q$인 평면 Q를 나타내면 오른쪽 그림과 같으므로 직선 l은 평면 Q에 포함되거나 $l /\!/ Q$이다.

52 $l /\!/ m$인 직선 l, m에 대하여 $l /\!/ P$인 평면 P를 나타내면 오른쪽 그림과 같으므로 직선 m은 평면 P에 포함되거나 $m /\!/ P$이다.

53 $l \perp P$인 직선 l과 평면 P에 대하여 $m \perp P$인 직선 m을 나타내면 오른쪽 그림과 같으므로 $l /\!/ m$이다.

TEST 2. 위치 관계   본문 53쪽

1 ②   **2** ㄴ, ㄹ   **3** ④, ⑤

4 ⑤

5 (1) 면 BFGC, 면 EFGH   (2) 면 CGHD, 면 EFGH
(3) $\overline{AE}$, $\overline{BF}$, $\overline{CG}$, $\overline{DH}$

6 3

1 ② 점 C는 직선 l 위에 있다.

2 ㄱ. 점 A는 평면 P 위에 있지 않다.
　ㄷ. 두 점 C, D는 직선 l 위에 있고 평면 P 위에도 있다.
　ㄹ. 직선 l 위에 있지 않은 점은 점 A, 점 B의 2개이다.
따라서 옳은 것은 ㄴ, ㄹ이다.

3 ④ 두 직선이 두 점 이상의 교점을 가지면 두 직선은 일치한다.
　⑤ 평면에서는 두 직선이 꼬인 위치에 있는 경우가 존재하지 않는다.
따라서 l, m의 위치 관계가 될 수 없는 것은 ④, ⑤이다.

4 ⑤ $\overline{BF}$와 꼬인 위치에 있는 모서리는 $\overline{AD}$, $\overline{CD}$, $\overline{EH}$, $\overline{GH}$
의 4개이다.
따라서 옳지 않은 것은 ⑤이다.

6 모서리 BC와 꼬인 위치에 있는 모서리는
$\overline{AD}$, $\overline{DE}$, $\overline{EF}$, $\overline{FG}$, $\overline{DG}$의 5개이므로 $a=5$
면 ADGC와 평행한 면은 면 BEF의 1개이므로 $b=1$
면 BEF와 수직인 면은 면 ABC, 면 ABED, 면 DEFG,
면 CFG의 4개이므로 $c=4$
따라서 $a+2b-c=5+2-4=3$

3 평행선

01
본문 56쪽

동위각과 엇각

1 (1) ∠e (2) ∠f (3) ∠h (4) ∠a (5) ∠c (6) ∠d

2 (1) ∠f (2) ∠e (3) ∠c (4) ∠d

3 (1) ∠y (2) ∠w (3) ∠a (4) ∠c (5) ∠d (6) ∠b

☺ 동위각, 엇각

4 (1) 110, 70 (2) 110

5 (1) ∠f, ∠f, 75, 105 (2) ∠e, ∠e, 75

6 (1) ∠c, ∠c, 60, 120 (2) ∠d, ∠d, 40, 140

7 (1) 85° (2) 70° (3) 110° (4) 70°

8 (1) 65° (2) 115° (3) 100° (4) 80°

9 ④

7 (1) ∠d = 85°(맞꼭지각)
  (3) ∠c = 180° − 70° = 110°

8 (1) ∠b = 65°(맞꼭지각)
  (2) ∠c = 180° − 65° = 115°
  (3) ∠f = 100°(맞꼭지각)
  (4) ∠d = 180° − 100° = 80°

9 ④ ∠d의 동위각은 ∠b이므로 ∠b = 95°(맞꼭지각)
따라서 옳지 않은 것은 ④이다.

02
본문 58쪽

평행선의 성질

1 72° **2** 65° **3** 45° **4** 140°

5 55° **6** 30° **7** 110° ☺ =, =

8 ∠x = 55°, ∠y = 125° (✏ 55, 55, 125)

9 ∠x = 70°, ∠y = 110° **10** ∠x = 85°, ∠y = 95°

11 ∠x = 75°, ∠y = 105° **12** ∠x = 155°, ∠y = 25°

13 ∠x = 45°, ∠y = 135° **14** ∠x = 44°, ∠y = 136°

15 ∠x = 50°, ∠y = 130° **16** ∠x = 115°, ∠y = 65°

17 ∠x = 85°, ∠y = 120° (✏ 85, 60, 120)

5   ∠x=55° (맞꼭지각)

6   ∠x=180°−150°=30°

7   ∠x=180°−70°=110°

9   ∠x=70° (동위각), ∠y=180°−70°=110°

10   ∠x=85° (엇각), ∠y=180°−85°=95°

11   ∠y=105° (엇각), ∠x=180°−105°=75°

12   ∠x=155° (동위각), ∠y=180°−155°=25°

13   ∠y=135° (엇각), ∠x=180°−135°=45°

14   ∠x=44° (엇각), ∠y=180°−44°=136°

15   ∠a=130° (동위각)
     ∠x=180°−130°=50°
     ∠y=∠a=130° (맞꼭지각)

16   ∠a=65° (동위각)
     ∠x=180°−65°=115°
     ∠y=∠a=65° (맞꼭지각)

18   ∠x=80° (동위각),
     ∠y=180°−110°=70°

19   ∠x=42° (엇각),
     ∠y=105° (맞꼭지각)

20   ∠y=50° (동위각),
     ∠x=180°−49°=131°

21   ∠x=120° (동위각)
     ∠y=180°−80°=100°

22   ∠x=180°−84°=96°,
     ∠y=180°−130°=50°

23   ∠x=180°−55°=125°,
     ∠y=180°−95°=85°

24   ∠x=180°−60°=120°,
     ∠y=180°−120°=60°

25   ∠x=180°−100°=80°,
     ∠y=180°−45°=135°

27   평각의 크기는 180°이므로
     ∠x+40°+70°=180°
     따라서 ∠x=70°

28   평각의 크기는 180°이므로
     ∠x+75°+50°=180°
     따라서 ∠x=55°

29   평각의 크기는 180°이므로
     25°+∠x+65°=180°
     따라서 ∠x=90°

30 평각의 크기는 180°이므로

$55° + 45° + \angle x = 180°$

따라서 $\angle x = 80°$

32 삼각형의 세 내각의 크기의 합은 180°
이므로

$60° + \angle x + 58° = 180°$

따라서 $\angle x = 62°$

33 삼각형의 세 내각의 크기의 합은 180°
이므로

$65° + 75° + \angle x = 180°$

따라서 $\angle x = 40°$

34 삼각형의 세 내각의 크기의 합은
180°이므로

$65° + \angle x + 85° = 180°$

따라서 $\angle x = 30°$

35 $l /\!/ m$, $p /\!/ q$이므로

$\angle x = 180° - 67° = 113°$

삼각형의 세 내각의 크기의 합은 180°
이므로

$\angle y + 67° + 80° = 180°$, 즉 $\angle y = 33°$

따라서 $\angle x - \angle y = 113° - 33° = 80°$

03

평행선과 꺾인 선

1 85° (✏ 30, 55, 85)　　**2** 98°　　**3** 65°

4 80°　　　**5** 20°　　　 $\angle a$, $\angle b$

6 100° (✏ 40, 60, 100)　　　　**7** 45°

8 33°　　　**9** ①

10 115° (✏ 70, ④, 30, 70, 40, 40, 75, 40, 75, 115)

11 30°　　　**12** 35°

2 두 직선 l, m에 평행한 직선 n을 그으
면

$\angle x = 40° + 58° = 98°$

---

3 두 직선 l, m에 평행한 직선 n을 그으
면

$22° + \angle x = 87°$

따라서 $\angle x = 65°$

4 두 직선 l, m에 평행한 직선
n을 그으면

$\angle x = 25° + 55° = 80°$

5 두 직선 l, m에 평행한 직선 n을
그으면

$\angle x + 26° = 46°$

따라서 $\angle x = 20°$

7 두 직선 l, m에 평행한 직선 n을 그으
면

$\angle x + 70° = 115°$

따라서 $\angle x = 45°$

8 두 직선 l, m에 평행한 직선 n을
그으면

$\angle x + 92° = 125°$

따라서 $\angle x = 33°$

9 두 직선 l, m에 평행한 직선 n을 그
으면

$(2\angle x - 10°) + (3\angle x + 17°) = 112°$

따라서 $\angle x = 21°$

11 두 직선 l, m에 평행한 직선 n, k를 그
으면

$15° + \angle x = 45°$

따라서 $\angle x = 30°$

12 두 직선 l, m에 평행한 직선 n, k
를 그으면

$(2\angle x + 10°) + 15° = 3\angle x - 10°$

따라서 $\angle x = 35°$

04

평행선과 종이접기

원리확인

❶ 55, 55, 180, 55, 55, 180, 70

❷ 70, 70, 180, 70, 70, 180, 40

1 54°	2 100°	3 134°	4 24°
5 26°	6 44°	7 40°	8 52°
9 78°	10 82°	11 73°	12 75°
13 54°	14 30°	15 ④	

1 삼각형의 세 내각의 크기의 합은 180°
이므로

$63° + \angle x + 63° = 180°$

따라서 $\angle x = 54°$

2 평각의 크기는 180°이므로

$\angle x + 40° + 40° = 180°$

따라서 $\angle x = 100°$

3 평각의 크기는 180°이므로

$\angle x + 46° = 180°$

따라서 $\angle x = 134°$

4 삼각형의 세 내각의 크기의 합은
180°이므로

$\angle x + 78° + 78° = 180°$

따라서 $\angle x = 24°$

5 평각의 크기는 180°이므로

$\angle x + 77° + 77° = 180°$

따라서 $\angle x = 26°$

6 평각의 크기는 180°이므로

$180° - 112° = 68°$이고

$\angle x + 68° + 68° = 180°$

따라서 $\angle x = 44°$

7 평각의 크기는 180°이므로

$180° - 110° = 70°$

삼각형의 세 내각의 크기의 합은 180°
이므로

$\angle x + 70° + 70° = 180°$

따라서 $\angle x = 40°$

8 평각의 크기는 180°이므로

$180° - 116° = 64°$이고

$\angle x + 64° + 64° = 180°$

따라서 $\angle x = 52°$

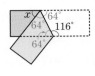

9 평행선의 성질에 의하여 엇각의 크기는
서로 같으므로

$\angle x = 39° + 39° = 78°$

10 평행선의 성질에 의하여 엇각의 크기는
서로 같으므로

$\angle x = 41° + 41° = 82°$

11 삼각형의 세 내각의 크기의 합은 180°
이므로

$\angle x + 34° + \angle x = 180°$

따라서 $\angle x = 73°$

12 평각의 크기는 180°이므로

$\angle x + \angle x + 30° = 180°$

따라서 $\angle x = 75°$

13 $\angle ABC = 27°$ (접은 각)이므로

$\angle ACB = 180° - 27° - 90° = 63°$

즉 $\angle BCD = \angle ACB = 63°$ (접은 각)
이므로

$\angle x = 180° - 63° - 63° = 54°$

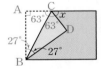

14 $\angle BAC = \angle BAD = \dfrac{1}{2} \times (90° - 60°)$

$= 15°$ (접은 각)

이므로

$\angle ABC = 180° - 15° - 90° = 75°$

즉 $\angle ABD = \angle ABC = 75°$ (접은 각)이므로

$\angle x = 180° - 75° - 75° = 30°$

15 평각의 크기는 180°이므로

$180° - 102° = 78°$이고,

$\angle x + 78° + 78° = 180°$

따라서 $\angle x = 24°$

05

본문 66쪽

두 직선이 평행할 조건

1 동위각, 같으므로, 평행하다

2 44, 엇각, 같지 않으므로, 평행하지 않다

3 70, 72, l, n, 동위각, 70, l, n

4 44, l, m, 엇각, 44, l, m **5** ③

5 두 직선 l, k에서 엇각의 크기가 55°로 서로 같으므로
$l /\!/ k$

4 작도와 합동

TEST 3. 평행선

본문 67쪽

1 ④ **2** $\angle x = 48°$, $\angle y = 67°$ **3** ①

4 ② **5** 34° **6** ②

1 ④ $\angle e$의 동위각은 $\angle c$이므로 $\angle c = 180° - 65° = 115°$
따라서 옳지 않은 것은 ④이다.

2 $\angle x = 180° - 132° = 48°$ (엇각), $\angle y = 67°$ (동위각)

3 $p /\!/ q$이므로
$\angle x = 180° - 55° = 125°$ (동위각)
$55° + \angle y + 42° = 180°$ (동위각)에서
$\angle y = 83°$
따라서 $\angle x + \angle y = 125° + 83° = 208°$

4 두 직선 l, m에 평행한 직선 n을 그으면
$\angle x + 52° = 89°$
따라서 $\angle x = 37°$

5 평각의 크기는 180°이므로
$180° - 107° = 73°$이고,
$\angle x + 73° + 73° = 180°$
따라서 $\angle x = 34°$

6 두 직선 l, n에서 동위각의 크기가 48°로 서로 같으므로
$l /\!/ n$

4 작도와 합동

01

본문 70쪽

길이가 같은 선분의 작도

1 × **2** ○ **3** × **4** ×

5 × **6** ○ **7** × **8** ×

9 ❶ 눈금 없는 자 ❷ 컴퍼스 ❸ $\overline{AB}$

10

11

12

13

14 ❶ 컴퍼스 ❷ $\overline{AB}$, C ❸ 눈금 없는 자

☺ ❸, ❶, ❷ **15** ②, ③

1 작도를 할 때는 눈금 없는 자, 컴퍼스만을 사용한다.

3 작도에서 주어진 선분을 연장할 때는 눈금 없는 자를 사용한다.

4 작도에서 선분의 길이를 잴 때는 컴퍼스를 사용한다.

5 작도에서 두 선분의 길이를 비교할 때는 컴퍼스를 사용한다.

7 작도에서는 선분의 길이를 자로 재지 않는다.

8 작도할 때는 눈금없는 자, 컴퍼스만을 사용한다.

15 ② 작도에서는 선분의 길이를 자로 재지 않는다.
③ 선분 PQ를 점 Q의 방향으로 연장할 때, 눈금 없는 자가 필요하다.
따라서 옳지 않은 것은 ②, ③이다.

크기가 같은 각의 작도

본문 72쪽

1 ❶ A, B **❷** D **❸** 컴퍼스, $\overline{AB}$ **❹** $\overline{AB}$, C
 ❺ CPD

2

3

4

5

☺ **❺**, **❶**, **❹**

6 ❶ Q **❷** A, B **❸** C **❹** 컴퍼스, $\overline{AB}$ **❺** $\overline{AB}$, D
 ❻ P, D, PD

7 **8**

☺ **❺**, **❶**, **❻**, **❷** **9** ①, ④

9 ① $\overline{QA}=\overline{QB}=\overline{PC}=\overline{PD}$이지만 $\overline{PA}$, $\overline{AB}$의 길이는 같을
 수도 있고 다를 수도 있다.
 ④ ∠AQB와 크기가 같은 ∠CPD의 작도를 이용한 것으
 로, 동위각의 크기가 같으면 두 직선은 서로 평행함을
 이용하였다.
 따라서 옳지 않은 것은 ①, ④이다.

03

본문 74쪽

삼각형

1 (1) $\overline{BC}$ (2) $\overline{AC}$ (3) $\overline{AB}$ (4) ∠C (5) ∠A (6) ∠B

2 (1) 5 cm (2) 7 cm (3) 67°

3 (1) 7 cm (2) 52° (3) 80° **4** >, 3, 없다

---

5 ○ **6** × **7** ○ **8** ○
9 × **10** ×
11 6, 4, 6, 10, 6, 6, 4, x, 2, 2, 10
12 $2<x<12$ **13** $4<x<16$
14 $x>3$ **15** $x>4$
16 ⑤

5 $4<2+3$

6 $6=2+4$

7 $5<3+4$

8 $7<3+5$

9 $12>4+6$

10 $11=5+6$

12 (i) 가장 긴 변의 길이가 x cm일 때, $x<5+7$이므로
 $x<12$
 (ii) 가장 긴 변의 길이가 7 cm일 때, $7<x+5$이므로
 $x>2$
 (i), (ii)에 의하여 $2<x<12$

13 (i) 가장 긴 변의 길이가 x cm일 때, $x<6+10$이므로
 $x<16$
 (ii) 가장 긴 변의 길이가 10 cm일 때, $10<x+6$이므로
 $x>4$
 (i), (ii)에 의하여 $4<x<16$

14 $x+5<x+(x+2)$이므로 $x>3$

15 $x+2<(x+1)+(x-3)$이므로 $x>4$

16 나머지 한 변의 길이를 x cm라 하자.
 (i) 가장 긴 변의 길이가 x cm일 때, $x<5+8$이므로
 $x<13$
 (ii) 가장 긴 변의 길이가 8 cm일 때, $8<x+5$이므로
 $x>3$
 (i), (ii)에 의하여 x의 값의 범위는 $3<x<13$이므로
 나머지 한 변의 길이가 될 수 없는 것은 ⑤이다.

삼각형의 작도

1 ❶ l, 선분, a, BC ❷ c, b ❸ B, A

2
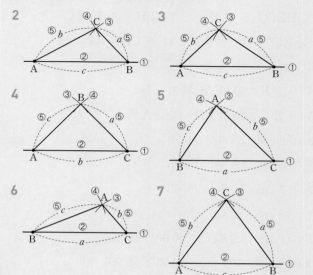

3

😊 ❺, ❶, ❷, ❺, ❷, ❶

8 ❶ 각 ❷ 선분, c, a ❸ C

9

10

11

12

13

14

😊 ❹, ❶, ❸, ❷, ❶, ❸

15 ❶ 선분, a ❷ 각, B, C ❸ A

16

17

18

19

20
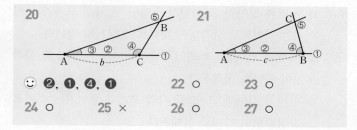

21

😊 ❷, ❶, ❹, ❶

22 ○   23 ○

24 ○   25 ×   26 ○   27 ○

삼각형의 결정조건

1 ○   2 ×   3 ○   4 ×

5 ○   6 ×   7 ○   8 ×

😊 b, c, B, B, C   9 (1) × (2) ○ (3) ○ (4) ○

10 (1) ○ (2) × (3) ○ (4) ○

11 (1) ○ (2) × (3) ○   12 (1) ○ (2) ○ (3) ○

13 ⑤

1 세 변의 길이가 주어졌고 11<5+8이므로 삼각형이 하나로 정해진다.

2 세 변의 길이가 주어졌고 12>4+7이므로 삼각형이 만들어지지 않는다.

3 두 변의 길이와 그 끼인각의 크기가 주어졌으므로 삼각형이 하나로 정해진다.

4 두 변의 길이와 그 끼인각이 아닌 다른 한 각의 크기가 주어졌으므로 삼각형이 하나로 정해지지 않는다.

5 한 변의 길이와 그 양 끝 각의 크기가 주어졌으므로 삼각형이 하나로 정해진다.

6 한 변의 길이와 그 양 끝 각의 크기가 주어졌지만 ∠B+∠C>180°이므로 삼각형이 만들어지지 않는다.

7 ∠C=180°−50°−60°=70°이므로 한 변의 길이와 그 양 끝 각의 크기가 주어지는 것과 같다. 따라서 삼각형이 하나로 정해진다.

8 세 각의 크기로는 삼각형을 하나로 결정할 수 없다.

9 (1) 두 변의 길이와 그 끼인각이 아닌 한 각의 크기가 주어지는 것이므로 삼각형이 하나로 정해지지 않는다.

(2) 두 변의 길이와 그 끼인각이 주어지는 것이므로 삼각형이 하나로 정해진다.

(3) 한 변의 길이와 그 양 끝 각의 크기가 주어지는 것이므로 삼각형이 하나로 정해진다.

(4) ∠C의 크기를 구할 수 있으므로 한 변의 길이와 그 양 끝 각의 크기가 주어지는 것과 같다. 즉 삼각형이 하나로 정해진다.

10 (1) 두 변의 길이와 그 끼인각의 크기가 주어지는 것이므로 삼각형이 하나로 정해진다.

(2) 두 변의 길이와 그 끼인각이 아닌 한 각의 크기가 주어지는 것이므로 삼각형이 하나로 정해지지 않는다.

(3) 한 변의 길이와 그 양 끝 각의 크기가 주어지는 것이므로 삼각형이 하나로 정해진다.

(4) ∠C의 크기를 구할 수 있으므로 한 변의 길이와 그 양 끝 각의 크기가 주어지는 것과 같다. 즉 삼각형이 하나로 정해진다.

11 (1) 세 변의 길이가 주어지는 것이므로 삼각형이 하나로 정해진다.

(2) 두 변의 길이와 그 끼인각이 아닌 한 각의 크기가 주어지는 것이므로 삼각형이 하나로 정해지지 않는다.

(3) 한 변의 길이와 그 양 끝 각의 크기가 주어지는 것이므로 삼각형이 하나로 정해진다.

12 (1) 세 변의 길이가 주어지는 것이므로 삼각형이 하나로 정해진다.

(2) 두 변의 길이와 그 끼인각의 크기가 주어지는 것이므로 삼각형이 하나로 정해진다.

(3) ∠C의 크기를 구할 수 있으므로 한 변의 길이와 그 양 끝 각의 크기가 주어지는 것과 같다. 즉 삼각형이 하나로 정해진다.

13 ㄱ. 15>7+5이므로 삼각형은 만들어지지 않는다.

ㄴ. 두 변의 길이와 그 끼인각의 크기가 주어졌으므로 삼각형이 하나로 정해진다.

ㄷ. ∠A=180°−50°−75°=55°이므로 한 변의 길이와 그 양 끝 각의 크기가 주어진 것과 같다. 즉 삼각형이 하나로 정해진다.

따라서 삼각형 ABC가 오직 하나로 정해지는 것은 ㄴ, ㄷ이다.

06

도형의 합동

1 △DEF **2** △HGI **3** △GIH **4** □ILKJ

5 □HEFG **6** 점 E **7** 점 H **8** 점 C

9 변 EF **10** 변 FG **11** 변 CD **12** ∠H

13 ∠B **14** ∠A

15 (1) 점 E (2) 변 AC (3) ∠D

16 (1) 점 C (2) 변 ED (3) ∠A **17** ③, ④

18 (1) 8 cm (2) 60° (3) 70°

19 (1) 6 cm (2) 30° (3) 25°

20 (1) 7 cm (2) 60° (3) 65°

21 (1) 8 cm (2) 45° (3) 80°

22 (1) 7 cm (2) 8 cm (3) 90° (4) 100°

23 (1) 9 cm (2) 8 cm (3) 95° (4) 95°

24 (1) 5 cm (2) 75° (3) 90° (4) 55°

25 (1) 6 cm (2) 80° (3) 115° (4) 90°

26 ○ **27** ○ **28** ○ **29** ○

30 × **31** × **32** × **33** ×

34 × ☺ D, E, $\overline{EF}$ **35** ⑤

17 ③ ∠D의 대응각은 ∠H이다.
④ 두 직사각형의 한 변의 길이는 같지만 합동은 아니다.
따라서 옳지 않은 것은 ③, ④이다.

20 (3) ∠E=∠C=180°−60°−55°=65°

21 (3) ∠F=∠B=180°−55°−45°=80°

24 (4) ∠C=360°−75°−90°−140°=55°

25 (4) ∠A=360°−80°−75°−115°=90°

31 오른쪽 그림의 두 삼각형은 대응하는 각의 크기가 같지만 합동이 아니다.

33 오른쪽 그림의 두 삼각형은 둘레의 길이가 같지만 합동이 아니다.

34 오른쪽 그림의 두 삼각형은 넓이가 같지만 합동이 아니다.

35 ⑤ ∠F의 대응각은 ∠C이므로

∠F＝∠C＝180°−75°−60°＝45°

따라서 옳지 않은 것은 ⑤이다.

07

본문 86쪽

삼각형의 합동 조건

원리확인

❶ $\overline{DE}$, $\overline{BC}$, $\overline{FD}$, 변, 길이, SSS

❷ $\overline{DE}$, ∠E, $\overline{BC}$, 변, 길이, 끼인각, 크기, SAS

❸ ∠A, $\overline{DE}$, ∠E, 변, 길이, 각, 크기, ASA

1 △ACB, $\overline{BA}$, 10, ∠OMN, 32, $\overline{AC}$, 5, △ACB, SAS

2 △IGH, ∠GHI, 45, $\overline{HI}$, 8, ∠GIH, 180, 65, △IGH, ASA

3 △FDE, $\overline{FD}$, 6, $\overline{KL}$, 10, $\overline{EF}$, 8, △FDE, SSS

4 **5** **6** ○ **7** ×

8 ○ **9** × **10** ○ **11** ○

12 ×

13 (1) $\overline{EF}$, △DEF, SSS (2) ∠D, △DEF, SAS

14 (1) $\overline{DF}$, △DFE, SAS (2) ∠E, △DFE, ASA

(3) ∠F, 180, 180, ∠F, ∠E, △DFE, ASA

15 (1) $\overline{DE}$, △DEF, ASA (2) $\overline{EF}$, ∠F, △DEF, ASA

(3) $\overline{FD}$, ∠F, △DEF, ASA

16 $\overline{AD}$, $\overline{DC}$, $\overline{CA}$, △ADC, SSS

17 $\overline{OC}$, $\overline{OD}$, ∠COD, △OCD, SAS

18 $\overline{AC}$, $\overline{DC}$, ∠DCA, $\overline{BC}$, ∠CAD, △CDA, ASA

19 $\overline{MC}$, ⊥, $\overline{AM}$, $\overline{CM}$, ∠AMC, 90, △ACM, SAS

20 $\overline{CD}$, $\overline{CB}$, $\overline{BD}$, △CDB, SSS

21 △CDA, SAS

22 $\overline{CO}$, $\overline{OB}$, ∠O, △COB, SAS

23 △DOC, ASA **24** △BOP, ASA

25 ④

4 ㉠－㉰: SSS 합동

㉡－㉳: SAS 합동

㉣－㉲: ASA 합동

5 ㉠－㉯: ASA 합동

㉡－㉱: SSS 합동

㉰－㉣: SAS 합동

6 △ABC≡△DEF(SSS 합동)

7 오른쪽 그림의 두 삼각형은 합동이 아니다.

8 △ABC≡△DEF(SAS 합동)

9 ∠A, ∠D는 끼인각이 아니므로 합동이 아니다.

10 △ABC≡△DEF(ASA 합동)

11 ∠B＝180°−∠A−∠C＝180°−∠D−∠F＝∠E

따라서 △ABC≡△DEF(ASA 합동)

12 오른쪽 그림의 두 삼각형은 합동이 아니다.

25 ㄱ. $\overline{AB}=\overline{DE}=3$ cm이면 끼인각인 ∠A, ∠D의 크기는 알 수 없으므로 △ABC와 △DEF가 합동인지 알 수 없다.

ㄴ. SAS 합동

ㄷ. ASA 합동

따라서 △ABC와 △DEF가 합동이기 위하여 필요한 나머지 한 조건은 ㄴ, ㄷ이다.

TEST 4.작도와 합동

본문 91쪽

1 ⑤	**2** ①	**3** 5
4 125	**5** ⑤	**6** ③, ⑤

1 ① 눈금 없는 자와 컴퍼스를 사용한다.

②, ④ 컴퍼스를 사용한다.

③ 자를 사용한다.

따라서 옳은 것은 ⑤이다.

2　ㄴ. $\overline{PA}=\overline{PB}=\overline{QC}=\overline{QD}$, $\overline{AB}=\overline{CD}$이지만 $\overline{QC}$, $\overline{CD}$의
　　길이는 다를 수 있다.
　　ㄹ. 엇각의 크기가 같으면 두 직선이 평행하다는 성질을
　　이용한 것이다.
　　따라서 옳은 것은 ㄱ, ㄷ이다.

3　(i) 가장 긴 변의 길이가 11일 때,
　　$11<6+(2a+1)$, $2a>4$, $a>2$
　　(ii) 가장 긴 변의 길이가 $2a+1$일 때,
　　$2a+1<11+6$, $2a<16$, $a<8$
　　(i), (ii)에서 $2<a<8$이므로 자연수 a는 3, 4, 5, 6, 7의 5
　　개이다.

4　$\angle D=\angle H=80°$이므로
　　$\angle A=360°-90°-70°-80°=120°$에서 $x=120$
　　$\overline{HE}=\overline{DA}=5\,\text{cm}$이므로 $y=5$
　　따라서 $x+y=120+5=125$

5　⑤ 삼각형에서 나머지 한 각의 크기는
　　$180°-75°-60°=45°$이므로 주어진 삼각형과 ASA
　　합동이다.

6　③ SAS 합동
　　④ $\angle A$, $\angle D$가 끼인각이 아니므로 합동이 아니다.
　　⑤ $\angle B=180°-\angle A-\angle C=180°-\angle D-\angle F=\angle E$
　　이므로 ASA 합동이다.
　　따라서 △ABC와 △DEF가 합동이기 위하여 필요한 나
　　머지 한 조건은 ③, ⑤이다.

5 다각형의 성질

01
본문 94쪽

다각형

원리확인

❶ ×　　　　❷ ○　　　　❸ ×
❹ ○　　　　❺ ×　　　　❻ ×

1 삼각형, 3, 3, 3　　　　**2** 오각형, 5, 5, 5
3 육각형, 6, 6, 6　　　　**4** 칠각형, 7, 7, 7
5 팔각형, 8, 8, 8　　　　☺ 같다
6 　**7**　**8** 　**9**
10 　**11** 130° (✏ 50, 130)　**12** 80°

13 65°　　**14** 85°　　**15** 50°　　☺ 180°
16 (1) 60°　(2) 120°　(3) 125°
17 (1) 90°　(2) 95°　(3) 110°
18 (1) 45°　(2) 130°　(3) 65°　(4) 110°
19 (1) 55°　(2) 125° (✏ 55, 125)　(3) 60°
20 (1) 55°　(2) 95°　(3) 90°
21 (1) 115°　(2) 100°　(3) 120°　(4) 130°
22 $\angle x=65°$, $\angle y=130°$　**23** $\angle x=96°$, $\angle y=127°$
24 $\angle x=77°$, $\angle y=75°$　**25** $\angle x=85°$, $\angle y=55°$
26 $\angle x=108°$, $\angle y=72°$　**27** ○　　**28** ×
29 ×　　　　**30** ○　　　　**31** ○　　**32** ×
33 ×　　　　**34** ③

12　$180°-100°=80°$

13　$180°-115°=65°$

14　$180°-95°=85°$

15　$180°-130°=50°$

19　(3) $180°-120°=60°$

20 (1) $180° - 125° = 55°$

(2) $180° - 85° = 95°$

(3) $180° - 90° = 90°$

21 (1) $180° - 65° = 115°$

(2) $180° - 80° = 100°$

(3) $180° - 60° = 120°$

(4) $180° - 50° = 130°$

22 $\angle x = 180° - 115° = 65°$, $\angle y = 180° - 50° = 130°$

23 $\angle x = 180° - 84° = 96°$, $\angle y = 180° - 53° = 127°$

24 $\angle x = 180° - 103° = 77°$, $\angle y = 180° - 105° = 75°$

25 $\angle x = 180° - 95° = 85°$, $\angle y = 180° - 125° = 55°$

26 $\angle x = 180° - 72° = 108°$, $\angle y = 180° - 108° = 72°$

28 다각형은 3개 이상의 선분으로 둘러싸여 있다.

29 구각형은 9개의 선분으로 둘러싸여 있다.

32 다각형의 한 꼭짓점에서 내각의 크기와 외각의 크기의 합은 180°이다.

33 다각형에서 한 내각에 대한 외각은 두 개이다.

34 한 내각의 크기와 이웃한 한 외각의 크기 의 합은 180°이므로 주어진 오각형의 내 각의 크기는 오른쪽 그림과 같다.
따라서 오각형의 내각의 크기가 아닌 것은 ③이다.

---

02 본문 98쪽

정다각형

원리확인

❶ ○   ❷ ×   ❸ ×   ❹ ○

1 같다, 같다, 정다각형이다

2 같다, 같다, 정다각형이다

3 같다, 같지 않다, 정다각형이 아니다

---

4 같지 않다, 같다, 정다각형이 아니다

5 정삼각형 (✏ 삼)   **6** 정오각형   **7** 정구각형

8 정육각형   **9** 정십이각형   **10** ○

11 ×   **12** ×   **13** ○   **14** ○

15 ×   **16** ×   **17** ③

11 정사각형은 네 변의 길이가 같고, 네 내각의 크기가 같다.

12 직사각형의 변의 길이는 같지 않을 수 있으므로 정다각형 이 아니다.

15 변의 길이가 모두 같고 내각의 크기가 모두 같은 다각형 을 정다각형이라 한다.

16 정삼각형의 한 내각의 크기는 60°이고 한 외각의 크기는 120°이다.

17 ③ 오른쪽 그림과 같이 두 대각선의 길이가 다르다.

---

03 본문 100쪽

다각형의 대각선

원리확인

❶ 0   ❷ 1   ❸ 3   ❹ 5

1 오각형 (✏ 2, 5, 오)   **2** 구각형   **3** 십일각형

4 십오각형   ☺ $n-3$ **5** 5 (✏ 5, 2, 5)

6 20   **7** 54   **8** 152

9 9 (✏ 3, 6, 육각형, 6, 2, 9)   **10** 20

11 65   **12** 90   **13** 209

14 칠각형 (✏ 14, 7, 7, 칠각형)   **15** 구각형

16 십각형   **17** 십삼각형   **18** 십사각형   **19** 십팔각형

☺ $n-3$

2 구하는 다각형을 n각형이라 하면 $n-3 = 6$에서 $n=9$
따라서 구각형이다.

3 구하는 다각형을 n각형이라 하면 $n-3 = 8$에서 $n=11$
따라서 십일각형이다.

4 구하는 다각형을 n각형이라 하면 $n-3=12$에서 $n=15$
따라서 십오각형이다.

6 $\dfrac{8(8-3)}{2}=20$

7 $\dfrac{12(12-3)}{2}=54$

8 $\dfrac{19(19-3)}{2}=152$

10 구하는 다각형을 n각형이라 하면 $n-3=5$에서 $n=8$
따라서 팔각형의 대각선의 개수는 $\dfrac{8(8-3)}{2}=20$

11 구하는 다각형을 n각형이라 하면 $n-3=10$에서 $n=13$
따라서 십삼각형의 대각선의 개수는 $\dfrac{13(13-3)}{2}=65$

12 구하는 다각형을 n각형이라 하면 $n-3=12$에서 $n=15$
따라서 십오각형의 대각선의 개수는 $\dfrac{15(15-3)}{2}=90$

13 구하는 다각형을 n각형이라 하면 $n-3=19$에서 $n=22$
따라서 이십이각형의 대각선의 개수는 $\dfrac{22(22-3)}{2}=209$

15 구하는 다각형을 n각형이라 하면
$\dfrac{n(n-3)}{2}=27$에서 $n(n-3)=54$
이때 $54=9\times6$이므로 $n=9$
따라서 구하는 다각형은 구각형이다.

16 구하는 다각형을 n각형이라 하면
$\dfrac{n(n-3)}{2}=35$에서 $n(n-3)=70$
이때 $70=10\times7$이므로 $n=10$
따라서 구하는 다각형은 십각형이다.

17 구하는 다각형을 n각형이라 하면
$\dfrac{n(n-3)}{2}=65$에서 $n(n-3)=130$
이때 $130=13\times10$이므로 $n=13$
따라서 구하는 다각형은 십삼각형이다.

18 구하는 다각형을 n각형이라 하면
$\dfrac{n(n-3)}{2}=77$에서 $n(n-3)=154$
이때 $154=14\times11$이므로 $n=14$
따라서 구하는 다각형은 십사각형이다.

19 구하는 다각형을 n각형이라 하면
$\dfrac{n(n-3)}{2}=135$에서 $n(n-3)=270$
이때 $270=18\times15$이므로 $n=18$
따라서 구하는 다각형은 십팔각형이다.

---

04 본문 102쪽

삼각형; 내각의 크기의 합

원리확인

$\angle ACE$, $\angle ECD$, $180°$

1 40°	**2** 40°	**3** 20° (✎ 180, 20)
4 30°	**5** 10°	**6** 25°	**7** 15°
☺ 180	**8** 60° (✎ 50 / 50, 180, 60)
9 65°	**10** 35°	**11** 32°	**12** 45°
13 30° (✎ 1, 30, 180, 180, 30)		**14** 40°
15 45°	**16** 30°	**17** 40°	**18** ②

1 $\angle x+75°+65°=180°$이므로 $\angle x=40°$

2 $50°+90°+\angle x=180°$이므로 $\angle x=40°$

4 $\angle x+2\angle x+90°=180°$이므로 $3\angle x=90°$
따라서 $\angle x=30°$

5 $3\angle x+115°+35°=180°$이므로 $3\angle x=30°$
따라서 $\angle x=10°$

6 $(5\angle x-20°)+2\angle x+25°=180°$이므로
$\angle 7x=175°$ 따라서 $\angle x=25°$

7 $(4\angle x+30°)+(2\angle x+15°)+3\angle x=180°$이므로
$9\angle x=135°$ 따라서 $\angle x=15°$

9 맞꼭지각의 크기가 같으므로
$(180°-105°)+\angle x+40°=180°$ 따라서 $\angle x=65°$

10 $\angle x+(90°-35°)=90°$이므로 $\angle x=35°$

11 $\angle x+(90°-32°)+90°=180°$이므로 $\angle x=32°$

12 맞꼭지각의 크기는 같으므로

$75°+35°=65°+∠x$ 따라서 $∠x=45°$

14 $180°×\dfrac{2}{3+2+4}=40°$

15 $180°×\dfrac{3}{3+4+5}=45°$

16 $180°×\dfrac{2}{2+3+7}=30°$

17 $180°×\dfrac{4}{4+5+9}=40°$

18 $∠A=∠x$라 하면 $∠B=3∠x$, $∠C=60°$이고
삼각형의 세 내각의 크기의 합은 $180°$이므로
$∠x+3∠x+60°=180°$, $4∠x=120°$, $∠x=30°$
따라서 $∠A=30°$

삼각형; 외각의 성질

원리확인

$∠ECD$, $∠ACE$, $∠ACE$, $∠ECD$

1 $105°$ (✎ $30, 105$)　　**2** $115°$　　**3** $110°$

4 $120°$　　**5** $60°$　　☺ b, c, a, c, a, b

6 $20°$ (✎ $∠x, 3∠x, 20$) **7** $45°$　　**8** $22°$

9 $20°$　　**10** $30°$

11 $∠x=55°$, $∠y=155°$ (✎ $25, 55, 80, 155$)

12 $∠x=80°$, $∠y=120°$　**13** $∠x=130°$, $∠y=60°$

14 $∠x=70°$, $∠y=25°$

2 $∠x=55°+60°=115°$

3 $∠x=(180°-120°)+50°=110°$

4 $∠x=90°+(180°-150°)=120°$

5 $∠x+50°=110°$이므로 $∠x=60°$

7 $3∠x-10°=(180°-100°)+∠x$이므로 $2∠x=90°$
따라서 $∠x=45°$

---

8 $125°=(∠x+15°)+4∠x$이므로 $5∠x=110°$
따라서 $∠x=22°$

9 $5∠x=(180°-110°)+(3∠x-30°)$이므로 $2∠x=40°$
따라서 $∠x=20°$

10 $∠x+80°=(3∠x-40°)+(180°-120°)$
$2∠x=60°$
따라서 $∠x=30°$

12 $∠x=35°+45°=80°$
$∠y=40°+80°=120°$

13 $∠x=20°+110°=130°$
$∠y+50°=110°$이므로 $∠y=60°$

14 $∠x+40°=110°$이므로 $∠x=70°$
$∠y+110°=135°$이므로 $∠y=25°$

삼각형; 내각과 외각의 성질의 활용

1 $80, 40, 60, 30 / 30, 110$　　　**2** $95°$

3 $75°$　　**4** $80°$　　**5** $95°$　　**6** $100°$

7 $95, 40 / 80, 80, 135$　　**8** $160°$　　**9** $125°$

10 $75°$　　**11** $95°$　　**12** $85°$　　**13** $95°$

14 $50, 50, 65 / 65, 115$　　**15** $110°$　　**16** $125°$

17 $150°$　　**18** $50°$　　**19** $100°$　　**20** $68°$

21 $80, 80, 40 / 40$　　**22** $25°$　　**23** $34°$

24 $35°$　　**25** $60°$　　**26** $74°$　　**27** $80°$

28 $80, 35 / 80, 25$　　**29** $∠x=45°$, $∠y=30°$

30 $∠x=40°$, $∠y=50°$　**31** $∠x=30°$, $∠y=65°$

32 $∠x=70°$, $∠y=40°$　**33** $∠x=110°$, $∠y=75°$

34 $∠x=90°$, $∠y=30°$　**35** $65, 95 / 95, 120$

36 $145°$　　**37** $25°$

38 $145°$ (✎ $180, 35, 180, 35, 145$)　**39** $120°$

40 $115°$　　**41** $25, 50, 50 / 50, 75$　**42** $60°$

43 $90°$　　**44** $126°$　　**45** $39°$　　**46** $38°$

47 $111°$　　**48** $b, d / c, e / d, c, 180$

49 $50°$　　**50** $55°$　　**51** $35°$　　**52** $30°$

53 $43°$

2 $\triangle ABC$에서 $\angle ABC=180°-(55°+65°)=60°$이므로
$\angle DBC=\dfrac{1}{2}\angle ABC=30°$
따라서 $\triangle BCD$에서 $\angle x=65°+30°=95°$

3 $\triangle ABC$에서 $\angle BAC=180°-(40°+70°)=70°$이므로
$\angle BAD=\dfrac{1}{2}\angle BAC=35°$
따라서 $\triangle ABD$에서 $\angle x=35°+40°=75°$

4 $\triangle ABC$에서 $\angle BAC=180°-(60°+40°)=80°$이므로
$\angle DAC=\dfrac{1}{2}\angle BAC=40°$
따라서 $\triangle ADC$에서 $\angle x=40°+40°=80°$

5 $\triangle ABC$에서 $\angle BAC=180°-(30°+20°)=130°$이므로
$\angle BAD=\dfrac{1}{2}\angle BAC=65°$
따라서 $\triangle ABD$에서 $\angle x=65°+30°=95°$

6 $\triangle ABC$에서 $\angle ABC=180°-(50°+30°)=100°$
이므로 $\angle ABD=\dfrac{1}{2}\angle ABC=50°$
따라서 $\triangle ABD$에서 $\angle x=50°+50°=100°$

8 $\triangle ABD$에서 $60°+\angle ABD=110°$이므로
$\angle ABD=50°$
$\angle ABC=2\angle ABD=100°$
따라서 $\triangle ABC$에서 $\angle x=60°+100°=160°$

9 $\triangle ADC$에서 $25°+\angle ACD=75°$이므로
$\angle ACD=50°$
$\angle ACB=2\angle ACD=100°$
따라서 $\triangle ABC$에서 $\angle x=25°+100°=125°$

10 $\triangle ABC$에서 $\angle BAC+40°=110°$이므로
$\angle BAC=70°$
$\angle BAD=\dfrac{1}{2}\angle BAC=35°$
따라서 $\triangle ABD$에서 $\angle x=35°+40°=75°$

11 $\triangle ABC$에서 $\angle BAC+55°=135°$이므로
$\angle BAC=80°$
$\angle CAD=\dfrac{1}{2}\angle BAC=40°$
따라서 $\triangle ADC$에서 $\angle x=40°+55°=95°$

12 $\triangle ABC$에서 $20°+\angle ABC=150°$이므로
$\angle ABC=130°$
$\angle ABD=\dfrac{1}{2}\angle ABC=65°$
따라서 $\triangle ABD$에서 $\angle x=20°+65°=85°$

13 $\triangle ABC$에서 $\angle BAC=180°-110°=70°$이므로
$\angle BAD=\dfrac{1}{2}\angle BAC=35°$
따라서 $\triangle ABD$에서 $\angle x=60°+35°=95°$

15 $\triangle ABC$에서 $\angle ABC+\angle ACB+40°=180°$이므로
$\angle ABC+\angle ACB=140°$
$\angle DBC+\angle DCB=\dfrac{1}{2}(\angle ABC+\angle ACB)=70°$
따라서 $\triangle DBC$에서
$\angle x=180°-(\angle DBC+\angle DCB)=180°-70°=110°$

16 $\triangle ABC$에서 $\angle ABC+\angle ACB+70°=180°$이므로
$\angle ABC+\angle ACB=110°$
$\angle DBC+\angle DCB=\dfrac{1}{2}(\angle ABC+\angle ACB)=55°$
따라서 $\triangle DBC$에서
$\angle x=180°-(\angle DBC+\angle DCB)=180°-55°=125°$

17 $\triangle ABC$에서 $\angle ABC+\angle ACB+120°=180°$이므로
$\angle ABC+\angle ACB=60°$
$\angle DBC+\angle DCB=\dfrac{1}{2}(\angle ABC+\angle ACB)=30°$
따라서 $\triangle DBC$에서
$\angle x=180°-(\angle DBC+\angle DCB)=180°-30°=150°$

18 $\triangle DBC$에서 $\angle DBC+\angle DCB+115°=180°$이므로
$\angle DBC+\angle DCB=65°$
$\angle ABC+\angle ACB=2(\angle DBC+\angle DCB)=130°$
따라서 $\triangle ABC$에서
$\angle x=180°-(\angle ABC+\angle ACB)=180°-130°=50°$

19 $\triangle DBC$에서 $\angle DBC+\angle DCB+140°=180°$이므로
$\angle DBC+\angle DCB=40°$
$\angle ABC+\angle ACB=2(\angle DBC+\angle DCB)=80°$
따라서 $\triangle ABC$에서
$\angle x=180°-(\angle ABC+\angle ACB)=180°-80°=100°$

20 $\triangle DBC$에서 $\angle DBC+\angle DCB+124°=180°$이므로
$\angle DBC+\angle DCB=56°$
$\angle ABC+\angle ACB=2(\angle DBC+\angle DCB)=112°$

따라서 △ABC에서
$$\angle x = 180° - (\angle ABC + \angle ACB) = 180° - 112° = 68°$$

22 △ABC에서 $50° + \angle ABC = \angle ACE$이므로
$$\angle ACE - \angle ABC = 50°$$
$$\angle DCE - \angle DBC = \frac{1}{2}\angle ACE - \frac{1}{2}\angle ABC$$
$$= \frac{1}{2}(\angle ACE - \angle ABC) = 25°$$
△DBC에서 $\angle x + \angle DBC = \angle DCE$이므로
$$\angle x = \angle DCE - \angle DBC = 25°$$

23 △ABC에서 $68° + \angle ABC = \angle ACE$이므로
$$\angle ACE - \angle ABC = 68°$$
$$\angle DCE - \angle DBC = \frac{1}{2}\angle ACE - \frac{1}{2}\angle ABC$$
$$= \frac{1}{2}(\angle ACE - \angle ABC) = 34°$$
△DBC에서 $\angle x + \angle DBC = \angle DCE$이므로
$$\angle x = \angle DCE - \angle DBC = 34°$$

24 △BCD에서 $70° + \angle DCB = \angle DBE$이므로
$$\angle DBE - \angle DCB = 70°$$
$$\angle ABE - \angle ACB = \frac{1}{2}\angle DBE - \frac{1}{2}\angle DCB$$
$$= \frac{1}{2}(\angle DBE - \angle DCB) = 35°$$
△ABC에서 $\angle x + \angle ACB = \angle ABE$이므로
$$\angle x = \angle ABE - \angle ACB = 35°$$

25 △BCD에서 $\angle DBC + 30° = \angle DCE$이므로
$$\angle DCE - \angle DBC = 30°$$
$$\angle ACE - \angle ABC = 2\angle DCE - 2\angle DBC$$
$$= 2(\angle DCE - \angle DBC) = 60°$$
△ABC에서 $\angle x + \angle ABC = \angle ACE$이므로
$$\angle x = \angle ACE - \angle ABC = 60°$$

26 △BCD에서 $\angle DBC + 37° = \angle DCE$이므로
$$\angle DCE - \angle DBC = 37°$$
$$\angle ACE - \angle ABC = 2\angle DCE - 2\angle DBC$$
$$= 2(\angle DCE - \angle DBC) = 74°$$
△ABC에서 $\angle x + \angle ABC = \angle ACE$이므로
$$\angle x = \angle ACE - \angle ABC = 74°$$

27 △ACD에서 $40° + \angle DAC = \angle EDC$이므로
$$\angle EDC - \angle DAC = 40°$$
$$\angle EDB - \angle DAB = 2\angle EDC - 2\angle DAC$$
$$= 2(\angle EDC - \angle DAC) = 80°$$

△ABD에서 $\angle DAB + \angle x = \angle EDB$이므로
$$\angle x = \angle EDB - \angle DAB = 80°$$

29 $40° + \angle x = 85°$이므로 $\angle x = 45°$
$\angle y + 55° = 85°$이므로 $\angle y = 30°$

30 $60° + \angle x = 100°$이므로 $\angle x = 40°$
$\angle y + 50° = 100°$이므로 $\angle y = 50°$

31 $\angle x + 60° = 90°$이므로 $\angle x = 30°$
$25° + \angle y = 90°$이므로 $\angle y = 65°$

32 $\angle x = 25° + 45° = 70°$
$30° + \angle y = 70°$이므로 $\angle y = 40°$

33 $\angle x = 20° + 90° = 110°$
$35° + \angle y = 110°$이므로 $\angle y = 75°$

34 $\angle x = 44° + 46° = 90°$
$60° + \angle y = 90°$이므로 $\angle y = 30°$

36 △ABE에서 $\angle BEC = 70° + 35° = 105°$
△CDE에서 $\angle x = 105° + 40° = 145°$

37 △EDC에서 $\angle DEC = 155° - 30° = 125°$
△ABE에서 $100° + \angle x = 125°$이므로
$$\angle x = 25°$$

39 $\overline{BC}$를 그으면 △ABC에서
$$\angle DBC + \angle DCB = 180° - (60° + 40° + 20°) = 60°$$
△DBC에서 $\angle x + \angle DBC + \angle DCB = 180°$이므로
$$\angle x = 180° - 60° = 120°$$

40 $\overline{BC}$를 그으면 △ABC에서
$$\angle DBC + \angle DCB = 180° - (80° + 15° + 20°) = 65°$$
△DBC에서 $\angle x + \angle DBC + \angle DCB = 180°$이므로
$$\angle x = 180° - 65° = 115°$$

42 △DBC는 이등변삼각형이므로
$$\angle DCB = \angle DBC = 20°$$
$$\angle ADC = 20° + 20° = 40°$$
△ADC는 이등변삼각형이므로
$$\angle DAC = \angle ADC = 40°$$
따라서 △ABC에서
$$\angle x = 20° + 40° = 60°$$

43 △DBC는 이등변삼각형이므로

$\angle DCB = \angle DBC = 30°$

$\angle ADC = 30° + 30° = 60°$

△ADC는 이등변삼각형이므로

$\angle DAC = \angle ADC = 60°$

따라서 △ABC에서

$\angle x = 30° + 60° = 90°$

44 △DBC는 이등변삼각형이므로

$\angle DCB = \angle DBC = 42°$

$\angle ADC = 42° + 42° = 84°$

△ADC는 이등변삼각형이므로

$\angle DAC = \angle ADC = 84°$

따라서 △ABC에서

$\angle x = 42° + 84° = 126°$

45 △DBC는 이등변삼각형이므로

$\angle BCD = \angle DBC = \angle x$

△DBC에서 $\angle ADC = \angle x + \angle x = 2\angle x$

△ADC는 이등변삼각형이므로

$\angle DAC = \angle ADC = 2\angle x$

△ABC에서 $\angle x + 2\angle x = 117°$, $3\angle x = 117°$

따라서 $\angle x = 39°$

46 △DBC는 이등변삼각형이므로

$\angle DBC = \angle DCB = \angle x$

△DBC에서 $\angle BDA = \angle x + \angle x = 2\angle x$

△ABD는 이등변삼각형이므로

$\angle BAD = \angle BDA = 2\angle x$

△ABC에서 $\angle x + 2\angle x = 114°$, $3\angle x = 114°$

따라서 $\angle x = 38°$

47 △CAD는 이등변삼각형이므로

$\angle CDA = \angle CAD = 74°$

$\angle DBC + \angle DCB = \angle CDA$이고

$\angle DBC = \angle DCB$이므로

$\angle DBC = \angle DCB = \dfrac{1}{2} \times 74° = 37°$

따라서 △ABC에서 $\angle x = 37° + 74° = 111°$

49 $\angle b = 23° + 30° = 53°$

$\angle c = 45° + 32° = 77°$

따라서 $\angle a = 180° - (\angle b + \angle c) = 180° - 130° = 50°$

[다른 풀이]

$\angle a + 45° + 23° + 32° + 30° = 180°$이므로

$\angle a = 180° - (45° + 23° + 32° + 30°) = 50°$

50 $\bigcirc = 25° + 30° = 55°$

$\bigcirc = 29° + 41° = 70°$

따라서

$\angle a = 180° - (\bigcirc + \bigcirc)$

$\qquad = 180° - 125° = 55°$

[다른 풀이]

$\angle a + 30° + 29° + 25° + 41° = 180°$이므로

$\angle a = 180° - (30° + 29° + 25° + 41°) = 55°$

51 $\bigcirc = 33° + 37° = 70°$

$\bigcirc = 53° + 22° = 75°$

따라서

$\angle a = 180° - (\bigcirc + \bigcirc)$

$\qquad = 180° - 145° = 35°$

[다른 풀이]

$\angle a + 53° + 33° + 22° + 37° = 180°$이므로

$\angle a = 180° - (53° + 33° + 22° + 37°) = 35°$

52 $\bigcirc = 50° + 45° = 95°$

$\bigcirc = 30° + 25° = 55°$

따라서

$\angle a = 180° - (\bigcirc + \bigcirc)$

$\qquad = 180° - 150° = 30°$

[다른 풀이]

$\angle a + 30° + 50° + 25° + 45° = 180°$이므로

$\angle a = 180° - (30° + 50° + 25° + 45°) = 30°$

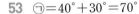

53 $\bigcirc = 40° + 30° = 70°$

$\bigcirc = 45° + 22° = 67°$

따라서

$\angle a = 180° - (\bigcirc + \bigcirc)$

$\qquad = 180° - 137° = 43°$

[다른 풀이]

$\angle a + 22° + 40° + 45° + 30° = 180°$이므로

$\angle a = 180° - (22° + 40° + 45° + 30°) = 43°$

07

본문 114쪽

다각형의 내각의 크기의 합

1 1260° (✎ 2, 7, 7, 1260)

2 1440° (✎ 2, 1440)   **3** 1800°   **4** 2340°

5 2880°   **6** 3240°   **7** 3600°

8 540° (✎ 2, 2, 3, 2, 3, 540)   **9** 900°

3 $180° \times (12-2) = 1800°$

4 $180° \times (15-2) = 2340°$

5 $180° \times (18-2) = 2880°$

6 $180° \times (20-2) = 3240°$

7 $180° \times (22-2) = 3600°$

9 $180° \times 5 = 900°$

10 $180° \times 6 = 1080°$

11 $180° \times 8 = 1440°$

12 $180° \times 10 = 1800°$

13 $180° \times 13 = 2340°$

15 구하는 다각형을 n각형이라 하면
$180° \times (n-2) = 720°$, $n-2=4$, $n=6$
따라서 구하는 다각형은 육각형이다.

16 구하는 다각형을 n각형이라 하면
$180° \times (n-2) = 900°$, $n-2=5$, $n=7$
따라서 구하는 다각형은 칠각형이다.

17 구하는 다각형을 n각형이라 하면
$180° \times (n-2) = 1080°$, $n-2=6$, $n=8$
따라서 구하는 다각형은 팔각형이다.

18 구하는 다각형을 n각형이라 하면
$180° \times (n-2) = 1440°$, $n-2=8$, $n=10$
따라서 구하는 다각형은 십각형이다.

19 구하는 다각형을 n각형이라 하면
$180° \times (n-2) = 2700°$, $n-2=15$, $n=17$
따라서 구하는 다각형은 십칠각형이다.

20 구하는 다각형을 n각형이라 하면
$180° \times (n-2) = 1620°$, $n-2=9$, $n=11$
따라서 십일각형의 변의 개수는 11이다.

22 사각형의 내각의 크기의 합은
$180° \times (4-2) = 360°$이므로
$105° + 90° + \angle x + 75° = 360°$
따라서 $\angle x = 90°$

23 오각형의 내각의 크기의 합은
$180° \times (5-2) = 540°$이므로
$125° + \angle x + 85° + 105° + 110° = 540°$
따라서 $\angle x = 115°$

24 육각형의 내각의 크기의 합은
$180° \times (6-2) = 720°$이므로
$140° + 120° + \angle x + 102° + 108° + 130° = 720°$
따라서 $\angle x = 120°$

25 사각형의 내각의 크기의 합은
$180° \times (4-2) = 360°$이므로
$\angle x + 97° + (180° - 110°) + 113° = 360°$
따라서 $\angle x = 80°$

26 오각형의 내각의 크기의 합은
$180° \times (5-2) = 540°$이므로
$95° + \angle x + 70° + (180° - 65°) + 150° = 540°$
따라서 $\angle x = 110°$

27 육각형의 내각의 크기의 합은
$180° \times (6-2) = 720°$이므로
$145° + \angle x + (180° - 55°) + 110° + (180° - 50°) + 100° = 720°$
따라서 $\angle x = 110°$

28 칠각형의 내각의 크기의 합은
$180° \times (7-2) = 900°$이므로

$\angle x + 124° + (180° - 48°) + 125° + 136° + 118°$
$$+ (180° - 40°) = 900°$$

따라서 $\angle x = 125°$

29 오각형의 내각의 크기의 합은
$180° \times (5-2) = 540°$이므로
$90° + 90° + \angle x + \angle x + \angle x = 540°$
$3\angle x = 360°$
따라서 $\angle x = 120°$

31 $\dfrac{180° \times (6-2)}{6} = 120°$

32 $\dfrac{180° \times (8-2)}{8} = 135°$

33 $\dfrac{180° \times (10-2)}{10} = 144°$

34 $\dfrac{180° \times (12-2)}{12} = 150°$

35 $\dfrac{180° \times (15-2)}{15} = 156°$

36 $\dfrac{180° \times (20-2)}{20} = 162°$

38 구하는 정다각형을 정n각형이라 하면
$\dfrac{180° \times (n-2)}{n} = 90°$, $180° \times n - 360° = 90° \times n$
$90° \times n = 360°$, $n = 4$
따라서 구하는 정다각형은 정사각형이다.

39 구하는 정다각형을 정n각형이라 하면
$\dfrac{180° \times (n-2)}{n} = 120°$, $180° \times n - 360° = 120° \times n$
$60° \times n = 360°$, $n = 6$
따라서 구하는 정다각형은 정육각형이다.

40 구하는 정다각형을 정n각형이라 하면
$\dfrac{180° \times (n-2)}{n} = 140°$, $180° \times n - 360° = 140° \times n$
$40° \times n = 360°$, $n = 9$
따라서 구하는 정다각형은 정구각형이다.

41 구하는 정다각형을 정n각형이라 하면
$\dfrac{180° \times (n-2)}{n} = 150°$, $180° \times n - 360° = 150° \times n$

$30° \times n = 360°$, $n = 12$
따라서 구하는 정다각형은 정십이각형이다.

42 구하는 정다각형을 정n각형이라 하면
$\dfrac{180° \times (n-2)}{n} = 162°$, $180° \times n - 360° = 162° \times n$
$18° \times n = 360°$, $n = 20$
따라서 구하는 정다각형은 정이십각형이다.

08 본문 118쪽

다각형의 외각의 크기의 합

1 360°	**2** 360°	**3** 360°	**4** 360°
5 360°	**6** 360°	**7** 360°	☺ 360
8 70° (✏ 360, 70)		**9** 85°	**10** 80°
11 65°	**12** 110°	**13** 50° (✏ 360, 360, 50)	
14 30°	**15** 85°	**16** 70°	**17** 360°
18 72° (✏ 5, 72)		**19** 90°	**20** 60°
21 45°	**22** 30°	**23** 20°	**24** 18°
25 정오각형 (✏ 72, 5, 정오각형)			**26** 정삼각형
27 정육각형	**28** 정팔각형	**29** 정구각형	**30** 정십이각형
31 정이십각형			
32 정육각형 (✏ 1, 60, 60, 6, 정육각형)			
33 정사각형	**34** 정오각형	**35** 정십이각형	
36 ④	**37** 140° (✏ 2, 2, 9, 정구각형, 9, 140)		
38 120°	**39** 135°	**40** 144°	**41** 150°
42 108° (✏ 2, 5, 정오각형, 5, 5, 108)			
43 135°	**44** 144°	**45** 150°	**46** ③
47 60° (✏ 2, 2, 2, 6, 정육각형, 6, 60)			**48** 72°
49 45°	**50** 30°	☺ $n-2$, 360	

9 $\angle x + 140° + 135° = 360°$
따라서 $\angle x = 85°$

10 $\angle x + 120° + 95° + 65° = 360°$
따라서 $\angle x = 80°$

11 $\angle x + (180° - 110°) + 65° + 70° + 90° = 360°$
따라서 $\angle x = 65°$

12 $70° + \angle x + (180° - 135°) + 55° + 80° = 360°$

따라서 $\angle x = 110°$

14 $85° + 2\angle x + 125° + 3\angle x = 360°$

$5\angle x + 210° = 360°$

따라서 $\angle x = 30°$

15 $\angle x + (\angle x - 40°) + 80° + (2\angle x - 70°) + 50° = 360°$

$4\angle x + 20° = 360°$

따라서 $\angle x = 85°$

16 $55° + 40° + 65° + \angle x + (\angle x + 20°)$
$$+ (2\angle x - 100°) = 360°$$

$4\angle x + 80° = 360°$

따라서 $\angle x = 70°$

17 다각형의 외각의 크기의 합은 360°이므로

$\angle a + \angle b + \angle c + \angle d + \angle e = 360°$

19 $\dfrac{360°}{4} = 90°$

20 $\dfrac{360°}{6} = 60°$

21 $\dfrac{360°}{8} = 45°$

22 $\dfrac{360°}{12} = 30°$

23 $\dfrac{360°}{18} = 20°$

24 $\dfrac{360°}{20} = 18°$

26 구하는 정다각형을 정n각형이라 하면

$\dfrac{360°}{n} = 120°$이므로 $n = 3$

따라서 구하는 정다각형은 정삼각형이다.

27 구하는 정다각형을 정n각형이라 하면

$\dfrac{360°}{n} = 60°$이므로 $n = 6$

따라서 구하는 정다각형은 정육각형이다.

28 구하는 정다각형을 정n각형이라 하면

$\dfrac{360°}{n} = 45°$이므로 $n = 8$

따라서 구하는 정다각형은 정팔각형이다.

29 구하는 정다각형을 정n각형이라 하면

$\dfrac{360°}{n} = 40°$이므로 $n = 9$

따라서 구하는 정다각형은 정구각형이다.

30 구하는 정다각형을 정n각형이라 하면

$\dfrac{360°}{n} = 30°$이므로 $n = 12$

따라서 구하는 정다각형은 정십이각형이다.

31 구하는 정다각형을 정n각형이라 하면

$\dfrac{360°}{n} = 18°$이므로 $n = 20$

따라서 구하는 정다각형은 정이십각형이다.

33 한 외각의 크기는 $180° \times \dfrac{1}{1+1} = 90°$

구하는 정다각형을 정n각형이라 하면

$\dfrac{360°}{n} = 90°$이므로 $n = 4$

따라서 구하는 정다각형은 정사각형이다.

34 한 외각의 크기는 $180° \times \dfrac{2}{3+2} = 72°$

구하는 정다각형을 정n각형이라 하면

$\dfrac{360°}{n} = 72°$이므로 $n = 5$

따라서 구하는 정다각형은 정오각형이다.

35 한 외각의 크기는 $180° \times \dfrac{1}{5+1} = 30°$

구하는 정다각형을 정n각형이라 하면

$\dfrac{360°}{n} = 30°$이므로 $n = 12$

따라서 구하는 정다각형은 정십이각형이다.

36 한 외각의 크기는 $180° \times \dfrac{1}{3+1} = 45°$

구하는 정다각형을 정n각형이라 하면

$\dfrac{360°}{n} = 45°$이므로 $n = 8$

따라서 정팔각형의 대각선의 개수는

$\dfrac{8 \times (8-3)}{2} = 20$

38 구하는 정다각형을 정n각형이라 하면

$180° \times (n-2) = 720°$, $n - 2 = 4$이므로 $n = 6$

따라서 정육각형의 한 내각의 크기는

$\dfrac{720°}{6} = 120°$

39 구하는 정다각형을 정n각형이라 하면
$180° \times (n-2) = 1080°$, $n-2=6$이므로 $n=8$
따라서 정팔각형의 한 내각의 크기는
$$\frac{1080°}{8} = 135°$$

40 구하는 정다각형을 정n각형이라 하면
$180° \times (n-2) = 1440°$, $n-2=8$이므로 $n=10$
따라서 정십각형의 한 내각의 크기는
$$\frac{1440°}{10} = 144°$$

41 구하는 정다각형을 정n각형이라 하면
$180° \times (n-2) = 1800°$, $n-2=10$이므로 $n=12$
따라서 정십이각형의 한 내각의 크기는
$$\frac{1800°}{12} = 150°$$

43 구하는 정다각형을 정n각형이라 하면
$n-3=5$이므로 $n=8$
따라서 정팔각형의 한 내각의 크기는
$$\frac{180° \times (8-2)}{8} = 135°$$

44 구하는 정다각형을 정n각형이라 하면
$n-3=7$이므로 $n=10$
따라서 정십각형의 한 내각의 크기는
$$\frac{180° \times (10-2)}{10} = 144°$$

45 구하는 정다각형을 정n각형이라 하면
$n-3=9$이므로 $n=12$
따라서 정십이각형의 한 내각의 크기는
$$\frac{180° \times (12-2)}{12} = 150°$$

46 구하는 정다각형을 정n각형이라 하면
$\frac{360°}{n} = 20°$이므로 $n=18$
따라서 정십팔각형의 대각선의 개수는
$$\frac{18 \times (18-3)}{2} = 135$$

48 구하는 정다각형을 정n각형이라 하면
$180° \times (n-2) + 360° = 900°$
$180° \times (n-2) = 540°$
$n-2=3$이므로 $n=5$
따라서 정오각형의 한 외각의 크기는
$$\frac{360°}{5} = 72°$$

49 구하는 정다각형을 정n각형이라 하면
$180° \times (n-2) + 360° = 1440°$
$180° \times (n-2) = 1080°$
$n-2=6$이므로 $n=8$
따라서 정팔각형의 한 외각의 크기는
$$\frac{360°}{8} = 45°$$

50 구하는 정다각형을 정n각형이라 하면
$180° \times (n-2) + 360° = 2160°$
$180° \times (n-2) = 1800°$
$n-2=10$이므로 $n=12$
따라서 정십이각형의 한 외각의 크기는
$$\frac{360°}{12} = 30°$$

TEST <u>5. 다각형의 성질</u>   본문 123쪽

| **1** ③, ④ | **2** ⑤ | **3** ② |
| **4** ② | **5** 34° | **6** 정구각형 |

1 ③ 다각형의 한 꼭짓점에서 내각의 크기와 외각의 크기의
합은 180°이다.
④ 마름모의 네 내각의 크기는 같지 않을 수 있으므로 정
다각형이 아니다.

2 구하는 다각형을 n각형이라 하면
$\frac{n \times (n-3)}{2} = 77$에서 $n(n-3) = 154$
이때 $154 = 14 \times 11$이므로 $n=14$
따라서 십사각형의 내각의 크기의 합은
$180° \times (14-2) = 2160°$

3 삼각형의 외각의 성질에 의하여
$(2\angle x - 10°) + (\angle x + 40°) = 120°$
$3\angle x = 90°$
따라서 $\angle x = 30°$

4 다각형의 외각의 크기의 합은 360°이므로
$\angle x + 95° + 85° + \angle y + 70° = 360°$
따라서 $\angle x + \angle y = 110°$

5 △ABC는 이등변삼각형이므로

$\angle ACB = \angle ABC = \angle x$

△ABC에서 $\angle CAD = \angle x + \angle x = 2\angle x$

△ACD는 이등변삼각형이므로

$\angle CDA = \angle CAD = 2\angle x$

△DBC에서 $\angle x + 2\angle x = 102°$

따라서 $\angle x = 34°$

6 한 외각의 크기는 $180° \times \dfrac{2}{7+2} = 40°$

구하는 정다각형을 정n각형이라 하면

$\dfrac{360°}{n} = 40°$이므로 $n = 9$

따라서 구하는 정다각형은 정구각형이다.

6 원과 부채꼴

01
본문 126쪽

원과 부채꼴

원리확인

❶ 활꼴 ❷ 호 ❸ 현 ❹ 부채꼴

| 5 $\widehat{AB}$ | 6 $\widehat{BC}$ | 7 $\overline{BC}$ | 8 $\angle AOB$ |

| 9 $\angle BOC$ | 10 $\angle BOC$ | 11 × | 12 ○ |

| 13 ○ | 14 × | 15 ○ | 16 × |

17 ④

11 부채꼴은 호와 두 반지름으로 이루어진 도형이다.

14 $\overline{OA}$와 $\overline{OB}$는 반지름이다.

16 부채꼴이 활꼴이 될 때 중심각의 크기는 180°이다.

17 ④ 반원에 대한 중심각의 크기는 180°이다.

02
본문 128쪽

부채꼴; 중심각의 크기와 호의 길이

원리확인

2 cm, 3 cm, 4 cm, 정비례

| 1 10 | 2 3 | 3 40 | 4 65 |

☺ 호, 중심각   5 6 (✏ 12, 6)

| 6 6 | 7 5 | 8 35 | ☺ 정비례 |

9 $x = 4$, $y = 105$ (✏ 2, 4, 6, 105)

10 $x = 4$, $y = 75$ 11 $x = 10$, $y = 50$

12 $x=20,\ y=18$　　**13** $x=63,\ y=2$

14 $72°\ (\text{✎}\ 2,\ 72)$　　**15** $54°$　　**16** $135°$

17 $120°\ (\text{✎}\ 2,\ 120)$　　**18** $168°$

19 COB, 30, DAO, 30, 120, AOD, 120, 20

20 35　　**21** 25

22 COB, 30, OCD, 30, 120, COD, 120, 12

23 15　　**24** 5

25 20, 20, 40, OCD, 40, 40, 60, BOD, 60, 3

26 10　　**27** 8

6　$45:90=3:x$이므로 $x=6$

7　$30:120=x:20$이므로 $x=5$

8　$3:6=x:70$이므로 $x=35$

10　$30:45=x:6$이므로 $x=4$
　　$45:y=6:10$이므로 $y=75$

11　$30:100=3:x$이므로 $x=10$
　　$30:y=3:5$이므로 $y=50$

12　$80:x=16:4$이므로 $x=20$
　　$80:90=16:y$이므로 $y=18$

13　$105:x=5:3$이므로 $x=63$
　　$42:105=y:5$이므로 $y=2$

15　$\angle x=180°\times\dfrac{3}{3+7}=54°$

16　$\angle x=180°\times\dfrac{3}{1+3}=135°$

18　$\angle x=360°\times\dfrac{7}{2+6+7}=168°$

20　$\overline{\text{AD}}\,/\!/\,\overline{\text{OC}}$이므로
　　$\angle\text{DAB}=\angle\text{COB}=20°$(동위각)
　　$\overline{\text{OD}}$를 그으면 $\overline{\text{OA}}=\overline{\text{OD}}$이므로
　　$\angle\text{ODA}=\angle\text{DAO}=20°$
　　$\angle\text{AOD}=180°-(20°+20°)=140°$
　　따라서 $\overset{\frown}{\text{AD}}:\overset{\frown}{\text{BC}}=\angle\text{AOD}:\angle\text{COB}$이므로
　　$x:5=140:20,\ x=35$

21　$\overline{\text{BC}}\,/\!/\,\overline{\text{OD}}$이므로
　　$\angle\text{CBA}=\angle\text{DOA}=40°$(동위각)
　　$\overline{\text{OC}}$를 그으면 $\overline{\text{OB}}=\overline{\text{OC}}$이므로
　　$\angle\text{OCB}=\angle\text{CBO}=40°$
　　$\angle\text{BOC}=180°-(40°+40°)=100°$
　　따라서 $\overset{\frown}{\text{AD}}:\overset{\frown}{\text{BC}}=\angle\text{AOD}:\angle\text{BOC}$이므로
　　$10:x=40:100,\ x=25$

23　$\overline{\text{AB}}\,/\!/\,\overline{\text{DC}}$이므로
　　$\angle\text{OCD}=\angle\text{COB}=40°$(엇각)
　　$\overline{\text{OD}}$를 그으면 $\overline{\text{OC}}=\overline{\text{OD}}$이므로
　　$\angle\text{ODC}=\angle\text{OCD}=40°$
　　$\angle\text{COD}=180°-(40°+40°)=100°$
　　따라서 $\overset{\frown}{\text{BC}}:\overset{\frown}{\text{DC}}=\angle\text{BOC}:\angle\text{COD}$이므로
　　$6:x=40:100,\ x=15$

24　$\overline{\text{OD}}=\overline{\text{OC}}$이므로
　　$\angle\text{OCD}=\angle\text{ODC}=50°$
　　$\angle\text{COD}=180°-(50°+50°)=80°$이고
　　$\overline{\text{AB}}\,/\!/\,\overline{\text{DC}}$이므로
　　$\angle\text{BOC}=\angle\text{OCD}=50°$(엇각)
　　따라서 $\overset{\frown}{\text{BC}}:\overset{\frown}{\text{DC}}=\angle\text{BOC}:\angle\text{COD}$이므로
　　$x:8=50:80,\ x=5$

26　$\overline{\text{CO}}=\overline{\text{CP}}$이므로
　　$\angle\text{POC}=\angle\text{OPC}=15°$
　　$\triangle\text{OPC}$에서 $\angle\text{OCD}=15°+15°=30°$
　　$\overline{\text{OC}}=\overline{\text{OD}}$이므로
　　$\angle\text{ODC}=\angle\text{OCD}=30°$
　　$\triangle\text{OPD}$에서 $\angle\text{BOD}=15°+30°=45°$
　　따라서 $\overset{\frown}{\text{AC}}:\overset{\frown}{\text{BD}}=\angle\text{AOC}:\angle\text{BOD}$이므로
　　$\overset{\frown}{\text{AC}}:30=15:45,\ \overset{\frown}{\text{AC}}=10$

27　$\overline{\text{CO}}=\overline{\text{CP}}$이므로
　　$\angle\text{POC}=\angle\text{OPC}=25°$
　　$\triangle\text{OPC}$에서 $\angle\text{OCD}=25°+25°=50°$
　　$\overline{\text{OC}}=\overline{\text{OD}}$이므로
　　$\angle\text{ODC}=\angle\text{OCD}=50°$
　　$\triangle\text{OPD}$에서 $\angle\text{BOD}=25°+50°=75°$
　　따라서 $\overset{\frown}{\text{AC}}:\overset{\frown}{\text{BD}}=\angle\text{AOC}:\angle\text{BOD}$이므로
　　$\overset{\frown}{\text{AC}}:24=25:75$이므로 $\overset{\frown}{\text{AC}}=8$

03

본문 132쪽

부채꼴; 중심각의 크기와 넓이

원리확인

$2\,cm^2$, $3\,cm^2$, $4\,cm^2$, 정비례

1 5	**2** 10	**3** 70	**4** 20
☺ 넓이, 중심각		**5** 5 (✏ 15, 5)	
6 15	**7** 80	**8** 75	☺ 정비례
9 30	**10** $\dfrac{25}{2}$	**11** 9	**12** 2
13 ⑤			

6 $10 : x = 50 : 75$이므로 $x = 15$

7 $12 : 3 = x : 20$이므로 $x = 80$

8 $20 : 12 = x : 45$이므로 $x = 75$

9 $25 : 10 = 75 : x$이므로 $x = 30$

10 $4 : 5 = 10 : x$이므로 $x = \dfrac{25}{2}$

11 $3 : x = 8 : 24$이므로 $x = 9$

12 $x : 10 = 10 : 50$이므로 $x = 2$

13 원의 넓이를 $x\,cm^2$라 하면
$108 : 360 = 18 : x$이므로 $x = 60$
따라서 원의 넓이는 $60\,cm^2$이다.

04

본문 134쪽

부채꼴; 중심각의 크기와 현의 길이

원리확인

❶ ○	❷ ○	❸ ○
❹ ×	❺ ○	❻ ×

1 3	**2** 4	**3** 8	**4** 15
☺ 현, 중심각		**5** 65	**6** 135
7 70	**8** 50		

☺ 정비례한다, 정비례하지 않는다

9 ○	**10** ○	**11** ○	**12** ×
13 ○	**14** ⑤		

12 현의 길이는 중심각의 크기에 정비례하지 않는다.

14 ① 알 수 없다.
② $2\widehat{AB} = \widehat{CD}$
③ $\overline{AB} \neq \dfrac{1}{2}\overline{CD}$
④ ($\triangle COD$의 넓이) $< 2 \times$ ($\triangle AOB$의 넓이)

05

본문 136쪽

원; 둘레의 길이와 넓이

1 $6\pi\,cm$ (✏ 3, 6π)	**2** $10\pi\,cm$	**3** $12\pi\,cm$
4 $20\pi\,cm$	**5** $9\pi\,cm^2$ (✏ 3, 9π)	**6** $144\pi\,cm^2$
7 $4\pi\,cm^2$	**8** $100\pi\,cm^2$	
9 $3\,cm$, $9\pi\,cm^2$ (✏ 6π, 3, 3, 9π)		
10 $6\,cm$, $36\pi\,cm^2$	**11** $9\,cm$, $81\pi\,cm^2$	
12 $12\,cm$, $144\pi\,cm^2$	**13** $20\,cm$, $400\pi\,cm^2$	
14 $2\,cm$, $4\pi\,cm$ (✏ 4π, 2, 2, 4π)		
15 $5\,cm$, $10\pi\,cm$	**16** $8\,cm$, $16\pi\,cm$	
17 $10\,cm$, $20\pi\,cm$	**18** $16\,cm$, $32\pi\,cm$	
☺ $2\pi r$, πr^2		

2 $2\pi \times 5 = 10\pi\,(cm)$

3 반지름의 길이가 $6\,cm$이므로
$2\pi \times 6 = 12\pi\,(cm)$

4 반지름의 길이가 $10\,cm$이므로
$2\pi \times 10 = 20\pi\,(cm)$

6 $\pi \times 12^2 = 144\pi\,(cm^2)$

7 반지름의 길이가 $2\,cm$이므로
$\pi \times 2^2 = 4\pi\,(cm^2)$

8 반지름의 길이가 $10\,cm$이므로
$\pi \times 10^2 = 100\pi\,(cm^2)$

10 $2\pi r = 12\pi$이므로 $r = 6(\text{cm})$

$S = \pi \times 6^2 = 36\pi(\text{cm}^2)$

11 $2\pi r = 18\pi$이므로 $r = 9(\text{cm})$

$S = \pi \times 9^2 = 81\pi(\text{cm}^2)$

12 $2\pi r = 24\pi$이므로 $r = 12(\text{cm})$

$S = \pi \times 12^2 = 144\pi(\text{cm}^2)$

13 $2\pi r = 40\pi$이므로 $r = 20(\text{cm})$

$S = \pi \times 20^2 = 400\pi(\text{cm}^2)$

15 $\pi r^2 = 25\pi$이므로 $r = 5(\text{cm})$

$l = 2\pi \times 5 = 10\pi(\text{cm})$

16 $\pi r^2 = 64\pi$이므로 $r = 8(\text{cm})$

$l = 2\pi \times 8 = 16\pi(\text{cm})$

17 $\pi r^2 = 100\pi$이므로 $r = 10(\text{cm})$

$l = 2\pi \times 10 = 20\pi(\text{cm})$

18 $\pi r^2 = 256\pi$이므로 $r = 16(\text{cm})$

$l = 2\pi \times 16 = 32\pi(\text{cm})$

06

본문 138쪽

부채꼴; 호의 길이와 넓이

1 4π cm (✎ 18, 40, 4π) **2** π cm **3** 2π cm

4 $\dfrac{40}{3}\pi$ cm **5** $(6\pi + 18)$ cm (✎ 9, 120, 6π, 18)

6 $(\pi + 6)$ cm **7** $(8\pi + 20)$ cm

8 $(7\pi + 28)$ cm **9** $\left(\dfrac{10}{3}\pi + 8\right)$ cm

10 36π cm² (✎ 18, 40, 36π) **11** 96π cm²

12 $\dfrac{9}{2}\pi$ cm² **13** 27π cm² **14** 54π cm² **15** $\dfrac{75}{4}\pi$ cm²

☺ $\dfrac{x}{360}$, $\dfrac{x}{360}$ **16** 9 cm (✎ 60, 9, 9)

17 12 cm **18** 9 cm **19** 16 cm **20** 18 cm

21 10 cm **22** $\dfrac{9}{2}$ cm **23** ②

24 72° (✎ 10, 72, 72) **25** 150° **26** 45°

27 240° **28** 288° **29** 30° **30** 81°

---

31 6 cm (✎ 120, 36, 6, 6) **32** 2 cm

33 5 cm **34** 12 cm **35** 9 cm **36** 4 cm

37 80° (✎ 3, 80, 80) **38** 150° **39** 90°

40 135° **41** 210° **42** 30°

2 $2\pi \times 3 \times \dfrac{60}{360} = \pi(\text{cm})$

3 $2\pi \times 8 \times \dfrac{45}{360} = 2\pi(\text{cm})$

4 $2\pi \times 10 \times \dfrac{240}{360} = \dfrac{40}{3}\pi(\text{cm})$

6 (부채꼴의 호의 길이) $= 2\pi \times 3 \times \dfrac{60}{360} = \pi(\text{cm})$

따라서 (부채꼴의 둘레의 길이) $= \pi + 6(\text{cm})$

7 (부채꼴의 호의 길이) $= 2\pi \times 10 \times \dfrac{144}{360} = 8\pi(\text{cm})$

따라서 (부채꼴의 둘레의 길이) $= 8\pi + 20(\text{cm})$

8 (부채꼴의 호의 길이) $= 2\pi \times 14 \times \dfrac{90}{360} = 7\pi(\text{cm})$

따라서 (부채꼴의 둘레의 길이) $= 7\pi + 28(\text{cm})$

9 (부채꼴의 호의 길이) $= 2\pi \times 4 \times \dfrac{150}{360} = \dfrac{10}{3}\pi(\text{cm})$

따라서 (부채꼴의 둘레의 길이) $= \dfrac{10}{3}\pi + 8(\text{cm})$

11 $\pi \times 12^2 \times \dfrac{240}{360} = 96\pi(\text{cm}^2)$

12 $\pi \times 6^2 \times \dfrac{45}{360} = \dfrac{9}{2}\pi(\text{cm}^2)$

13 $\pi \times 9^2 \times \dfrac{120}{360} = 27\pi(\text{cm}^2)$

14 $\pi \times 12^2 \times \dfrac{135}{360} = 54\pi(\text{cm}^2)$

15 $\pi \times 15^2 \times \dfrac{30}{360} = \dfrac{75}{4}\pi(\text{cm}^2)$

17 부채꼴의 반지름의 길이를 r cm라 하면

$2\pi r \times \dfrac{150}{360} = 10\pi$, $r = 12$

따라서 반지름의 길이는 12 cm이다.

18 부채꼴의 반지름의 길이를 r cm라 하면

$2\pi r \times \dfrac{40}{360} = 2\pi$, $r = 9$

따라서 반지름의 길이는 9 cm이다.

19 부채꼴의 반지름의 길이를 r cm라 하면

$2\pi r \times \dfrac{45}{360} = 4\pi$, $r = 16$

따라서 반지름의 길이는 16 cm이다.

20 부채꼴의 반지름의 길이를 r cm라 하면

$2\pi r \times \dfrac{120}{360} = 12\pi$, $r = 18$

따라서 반지름의 길이는 18 cm이다.

21 부채꼴의 반지름의 길이를 r cm라 하면

$2\pi r \times \dfrac{144}{360} = 8\pi$, $r = 10$

따라서 반지름의 길이는 10 cm이다.

22 부채꼴의 반지름의 길이를 r cm라 하면

$2\pi r \times \dfrac{240}{360} = 6\pi$, $r = \dfrac{9}{2}$

따라서 반지름의 길이는 $\dfrac{9}{2}$ cm이다.

23 부채꼴의 반지름의 길이를 r cm라 하면

$2\pi r \times \dfrac{30}{360} = \pi$, $r = 6$

따라서 구하는 부채꼴의 둘레의 길이는

$\pi + 12$(cm)

25 부채꼴의 중심각의 크기를 $x°$라 하면

$2\pi \times 6 \times \dfrac{x}{360} = 5\pi$이므로 $x = 150$

따라서 중심각의 크기는 150°이다.

26 부채꼴의 중심각의 크기를 $x°$라 하면

$2\pi \times 4 \times \dfrac{x}{360} = \pi$이므로 $x = 45$

따라서 중심각의 크기는 45°이다.

27 부채꼴의 중심각의 크기를 $x°$라 하면

$2\pi \times 3 \times \dfrac{x}{360} = 4\pi$이므로 $x = 240$

따라서 중심각의 크기는 240°이다.

28 부채꼴의 중심각의 크기를 $x°$라 하면

$2\pi \times 5 \times \dfrac{x}{360} = 8\pi$이므로 $x = 288$

따라서 중심각의 크기는 288°이다.

29 부채꼴의 중심각의 크기를 $x°$라 하면

$2\pi \times 12 \times \dfrac{x}{360} = 2\pi$이므로 $x = 30$

따라서 중심각의 크기는 30°이다.

30 부채꼴의 중심각의 크기를 $x°$라 하면

$2\pi \times 20 \times \dfrac{x}{360} = 9\pi$이므로 $x = 81$

따라서 중심각의 크기는 81°이다.

32 부채꼴의 반지름의 길이를 r cm이라 하면

$\pi r^2 \times \dfrac{90}{360} = \pi$이므로 $r^2 = 4$, $r = 2$ $(r > 0)$

따라서 반지름의 길이는 2 cm이다.

33 부채꼴의 반지름의 길이를 r cm이라 하면

$\pi r^2 \times \dfrac{144}{360} = 10\pi$이므로 $r^2 = 25$, $r = 5$ $(r > 0)$

따라서 반지름의 길이는 5 cm이다.

34 부채꼴의 반지름의 길이를 r cm이라 하면

$\pi r^2 \times \dfrac{60}{360} = 24\pi$이므로 $r^2 = 144$, $r = 12$ $(r > 0)$

따라서 반지름의 길이는 12 cm이다.

35 부채꼴의 반지름의 길이를 r cm이라 하면

$\pi r^2 \times \dfrac{120}{360} = 27\pi$이므로 $r^2 = 81$, $r = 9$ $(r > 0)$

따라서 반지름의 길이는 9 cm이다.

36 부채꼴의 반지름의 길이를 r cm이라 하면

$\pi r^2 \times \dfrac{135}{360} = 6\pi$이므로 $r^2 = 16$, $r = 4$ $(r > 0)$

따라서 반지름의 길이는 4 cm이다.

38 부채꼴의 중심각의 크기를 $x°$라 하면

$\pi \times 12^2 \times \dfrac{x}{360} = 60\pi$이므로 $x = 150$

따라서 중심각의 크기는 150°이다.

39 부채꼴의 중심각의 크기를 $x°$라 하면

$\pi \times 10^2 \times \dfrac{x}{360} = 25\pi$이므로 $x = 90$

따라서 중심각의 크기는 90°이다.

40 부채꼴의 중심각의 크기를 $x°$라 하면

$\pi \times 8^2 \times \dfrac{x}{360} = 24\pi$이므로 $x = 135$

따라서 중심각의 크기는 135°이다.

41 부채꼴의 중심각의 크기를 $x°$라 하면

$\pi \times 6^2 \times \dfrac{x}{360} = 21\pi$이므로 $x = 210$

따라서 중심각의 크기는 $210°$이다.

42 부채꼴의 중심각의 크기를 $x°$라 하면

$\pi \times 16^2 \times \dfrac{x}{360} = \dfrac{64}{3}\pi$이므로 $x = 30$

따라서 중심각의 크기는 $30°$이다.

07

본문 142쪽

부채꼴; 호의 길이와 넓이 사이의 관계

1 6π cm² (✏ 3π, 6π) **2** 8π cm² **3** 27π cm²

4 8 cm (✏ 2π, 8π, 8, 8) **5** 6 cm **6** 15 cm

7 5 cm **8** 10 cm ☺ $\dfrac{1}{2}rl$

9 6π cm (✏ 9, 27π, 6π, 6π) **10** 3π cm

11 5π cm **12** 6π cm **13** 6π cm **14** 2π cm

15 $120°$ (✏ 2π, 3π, 3, 3, 3π, 120, 120)

16 $225°$ **17** $120°$

---

2 $\dfrac{1}{2} \times 8 \times 2\pi = 8\pi\,(\text{cm}^2)$

3 $\dfrac{1}{2} \times 9 \times 6\pi = 27\pi\,(\text{cm}^2)$

5 부채꼴의 반지름의 길이를 r cm라 하면

$\dfrac{1}{2} \times r \times 5\pi = 15\pi$이므로 $r = 6$

따라서 반지름의 길이는 6 cm이다.

6 부채꼴의 반지름의 길이를 r cm라 하면

$\dfrac{1}{2} \times r \times 18\pi = 135\pi$이므로 $r = 15$

따라서 반지름의 길이는 15 cm이다.

7 부채꼴의 반지름의 길이를 r cm라 하면

$\dfrac{1}{2} \times r \times 6\pi = 15\pi$이므로 $r = 5$

따라서 반지름의 길이는 5 cm이다.

8 부채꼴의 반지름의 길이를 r cm라 하면

$\dfrac{1}{2} \times r \times 5\pi = 25\pi$이므로 $r = 10$

따라서 반지름의 길이는 10 cm이다.

---

10 부채꼴의 호의 길이를 l cm라 하면

$\dfrac{1}{2} \times 4 \times l = 6\pi$이므로 $l = 3\pi$

따라서 호의 길이는 3π cm이다.

11 부채꼴의 호의 길이를 l cm라 하면

$\dfrac{1}{2} \times 6 \times l = 15\pi$이므로 $l = 5\pi$

따라서 호의 길이는 5π cm이다.

12 부채꼴의 호의 길이를 l cm라 하면

$\dfrac{1}{2} \times 10 \times l = 30\pi$이므로 $l = 6\pi$

따라서 호의 길이는 6π cm이다.

13 부채꼴의 호의 길이를 l cm라 하면

$\dfrac{1}{2} \times 6 \times l = 18\pi$이므로 $l = 6\pi$

따라서 호의 길이는 6π cm이다.

14 부채꼴의 호의 길이를 l cm라 하면

$\dfrac{1}{2} \times 10 \times l = 10\pi$이므로 $l = 2\pi$

따라서 호의 길이는 2π cm이다.

16 부채꼴의 반지름의 길이를 r cm라 하면

$\dfrac{1}{2} \times r \times 10\pi = 40\pi$이므로 $r = 8$

부채꼴의 중심각의 크기를 $x°$라 하면

$\pi \times 8^2 \times \dfrac{x}{360} = 40\pi$이므로 $x = 225$

따라서 중심각의 크기는 $225°$이다.

17 부채꼴의 반지름의 길이를 r cm라 하면

$\dfrac{1}{2} \times r \times 6\pi = 27\pi$이므로 $r = 9$

부채꼴의 중심각의 크기를 $x°$라 하면

$\pi \times 9^2 \times \dfrac{x}{360} = 27\pi$이므로 $x = 120$

따라서 중심각의 크기는 $120°$이다.

08
본문 144쪽

색칠한 부분의 둘레의 길이와 넓이

1 (1) 9, 18π, 5, 10π, 4, 8π, 36π

　(2) 9, 5, 4, 81π, 41π, 40π

2 18π cm, 27π cm²

3 12π cm, 12π cm²

4 40π cm, 50π cm^2

5 $(10\pi+4)$ cm, 10π cm^2

6 20π cm, 24π cm^2

7 (1) 12, 120, 8π, 3, 120, 2π, 9, 18, $10\pi+18$

   (2) 12, 120, 3, 120, 48π, 3π, 45π

8 $(3\pi+8)$ cm, 6π cm^2

9 $(25\pi+36)$ cm, 225π cm^2

10 $\left(\dfrac{25}{6}\pi+6\right)$ cm, $\dfrac{25}{4}\pi$ cm^2

11 $\left(\dfrac{7}{2}\pi+10\right)$ cm, $\dfrac{35}{4}\pi$ cm^2

12 $\left(\dfrac{7}{4}\pi+6\right)$ cm, $\dfrac{21}{8}\pi$ cm^2

13 $(6\pi+6)$ cm, 9π cm^2

14 (1) 4, 2π, 4, 8, $2\pi+8$ (2) 4, 4, $16-4\pi$

15 $(4\pi+16)$ cm, $(64-16\pi)$ cm^2

16 $(5\pi+20)$ cm, $(100-25\pi)$ cm^2

17 $(6\pi+24)$ cm, $(72-18\pi)$ cm^2

18 $(20\pi+40)$ cm, $(400-100\pi)$ cm^2

19 $(8\pi+16)$ cm, $(128-32\pi)$ cm^2

20 $(30\pi+120)$ cm, $(900-225\pi)$ cm^2

21 (1) 10, 5π, 5, 5π, 10, $10\pi+10$

   (2) 10, 5, 25π, $\dfrac{25}{2}\pi$, $\dfrac{25}{2}\pi$

22 $(4\pi+4)$ cm, 2π cm^2

23 $(6\pi+6)$ cm, $\dfrac{9}{2}\pi$ cm^2

24 $(5\pi+5)$ cm, $\dfrac{25}{8}\pi$ cm^2

25 $(4\pi+12)$ cm, $(16-2\pi)$ cm^2

26 $(12\pi+36)$ cm, $(144-18\pi)$ cm^2

27 $(8\pi+8)$ cm, 8π cm^2

28 (1) 8, 4π, 8π (2) 8, 8, $16\pi-32$, $32\pi-64$

29 10π cm, $(50\pi-100)$ cm^2

30 20π cm, $(200\pi-400)$ cm^2

31 $(4\pi+16)$ cm, $(32-8\pi)$ cm^2

32 $(6\pi+24)$ cm, $(72-18\pi)$ cm^2

33 $(2\pi+8)$ cm, $(8-2\pi)$ cm^2

34 $(9\pi+12)$ cm, $(45\pi-36)$ cm^2

35 (1) 2, π, 4π (2) 2, 4, $16-4\pi$

36 12π cm, $(144-36\pi)$ cm^2

37 24π cm, $(72\pi-144)$ cm^2

38 $(10\pi+20)$ cm, $(200-50\pi)$ cm^2

39 $(16\pi+48)$ cm, $(256-64\pi)$ cm^2

40 20π cm, $(50\pi-100)$ cm^2

41 6π cm, $\left(\dfrac{9}{2}\pi-9\right)$ cm^2

42 (1) 10, 10π, 5, 5π, 20π (2) 10, 50π

43 $(4\pi+4)$ cm, 8 cm^2

44 14π cm, 98 cm^2

45 10π cm, 50 cm^2

46 $\dfrac{9}{2}\pi$ cm, $\dfrac{9}{4}\pi$ cm^2

47 48π cm, 128π cm^2

48 $(8\pi+16)$ cm, 32 cm^2

49 (1) 12, 6π, 6, 6π, 18π (2) 12, 12, $36\pi-72$

50 $(5\pi+10)$ cm, $\dfrac{25}{2}$ cm^2

51 $(10\pi+20)$ cm, 50 cm^2

52 $(6\pi+12)$ cm, 18 cm^2

53 $(4\pi+4)$ cm, 2π cm^2

54 $(15\pi+20)$ cm, $\dfrac{25}{2}\pi$ cm^2

55 $(24\pi+32)$ cm, 32π cm^2

56 (1) 2, 2π, $\dfrac{3}{2}$, $\dfrac{3}{2}\pi$, $\dfrac{5}{2}$, $\dfrac{5}{2}\pi$, 6π

   (2) 2, 2, $\dfrac{3}{2}$, 2, 4, $\dfrac{5}{2}$, 2, 6

57 15π cm, 30 cm^2

58 (1) 6, 6π, 12, 4π, 6, 6π, 16π (2) 6, 12, 6, 24π

59 5π cm, 2π cm^2

2 (둘레의 길이)$=2\pi\times6+2\pi\times3=18\pi$(cm)

   (넓이)$=\pi\times6^2-\pi\times3^2=27\pi$(cm^2)

3 (둘레의 길이)$=2\pi\times4+2\pi\times2=12\pi$(cm)

   (넓이)$=\pi\times4^2-\pi\times2^2=12\pi$(cm^2)

4 (둘레의 길이)$=2\pi\times10+2\times2\pi\times5=40\pi$(cm)

   (넓이)$=\pi\times10^2-2\times\pi\times5^2=50\pi$(cm^2)

5 (둘레의 길이)$=$(곡선 부분)$+$(직선 부분)

$$=\left(\dfrac{1}{2}\times2\pi\times6+\dfrac{1}{2}\times2\pi\times4\right)+4$$

$$=10\pi+4\text{(cm)}$$

   (넓이)$=\dfrac{1}{2}\times\pi\times6^2-\dfrac{1}{2}\times\pi\times4^2=10\pi$(cm^2)

6 $(\text{둘레의 길이})=\dfrac{1}{2}\times2\pi\times10+\dfrac{1}{2}\times2\pi\times6+\dfrac{1}{2}\times2\pi\times4$

$\qquad\qquad\quad =20\pi(\text{cm})$

$\quad(\text{넓이})=\dfrac{1}{2}\times\pi\times10^2-\dfrac{1}{2}\times\pi\times6^2-\dfrac{1}{2}\times\pi\times4^2$

$\qquad\qquad =24\pi(\text{cm}^2)$

8 $(\text{둘레의 길이})=(\text{곡선 부분})+(\text{직선 부분})$

$\qquad\qquad\quad =\left(2\pi\times8\times\dfrac{45}{360}+2\pi\times4\times\dfrac{45}{360}\right)+2\times4$

$\qquad\qquad\quad =3\pi+8(\text{cm})$

$\quad(\text{넓이})=\pi\times8^2\times\dfrac{45}{360}-\pi\times4^2\times\dfrac{45}{360}=6\pi(\text{cm}^2)$

9 (둘레의 길이)

$\quad =(\text{곡선 부분})+(\text{직선 부분})$

$\quad =\left(2\pi\times24\times\dfrac{150}{360}+2\pi\times6\times\dfrac{150}{360}\right)+2\times18$

$\quad =25\pi+36(\text{cm})$

$\quad(\text{넓이})=\pi\times24^2\times\dfrac{150}{360}-\pi\times6^2\times\dfrac{150}{360}=225\pi(\text{cm}^2)$

10 $(\text{둘레의 길이})=(\text{곡선 부분})+(\text{직선 부분})$

$\qquad\qquad\quad =\left(2\pi\times9\times\dfrac{50}{360}+2\pi\times6\times\dfrac{50}{360}\right)+2\times3$

$\qquad\qquad\quad =\dfrac{25}{6}\pi+6(\text{cm})$

$\quad(\text{넓이})=\pi\times9^2\times\dfrac{50}{360}-\pi\times6^2\times\dfrac{50}{360}=\dfrac{25}{4}\pi(\text{cm}^2)$

11 $(\text{둘레의 길이})=(\text{곡선 부분})+(\text{직선 부분})$

$\qquad\qquad\quad =\left(2\pi\times6\times\dfrac{90}{360}+2\pi\times1\times\dfrac{90}{360}\right)+2\times5$

$\qquad\qquad\quad =\dfrac{7}{2}\pi+10(\text{cm})$

$\quad(\text{넓이})=\pi\times6^2\times\dfrac{90}{360}-\pi\times1^2\times\dfrac{90}{360}=\dfrac{35}{4}\pi(\text{cm}^2)$

12 $(\text{둘레의 길이})=(\text{곡선 부분})+(\text{직선 부분})$

$\qquad\qquad\quad =\left(2\pi\times5\times\dfrac{45}{360}+2\pi\times2\times\dfrac{45}{360}\right)+2\times3$

$\qquad\qquad\quad =\dfrac{7}{4}\pi+6(\text{cm})$

$\quad(\text{넓이})=\pi\times5^2\times\dfrac{45}{360}-\pi\times2^2\times\dfrac{45}{360}=\dfrac{21}{8}\pi(\text{cm}^2)$

13 $(\text{둘레의 길이})=(\text{곡선 부분})+(\text{직선 부분})$

$\qquad\qquad\quad =\left(2\pi\times6\times\dfrac{120}{360}+2\pi\times3\times\dfrac{120}{360}\right)+2\times3$

$\qquad\qquad\quad =6\pi+6(\text{cm})$

$\quad(\text{넓이})=\pi\times6^2\times\dfrac{120}{360}-\pi\times3^2\times\dfrac{120}{360}=9\pi(\text{cm}^2)$

15 $(\text{둘레의 길이})=(\text{곡선 부분})+(\text{직선 부분})$

$\qquad\qquad\quad =2\pi\times8\times\dfrac{1}{4}+2\times8$

$\qquad\qquad\quad =4\pi+16(\text{cm})$

$\quad(\text{넓이})=8\times8-\pi\times8^2\times\dfrac{1}{4}=64-16\pi(\text{cm}^2)$

16 $(\text{둘레의 길이})=(\text{곡선 부분})+(\text{직선 부분})$

$\qquad\qquad\quad =2\pi\times10\times\dfrac{1}{4}+2\times10$

$\qquad\qquad\quad =5\pi+20(\text{cm})$

$\quad(\text{넓이})=10\times10-\pi\times10^2\times\dfrac{1}{4}=100-25\pi(\text{cm}^2)$

17 $(\text{둘레의 길이})=(\text{곡선 부분})+(\text{직선 부분})$

$\qquad\qquad\quad =2\pi\times6\times\dfrac{1}{2}+2\times6+12$

$\qquad\qquad\quad =6\pi+24(\text{cm})$

$\quad(\text{넓이})=12\times6-\pi\times6^2\times\dfrac{1}{2}=72-18\pi(\text{cm}^2)$

18 $(\text{둘레의 길이})=(\text{곡선 부분})+(\text{직선 부분})$

$\qquad\qquad\quad =2\times2\pi\times10\times\dfrac{1}{2}+2\times20$

$\qquad\qquad\quad =20\pi+40(\text{cm})$

$\quad(\text{넓이})=20\times20-2\times\pi\times10^2\times\dfrac{1}{2}=400-100\pi(\text{cm}^2)$

19 $(\text{둘레의 길이})=(\text{곡선 부분})+(\text{직선 부분})$

$\qquad\qquad\quad =2\times2\pi\times8\times\dfrac{1}{4}+2\times8$

$\qquad\qquad\quad =8\pi+16(\text{cm})$

$\quad(\text{넓이})=16\times8-2\times\pi\times8^2\times\dfrac{1}{4}=128-32\pi(\text{cm}^2)$

20 $(\text{둘레의 길이})=(\text{곡선 부분})+(\text{직선 부분})$

$\qquad\qquad\quad =2\pi\times15+4\times30$

$\qquad\qquad\quad =30\pi+120(\text{cm})$

$\quad(\text{넓이})=30\times30-\pi\times15^2=900-225\pi(\text{cm}^2)$

22 $(\text{둘레의 길이})=(\text{곡선 부분})+(\text{직선 부분})$

$\qquad\qquad\quad =\left(2\pi\times4\times\dfrac{1}{4}+2\pi\times2\times\dfrac{1}{2}\right)+4$

$\qquad\qquad\quad =4\pi+4(\text{cm})$

$\quad(\text{넓이})=\pi\times4^2\times\dfrac{1}{4}-\pi\times2^2\times\dfrac{1}{2}=2\pi(\text{cm}^2)$

23 $(\text{둘레의 길이})=(\text{곡선 부분})+(\text{직선 부분})$

$\qquad\qquad\quad =\left(2\pi\times3\times\dfrac{1}{2}+2\pi\times6\times\dfrac{1}{4}\right)+6$

$\qquad\qquad\quad =6\pi+6(\text{cm})$

$\quad(\text{넓이})=\pi\times6^2\times\dfrac{1}{4}-\pi\times3^2\times\dfrac{1}{2}=\dfrac{9}{2}\pi(\text{cm}^2)$

24 (둘레의 길이)$=$(곡선 부분)$+$(직선 부분)

$\qquad = \left(2\pi \times 5 \times \dfrac{1}{4} + 2\pi \times \dfrac{5}{2} \times \dfrac{1}{2}\right) + 5$

$\qquad = 5\pi + 5\,(\mathrm{cm})$

$\quad$(넓이)$= \pi \times 5^2 \times \dfrac{1}{4} - \pi \times \left(\dfrac{5}{2}\right)^2 \times \dfrac{1}{2} = \dfrac{25}{8}\pi\,(\mathrm{cm}^2)$

25 (둘레의 길이)$=$(곡선 부분)$+$(직선 부분)

$\qquad = \left(2\pi \times 2 \times \dfrac{1}{2} + 2\pi \times 4 \times \dfrac{1}{4}\right) + 3 \times 4$

$\qquad = 4\pi + 12\,(\mathrm{cm})$

$\quad$(넓이)$= 4 \times 4 - \pi \times 4^2 \times \dfrac{1}{4} + \pi \times 2^2 \times \dfrac{1}{2} = 16 - 2\pi\,(\mathrm{cm}^2)$

26 (둘레의 길이)$=$(곡선 부분)$+$(직선 부분)

$\qquad = \left(2\pi \times 12 \times \dfrac{1}{4} + 2\pi \times 6 \times \dfrac{1}{2}\right) + 3 \times 12$

$\qquad = 12\pi + 36\,(\mathrm{cm})$

$\quad$(넓이)$= 12 \times 12 - \pi \times 12^2 \times \dfrac{1}{4} + \pi \times 6^2 \times \dfrac{1}{2}$

$\qquad = 144 - 18\pi\,(\mathrm{cm}^2)$

27 (둘레의 길이)$=$(곡선 부분)$+$(직선 부분)

$\qquad = \left(2\pi \times 8 \times \dfrac{1}{4} + 2\pi \times 4 \times \dfrac{1}{2}\right) + 8$

$\qquad = 8\pi + 8\,(\mathrm{cm})$

$\quad$(넓이)$= \pi \times 8^2 \times \dfrac{1}{4} - \pi \times 4^2 \times \dfrac{1}{2} = 8\pi\,(\mathrm{cm}^2)$

29 (둘레의 길이)$= 2\pi \times 10 \times \dfrac{1}{4} \times 2 = 10\pi\,(\mathrm{cm})$

$\quad$(넓이)$= \left(\pi \times 10^2 \times \dfrac{1}{4} - \dfrac{1}{2} \times 10 \times 10\right) \times 2$

$\qquad = 50\pi - 100\,(\mathrm{cm}^2)$

30 (둘레의 길이)$= 2\pi \times 20 \times \dfrac{1}{4} \times 2 = 20\pi\,(\mathrm{cm})$

$\quad$(넓이)$= \left(\pi \times 20^2 \times \dfrac{1}{4} - \dfrac{1}{2} \times 20 \times 20\right) \times 2$

$\qquad = 200\pi - 400\,(\mathrm{cm}^2)$

31 (둘레의 길이)$= \left(2\pi \times 4 \times \dfrac{1}{4} + 2 \times 4\right) \times 2 = 4\pi + 16\,(\mathrm{cm})$

$\quad$(넓이)$= \left(4 \times 4 - \pi \times 4^2 \times \dfrac{1}{4}\right) \times 2 = 32 - 8\pi\,(\mathrm{cm}^2)$

32 (둘레의 길이)$= \left(2\pi \times 6 \times \dfrac{1}{4} + 2 \times 6\right) \times 2 = 6\pi + 24\,(\mathrm{cm})$

$\quad$(넓이)$= \left(6 \times 6 - \pi \times 6^2 \times \dfrac{1}{4}\right) \times 2 = 72 - 18\pi\,(\mathrm{cm}^2)$

33 (둘레의 길이)$= \left(2\pi \times 2 \times \dfrac{1}{4} + 2 \times 2\right) \times 2 = 2\pi + 8\,(\mathrm{cm})$

$\quad$(넓이)$= \left(2 \times 2 - \pi \times 2^2 \times \dfrac{1}{4}\right) \times 2 = 8 - 2\pi\,(\mathrm{cm}^2)$

34 (둘레의 길이)$=$(곡선 부분)$+$(직선 부분)

$\qquad = 2\pi \times 6 \times \dfrac{1}{4} + 2\pi \times 12 \times \dfrac{1}{4} + 2 \times 6$

$\qquad = 9\pi + 12\,(\mathrm{cm})$

$\quad$(넓이)$= \pi \times 12^2 \times \dfrac{1}{4} - \left(6 \times 6 - \pi \times 6^2 \times \dfrac{1}{4}\right)$

$\qquad = 45\pi - 36\,(\mathrm{cm}^2)$

36 (둘레의 길이)$= \left(2\pi \times 6 \times \dfrac{1}{4}\right) \times 4 = 12\pi\,(\mathrm{cm})$

$\quad$(넓이)$= \left(6 \times 6 - \pi \times 6^2 \times \dfrac{1}{4}\right) \times 4 = 144 - 36\pi\,(\mathrm{cm}^2)$

37 (둘레의 길이)$= \left(2\pi \times 6 \times \dfrac{1}{4}\right) \times 8 = 24\pi\,(\mathrm{cm})$

$\quad$(넓이)$= \left(\pi \times 6^2 \times \dfrac{1}{4} - \dfrac{1}{2} \times 6 \times 6\right) \times 8 = 72\pi - 144\,(\mathrm{cm}^2)$

38 (둘레의 길이)$=$(곡선 부분)$+$(직선 부분)

$\qquad = \left(2\pi \times 10 \times \dfrac{1}{4}\right) \times 2 + 20$

$\qquad = 10\pi + 20\,(\mathrm{cm})$

$\quad$(넓이)$= \left(10 \times 10 - \pi \times 10^2 \times \dfrac{1}{4}\right) \times 2 = 200 - 50\pi\,(\mathrm{cm}^2)$

39 (둘레의 길이)$=$(곡선 부분)$+$(직선 부분)

$\qquad = \left(2\pi \times 8 \times \dfrac{1}{4}\right) \times 4 + 2 \times 8 + 2 \times 16$

$\qquad = 16\pi + 48\,(\mathrm{cm})$

$\quad$(넓이)$= \left(8 \times 8 - \pi \times 8^2 \times \dfrac{1}{4}\right) \times 4 = 256 - 64\pi\,(\mathrm{cm}^2)$

40 (둘레의 길이)$= \left(2\pi \times 5 \times \dfrac{1}{4}\right) \times 8 = 20\pi\,(\mathrm{cm})$

$\quad$(넓이)$= \left(\pi \times 5^2 \times \dfrac{1}{4} - \dfrac{1}{2} \times 5 \times 5\right) \times 8 = 50\pi - 100\,(\mathrm{cm}^2)$

41 (둘레의 길이)$= 2\pi \times 6 \times \dfrac{1}{4} + \left(2\pi \times 3 \times \dfrac{1}{4}\right) \times 2 = 6\pi\,(\mathrm{cm})$

$\quad$(넓이)$= \left(\pi \times 6^2 \times \dfrac{1}{4}\right) - \left(\pi \times 3^2 \times \dfrac{1}{4} \times 2 + 3 \times 3\right)$

$\qquad = \dfrac{9}{2}\pi - 9\,(\mathrm{cm}^2)$

43 (둘레의 길이)$= \left(2\pi \times 2 \times \dfrac{1}{2} + 2\right) \times 2$

$\qquad = 4\pi + 4\,(\mathrm{cm})$

$\quad$(넓이)$= 2 \times 4 = 8\,(\mathrm{cm}^2)$

44 (둘레의 길이)$=\left(2\pi\times7\times\dfrac{1}{4}\right)\times4$

$\qquad\qquad\quad=14\pi(\text{cm})$

(넓이)$=7\times14=98(\text{cm}^2)$

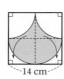

45 (둘레의 길이)$=\left(2\pi\times5\times\dfrac{1}{4}\right)\times4$

$\qquad\qquad\quad=10\pi(\text{cm})$

(넓이)$=10\times5=50(\text{cm}^2)$

46 (둘레의 길이)

$=2\pi\times3\times\dfrac{1}{4}+\left(2\pi\times\dfrac{3}{2}\times\dfrac{1}{2}\right)\times2$

$=\dfrac{9}{2}\pi(\text{cm})$

(넓이)$=\pi\times3^2\times\dfrac{1}{4}=\dfrac{9}{4}\pi(\text{cm}^2)$

47 (둘레의 길이)

$=\left(2\pi\times16\times\dfrac{1}{4}\right)\times2+\left(2\pi\times8\times\dfrac{1}{2}\right)\times4$

$=48\pi(\text{cm})$

(넓이)$=\pi\times16^2\times\dfrac{1}{2}=128\pi(\text{cm}^2)$

48 (둘레의 길이)$=$(곡선 부분)$+$(직선 부분)

$\qquad\qquad\quad=\left(2\pi\times2\times\dfrac{1}{2}\right)\times4+4\times4$

$\qquad\qquad\quad=8\pi+16(\text{cm})$

(넓이)$=(4\times4)\times2=32(\text{cm}^2)$

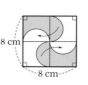

50 (둘레의 길이)

$=$(곡선 부분)$+$(직선 부분)

$=\left(2\pi\times\dfrac{5}{2}\times\dfrac{1}{2}\right)\times2+2\times5$

$=5\pi+10(\text{cm})$

(넓이)$=\dfrac{1}{2}\times5\times5=\dfrac{25}{2}(\text{cm}^2)$

51 (둘레의 길이)

$=$(곡선 부분)$+$(직선 부분)

$=\left(2\pi\times5\times\dfrac{1}{2}\right)\times2+2\times10$

$=10\pi+20(\text{cm})$

(넓이)$=\dfrac{1}{2}\times10\times10=50(\text{cm}^2)$

52 (둘레의 길이)

$=$(곡선 부분)$+$(직선 부분)

$=\left(2\pi\times3\times\dfrac{1}{2}\right)\times2+2\times6$

$=6\pi+12(\text{cm})$

(넓이)$=\dfrac{1}{2}\times6\times6=18(\text{cm}^2)$

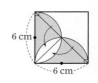

53 (둘레의 길이)$=$(곡선 부분)$+$(직선 부분)

$\qquad\qquad\quad=\left(2\pi\times2\times\dfrac{1}{4}\right)\times4+4$

$\qquad\qquad\quad=4\pi+4(\text{cm})$

(넓이)$=\pi\times2^2\times\dfrac{1}{2}=2\pi(\text{cm}^2)$

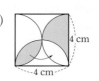

54 (둘레의 길이)$=$(곡선 부분)$+$(직선 부분)

$\qquad\qquad\quad=\left(2\pi\times5\times\dfrac{1}{4}\right)\times6+5\times4$

$\qquad\qquad\quad=15\pi+20(\text{cm})$

(넓이)$=\left(\pi\times5^2\times\dfrac{1}{4}\right)\times2=\dfrac{25}{2}\pi(\text{cm}^2)$

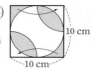

55 (둘레의 길이)$=$(곡선 부분)$+$(직선 부분)

$\qquad\qquad\quad=\left(2\pi\times8\times\dfrac{1}{4}\right)\times6+8\times4$

$\qquad\qquad\quad=24\pi+32(\text{cm})$

(넓이)$=\left(\pi\times8^2\times\dfrac{1}{4}\right)\times2=32\pi(\text{cm}^2)$

57 (둘레의 길이)$=2\pi\times6\times\dfrac{1}{2}+2\pi\times\dfrac{5}{2}\times\dfrac{1}{2}+2\pi\times\dfrac{13}{2}\times\dfrac{1}{2}$

$\qquad\qquad\quad=15\pi(\text{cm})$

(넓이)$=\pi\times6^2\times\dfrac{1}{2}+\pi\times\left(\dfrac{5}{2}\right)^2\times\dfrac{1}{2}+\dfrac{1}{2}\times5\times12$

$\qquad\qquad\qquad\qquad\qquad-\pi\times\left(\dfrac{13}{2}\right)^2\times\dfrac{1}{2}$

$\qquad\quad=30(\text{cm}^2)$

59 (둘레의 길이)$=2\pi\times2\times\dfrac{1}{2}+2\pi\times4\times\dfrac{45}{360}+2\pi\times2\times\dfrac{1}{2}$

$\qquad\qquad\quad=5\pi(\text{cm})$

(넓이)$=\pi\times2^2\times\dfrac{1}{2}+\pi\times4^2\times\dfrac{45}{360}-\pi\times2^2\times\dfrac{1}{2}$

$\qquad\quad=2\pi(\text{cm}^2)$

TEST 6. 원과 부채꼴　　　　본문 153쪽

1 ⑤	**2** ⑤	**3** ③	**4** ③
5 $(3\pi+10)$ cm, $\dfrac{15}{2}\pi$ cm²			**6** ①

1 ⑤ 부채꼴에서 현의 길이는 중심각의 크기에 정비례하지
않는다.

2 $\angle BOC = 360° \times \dfrac{7}{3+7+8} = 140°$

3 $\overline{AB} /\!/ \overline{CD}$이므로

$\angle OCD = \angle AOC = 30°$(엇각)

$\overline{OC} = \overline{OD}$이므로 $\angle ODC = \angle OCD = 30°$

$\angle COD = 180° - (30° + 30°) = 120°$

따라서 $\overparen{AC} : \overparen{CD} = \angle AOC : \angle COD$이므로

$3 : \overparen{CD} = 30 : 120$이므로

$\overparen{CD} = 12(\text{cm})$

4 부채꼴의 호의 길이를 l cm라 하면

$\dfrac{1}{2} \times 4 \times l = 2\pi$이므로 $l = \pi$

따라서 부채꼴의 호의 길이는 π cm이다.

5 정오각형의 한 내각의 크기는

$\dfrac{180° \times (5-2)}{5} = 108°$

(둘레의 길이) $=$ (곡선 부분) $+$ (직선 부분)

$= 2\pi \times 5 \times \dfrac{108}{360} + 2 \times 5$

$= 3\pi + 10(\text{cm})$

(넓이) $= \pi \times 5^2 \times \dfrac{108}{360} = \dfrac{15}{2}\pi(\text{cm}^2)$

6 $6 \times 6 \times \dfrac{1}{4} = 9(\text{cm}^2)$

7 다면체와 회전체

01
본문 156쪽

다면체

원리확인

❶ ○	❷ ○	❸ ×
❹ ×	❺ ○	❻ ×

1

4	8	8
6	12	12
4	6	6
사면체	육면체	육면체

2

6	6	7
9	10	12
5	6	7
오면체	육면체	칠면체

3

6	8	12
9	12	18
5	6	8
오면체	육면체	팔면체

4 오면체

5 오면체　**6** 팔면체　**7** 칠면체　**8** 칠면체

9 칠면체　**10** 육면체　**11** 칠면체　**12** ㄱ, ㅂ

13 ㄱ, ㄴ, ㄷ　**14** ㄴ, ㄷ, ㅂ

15 ㄱ, ㄹ　☺ 다각형　**16** ②

02
본문 158쪽

다면체의 종류

원리확인

오각기둥	오각뿔	오각뿔대
10	6	10
15	10	15
7	6	7

1

6	9	5
8	12	6
10	15	7
12	18	8

2

4	6	4
5	8	5
6	10	6
7	12	7

3

6	9	5
8	12	6
10	15	7
12	18	8

☺ 2, 3, 2, 1, 2, 1, 2, 3, 2   **4** ㄱ, ㄴ, ㄷ, ㅁ

5 ㄹ, ㅂ   **6** ㄷ, ㄹ, ㅁ **7** ㄱ, ㄴ, ㄹ **8** ㄷ, ㅁ

9 ㄱ, ㄴ, ㅂ **10** 삼각기둥 **11** 칠각뿔 **12** 팔각뿔대

13 육각기둥 ☺ 기둥, 뿔, 뿔대

03

본문 160쪽

정다면체

1 정사면체, 정삼각형, 3, 4, 6, 4

2 정육면체, 정사각형, 3, 8, 12, 6

3 정팔면체, 정삼각형, 4, 6, 12, 8

4 정십이면체, 정오각형, 3, 20, 30, 12

5 정이십면체, 정삼각형, 5, 12, 30, 20

6 (1) 정사면체, 정팔면체, 정이십면체　(2) 정육면체
　(3) 정십이면체

7 (1) 정사면체, 정육면체, 정십이면체　(2) 정팔면체
　(3) 정이십면체

8 정팔면체　**9** 정이십면체 **10** 정육면체　**11** ○

12 ×　**13** ×　**14** ○

12 정다면체의 한 꼭짓점에 모일 수 있는 면의 개수는 최대 5
이다.

13 정다면체는 정사면체, 정육면체, 정팔면체, 정십이면체,
정이십면체의 5가지뿐이다.

04

본문 162쪽

정다면체의 전개도

1 ○　　**2** ×　　**3** ○　　**4** ×

5 ○

6 E, D　(1) 정사면체　(2) 점 E　(3) $\overline{ED}$　(4) $\overline{CF}$

---

7 I, F, G　(1) 정팔면체　(2) $\overline{GF}$　(3) $\overline{BJ}$
　(4) $\overline{IE}$, $\overline{ID}$, $\overline{EG}$, $\overline{DC}$(FG)

8 M, K, J, I　(1) 정육면체　(2) 점 M　(3) $\overline{BC}$
　(4) 면 MHKL

9 ⑤

9 ⑤ 주어진 전개도로 만들어지는 정
다면체는 정팔면체로 오른쪽 그
림과 같다.
따라서 $\overline{AB}$와 꼬인 위치에 있는
모서리는 $\overline{DE}$, $\overline{DJ}$, $\overline{JC}$, $\overline{EC}$이다.

05

본문 164쪽

회전체

1 , 원기둥　**2** , 원뿔

3 , 원뿔대　**4** , 구

☺ 직사각형, 직각삼각형, 사다리꼴, 반원

5 　**6** 　**7** 　**8**

9 　**10** ㄱ　**11** ㅁ　**12** ㄷ

13 ㄹ　**14** ㅂ　**15** ㄴ　**16** ⑤

06

본문 166쪽

회전체의 성질

원리확인

❶ 원, 직사각형　　❷ 원, 이등변삼각형

❸ 원, 사다리꼴　　❹ 원, 원

1　**2**　**3**　**4**

5 　☺ 수직, 원　**6**　**7**

---

8 **9** **10**

:) 합동, 선대칭도형   **11** ○   **12** ○

13 ×   **14** ○   **15** ○   **16** ③

17 , 80 cm² (✏ 10, 80)

18 , 15 cm²

19 , 20 cm²

20 , 25π cm²

21 , 8π cm²

22 , $\left(\dfrac{9}{2}\pi+12\right)$ cm²

23 , 12 cm²

24 , 36 cm²

25 , 156 cm²

26 , 36π cm²

27 , (8π+28) cm²

28 ③

13 구는 회전축이 무수히 많다.

16 ③ 회전체를 회전축에 수직인 평면으로 자른 단면은 모두 원이지만 합동은 아니다.

18 (단면의 넓이)=$\dfrac{1}{2}\times5\times6=15$(cm²)

19 (단면의 넓이)=$\dfrac{1}{2}\times(4+6)\times4=20$(cm²)

20 (단면의 넓이)=$\pi\times5^2=25\pi$(cm²)

21 (단면의 넓이)=$\dfrac{1}{2}\times\pi\times4^2=8\pi$(cm²)

22 (단면의 넓이)=$\left(\dfrac{1}{2}\times\pi\times3^2\right)+\left(\dfrac{1}{2}\times6\times4\right)$
$=\dfrac{9}{2}\pi+12$(cm²)

23 (단면의 넓이)=$\dfrac{1}{2}\times6\times4=12$(cm²)

24 (단면의 넓이)=$6\times6=36$(cm²)

25 (단면의 넓이)=$\dfrac{1}{2}\times(8+18)\times12=156$(cm²)

26 (단면의 넓이)=$\pi\times6^2=36\pi$(cm²)

27 (단면의 넓이)=$\left(\dfrac{1}{2}\times\pi\times4^2\right)+\left(\dfrac{1}{2}\times4\times7\right)\times2$
$=8\pi+28$(cm²)

28 단면은 오른쪽 그림과 같으므로 그 넓이는
$\dfrac{1}{2}\times(6+10)\times5=40$(cm²)

07
본문 170쪽

회전체의 전개도

1 10, 둘레, 5, 10π, 세로, 10

2 9, 5, 5, 10π, 모선, 9

3 원뿔대, $a=6$, $b=10$, $c=12$

3 ㈎의 사다리꼴을 직선 l을 회전축으로 하여 1회전 시키면 오른쪽 그림과 같은 원뿔대가 된다. 따라서
$a=6$, $b=10$, $c=12$

TEST 7. 다면체와 회전체
본문 171쪽

1 ④   **2** ④   **3** ⑤   **4** ③

5 24 cm²   **6** $\overparen{AD}=2\pi$ cm, $\overparen{BC}=4\pi$ cm

1 다면체는 ㄱ, ㄴ, ㄹ, ㅁ, ㅂ, ㅇ이므로 6개이다.

2 사각뿔대의 면의 개수 $a=6$,
오각뿔의 모서리의 개수 $b=10$,
오각기둥의 꼭짓점의 개수 $c=10$
따라서 $a+b-c=6+10-10=6$

3 ㈎, ㈏ 조건을 만족시키는 입체도형은 정사면체, 정팔면체, 정이십면체이고, 이 중 ㈐ 조건을 만족시키는 입체도형은 정이십면체이다.

4 ③ $\overline{\text{ML}}$과 겹쳐지는 모서리는 $\overline{\text{JI}}$이다.

5 단면은 오른쪽 그림과 같으므로 그 넓이는
$6 \times 4 = 24(\text{cm}^2)$

6 $\overparen{\text{AD}} = 2\pi \times 1 = 2\pi(\text{cm})$, $\overparen{\text{BC}} = 2\pi \times 2 = 4\pi(\text{cm})$

---

8 입체도형의 겉넓이와 부피(1)

01

본문 174쪽

각기둥의 겉넓이와 부피

원리확인

5, 4, 3   ❶ 5, 15   ❷ 5, 4, 64
❸ 15, 64, 94   ❹ 4   ❺ 15, 4, 60

1 (1) 6 cm² (2) 72 cm² (3) 84 cm²
2 (1) 30 cm² (2) 198 cm² (3) 258 cm²
3 (1) 18 cm² (2) 90 cm² (3) 126 cm²
4 (1) 24 cm² (2) 288 cm² (3) 336 cm²
5 (1) 12 cm² (2) 128 cm² (3) 152 cm²
☺ 옆넓이, 둘레, 높이   **6** 96 cm²   **7** 292 cm²
8 224 cm²   **9** 324 cm²   **10** 4 cm   **11** 12 cm
12 8 cm   **13** ①
14 (1) 6 cm² (2) 6 cm (3) 36 cm³
15 (1) 15 cm² (2) 6 cm (3) 90 cm³
16 (1) 30 cm² (2) 8 cm (3) 240 cm³   ☺ 높이
17 240 cm³   **18** 300 cm³   **19** 24 cm³   **20** 70 cm³
21 9 cm   **22** 9 cm   **23** 12 cm²   **24** ②

---

1 (1) $\dfrac{1}{2} \times 3 \times 4 = 6(\text{cm}^2)$

(2) $(3+4+5) \times 6 = 72(\text{cm}^2)$

(3) $2 \times 6 + 72 = 84(\text{cm}^2)$

2 (1) $6 \times 5 = 30(\text{cm}^2)$

(2) $(6+5+6+5) \times 9 = 198(\text{cm}^2)$

(3) $2 \times 30 + 198 = 258(\text{cm}^2)$

3 (1) $\dfrac{1}{2} \times (3+6) \times 4 = 18(\text{cm}^2)$

(2) $(3+4+6+5) \times 5 = 90(\text{cm}^2)$

(3) $2 \times 18 + 90 = 126(\text{cm}^2)$

4 (1) $\dfrac{1}{2} \times 6 \times 8 = 24(\text{cm}^2)$

(2) $(6+8+10) \times 12 = 288(\text{cm}^2)$

(3) $2 \times 24 + 288 = 336(\text{cm}^2)$

5 (1) $\dfrac{1}{2} \times (2+6) \times 3 = 12(\text{cm}^2)$

(2) $(2+3+6+5) \times 8 = 128(\text{cm}^2)$

(3) $2 \times 12 + 128 = 152(\text{cm}^2)$

6 (밑넓이) $= \dfrac{1}{2} \times 8 \times 3 = 12(\text{cm}^2)$

(옆넓이) $= (5+8+5) \times 4 = 72(\text{cm}^2)$이므로

(겉넓이) $= 2 \times 12 + 72 = 96(\text{cm}^2)$

7 (밑넓이) $= 8 \times 7 = 56(\text{cm}^2)$

(옆넓이) $= (8+7+8+7) \times 6 = 180(\text{cm}^2)$이므로

(겉넓이) $= 2 \times 56 + 180 = 292(\text{cm}^2)$

8 (밑넓이) $= \dfrac{1}{2} \times (4+7) \times 4 = 22(\text{cm}^2)$

(옆넓이) $= (4+4+7+5) \times 9 = 180(\text{cm}^2)$이므로

(겉넓이) $= 2 \times 22 + 180 = 224(\text{cm}^2)$

9 (밑넓이) $= \dfrac{1}{2} \times (12+6) \times 4 = 36(\text{cm}^2)$

(옆넓이) $= (12+5+6+5) \times 9 = 252(\text{cm}^2)$이므로

(겉넓이) $= 2 \times 36 + 252 = 324(\text{cm}^2)$

10 높이를 x cm라 하면

(밑넓이)$=4\times5=20(\text{cm}^2)$

(옆넓이)$=(4+5+4+5)\times x=18x(\text{cm}^2)$

(겉넓이)$=2\times20+18x=112$, $18x=72$, $x=4$

따라서 사각기둥의 높이는 4 cm이다.

11 높이를 x cm라 하면

$(13+12+5)\times x=360$, $30x=360$, $x=12$

따라서 삼각기둥의 높이는 12 cm이다.

12 높이를 x cm라 하면

(밑넓이)$=\dfrac{1}{2}\times(6+10)\times3=24(\text{cm}^2)$

(옆넓이)$=(3+10+5+6)\times x=24x(\text{cm}^2)$

(겉넓이)$=2\times24+24x=240$, $24x=192$, $x=8$

따라서 각기둥의 높이는 8 cm이다.

13 정육면체의 한 모서리의 길이를 a cm라 하면

(겉넓이)$=($한 면의 넓이$)\times6=6a^2$

$6a^2=150$, $a^2=25$, $a=5$

이때 $a>0$이므로 한 모서리의 길이는 5 cm이다.

14 (1) $\dfrac{1}{2}\times3\times4=6(\text{cm}^2)$

(3) $6\times6=36(\text{cm}^3)$

15 (1) $5\times3=15(\text{cm}^2)$

(3) $15\times6=90(\text{cm}^3)$

16 (1) $\dfrac{1}{2}\times(4+8)\times5=30(\text{cm}^2)$

(3) $30\times8=240(\text{cm}^3)$

17 (밑넓이)$=\dfrac{1}{2}\times8\times6=24(\text{cm}^2)$

(높이)$=10$ cm이므로

(부피)$=24\times10=240(\text{cm}^3)$

18 (밑넓이)$=\dfrac{1}{2}\times5\times12=30(\text{cm}^2)$

(높이)$=10$ cm이므로

(부피)$=30\times10=300(\text{cm}^3)$

19 (밑넓이)$=2\times3=6(\text{cm}^2)$

(높이)$=4$ cm이므로

(부피)$=6\times4=24(\text{cm}^3)$

20 (밑넓이)$=\dfrac{1}{2}\times(2+5)\times5=\dfrac{35}{2}(\text{cm}^2)$

(높이)$=4$ cm이므로

(부피)$=\dfrac{35}{2}\times4=70(\text{cm}^3)$

21 삼각기둥의 높이를 x cm라 하면

(밑넓이)$=\dfrac{1}{2}\times6\times4=12(\text{cm}^2)$

(부피)$=12\times x=108$, $x=9$

따라서 삼각기둥의 높이는 9 cm이다.

22 각기둥의 높이를 x cm라 하면

(밑넓이)$=\dfrac{1}{2}\times(13+7)\times8=80(\text{cm}^2)$

(부피)$=80\times x=720$, $x=9$

따라서 각기둥의 높이는 9 cm이다.

23 밑넓이를 x cm^{2}라 하면

(부피)$=x\times6=72$, $x=12$

따라서 삼각기둥의 밑넓이는 12 cm^{2}이다.

24 (부피)$=($밑넓이$)\times($높이$)$

$=\left(\dfrac{1}{2}\times6\times2+\dfrac{1}{2}\times6\times3\right)\times5=75(\text{cm}^3)$

원기둥의 겉넓이와 부피

원리확인

$3,4$ ❶ $3, 9\pi$ ❷ $3, 4, 24\pi$

❸ $9\pi, 24\pi, 42\pi$ ❹ 4 ❺ $9\pi, 4, 36\pi$

1 (1) 16π cm^2 (2) 56π cm^2 (3) 88π cm^2

2 (1) 4π cm^2 (2) 24π cm^2 (3) 32π cm^2

3 (1) 25π cm^2 (2) 90π cm^2 (3) 140π cm^2

☺ 옆넓이, $2\pi r$

4 (1) 9π cm^2 (2) 60π cm^2 (3) 78π cm^2

5 (1) 25π cm^2 (2) 120π cm^2 (3) 170π cm^2

☺ 직사각형, 원, 원기둥, 원, 원기둥

6 32π cm^2 **7** 88π cm^2 **8** 154π cm^2 **9** 80π cm^2

10 10 cm **11** 4 cm **12** 11 cm

13 (1) 9π cm^2 (2) 9 cm (3) 81π cm^3

14 (1) 16π cm^2 (2) 7 cm (3) 112π cm^3

15 (1) 25π cm^2 (2) 5 cm (3) 125π cm^3

1 (1) $\pi \times 4^2 = 16\pi\,(\text{cm}^2)$

　(2) $(2\pi \times 4) \times 7 = 56\pi\,(\text{cm}^2)$

　(3) $2 \times 16\pi + 56\pi = 88\pi\,(\text{cm}^2)$

2 (1) $\pi \times 2^2 = 4\pi\,(\text{cm}^2)$

　(2) $(2\pi \times 2) \times 6 = 24\pi\,(\text{cm}^2)$

　(3) $2 \times 4\pi + 24\pi = 32\pi\,(\text{cm}^2)$

3 (1) $\pi \times 5^2 = 25\pi\,(\text{cm}^2)$

　(2) $(2\pi \times 5) \times 9 = 90\pi\,(\text{cm}^2)$

　(3) $2 \times 25\pi + 90\pi = 140\pi\,(\text{cm}^2)$

4 (1) $\pi \times 3^2 = 9\pi\,(\text{cm}^2)$

　(2) $(2\pi \times 3) \times 10 = 60\pi\,(\text{cm}^2)$

　(3) $2 \times 9\pi + 60\pi = 78\pi\,(\text{cm}^2)$

5 (1) $\pi \times 5^2 = 25\pi\,(\text{cm}^2)$

　(2) $(2\pi \times 5) \times 12 = 120\pi\,(\text{cm}^2)$이므로

　(3) $2 \times 25\pi + 120\pi = 170\pi\,(\text{cm}^2)$

6 (밑넓이)$= \pi \times 2^2 = 4\pi\,(\text{cm}^2)$

　(옆넓이)$= (2\pi \times 2) \times 6 = 24\pi\,(\text{cm}^2)$이므로

　(겉넓이)$= 2 \times 4\pi + 24\pi = 32\pi\,(\text{cm}^2)$

7 (밑넓이)$= \pi \times 4^2 = 16\pi\,(\text{cm}^2)$

　(옆넓이)$= (2\pi \times 4) \times 7 = 56\pi\,(\text{cm}^2)$이므로

　(겉넓이)$= 2 \times 16\pi + 56\pi = 88\pi\,(\text{cm}^2)$

8 (밑넓이)$= \pi \times 7^2 = 49\pi\,(\text{cm}^2)$

　(옆넓이)$= (2\pi \times 7) \times 4 = 56\pi\,(\text{cm}^2)$이므로

　(겉넓이)$= 2 \times 49\pi + 56\pi = 154\pi\,(\text{cm}^2)$

9 (밑넓이)$= \pi \times 4^2 = 16\pi\,(\text{cm}^2)$

　(옆넓이)$= (2\pi \times 4) \times 6 = 48\pi\,(\text{cm}^2)$이므로

　(겉넓이)$= 2 \times 16\pi + 48\pi = 80\pi\,(\text{cm}^2)$

10 원기둥의 높이를 h cm라 하면

　(겉넓이)$= 2 \times \pi \times 4^2 + (2\pi \times 4 \times h) = 112\pi$

　$8\pi h = 80\pi$, $h = 10$

　따라서 원기둥의 높이는 10 cm이다.

11 원기둥의 높이를 h cm라 하면

　(겉넓이)$= 2 \times \pi \times 6^2 + (2\pi \times 6 \times h) = 120\pi$

　$12\pi h = 48\pi$, $h = 4$

　따라서 원기둥의 높이는 4 cm이다.

12 원기둥의 높이를 h cm라 하면

　(겉넓이)$= 2 \times \pi \times 2^2 + (2\pi \times 2 \times h) = 52\pi$

　$4\pi h = 44\pi$, $h = 11$

　따라서 원기둥의 높이는 11 cm이다.

13 (1) $\pi \times 3^2 = 9\pi\,(\text{cm}^2)$

　(3) $9\pi \times 9 = 81\pi\,(\text{cm}^3)$

14 (1) $\pi \times 4^2 = 16\pi\,(\text{cm}^2)$

　(3) $16\pi \times 7 = 112\pi\,(\text{cm}^3)$

15 (1) $\pi \times 5^2 = 25\pi\,(\text{cm}^2)$

　(3) $25\pi \times 5 = 125\pi\,(\text{cm}^3)$

16 (부피)$= \pi \times 5^2 \times 10 = 250\pi\,(\text{cm}^3)$

17 (부피)$= \pi \times 9^2 \times 6 = 486\pi\,(\text{cm}^3)$

18 (부피)$= \pi \times 6^2 \times 12 = 432\pi\,(\text{cm}^3)$

19 (부피)$= \pi \times 5^2 \times 4 = 100\pi\,(\text{cm}^3)$

20 원기둥의 높이를 h cm라 하면

　(부피)$= \pi \times 2^2 \times h = 32\pi$

　$4\pi h = 32\pi$, $h = 8$

　따라서 원기둥의 높이는 8 cm이다.

21 원기둥의 밑면의 반지름의 길이를 r cm라 하면

　(부피)$= \pi \times r^2 \times 10 = 90\pi$, $r^2 = 9$

　$r > 0$이므로 $r = 3$

　따라서 원기둥의 밑면의 반지름의 길이는 3 cm이다.

22 회전시킬 때 생기는 회전체는 오른쪽 그

　림과 같으므로

　(겉넓이)$= (\pi \times 3^2) \times 2 + (2\pi \times 3) \times 6$

　　　　　　$= 54\pi\,(\text{cm}^2)$

　(부피)$= \pi \times 3^2 \times 6 = 54\pi\,(\text{cm}^3)$

본문 182쪽

속이 뚫린 기둥의 겉넓이와 부피

원리확인

❶ (1) 1, 1, 8   (2) 12, 4, 48   (3) 8, 48, 64   (4) 3
　 (5) 8, 3, 24

❷ (1) 6, 3, 27π (2) 12π, 8, 144π
　 (3) 27π, 144π, 198π (4) 8   (5) 27π, 8, 216π

1 (1) 44 cm²   (2) 640 cm²   (3) 728 cm²

2 (1) 12π cm²   (2) 72π cm²   (3) 96π cm²

3 (1) 55π cm²   (2) 220π cm²   (3) 330π cm²

4 (1) $(35-4\pi)$ cm²   (2) $(192+32\pi)$ cm²
　 (3) $(262+24\pi)$ cm²

5 (1) 40π cm²   (2) 10 cm   (3) 400π cm³

6 (1) 11π cm²   (2) 10 cm   (3) 110π cm³

7 (1) $(54-4\pi)$ cm²   (2) 6 cm   (3) $(324-24\pi)$ cm³

8 ③

---

1 (1) $7 \times 12 - 5 \times 8 = 44 (\text{cm}^2)$
　 (2) $(7+12+7+12) \times 10 + (5+8+5+8) \times 10$
　　 $= 640 (\text{cm}^2)$
　 (3) $2 \times 44 + 640 = 728 (\text{cm}^2)$

2 (1) $\pi \times 4^2 - \pi \times 2^2 = 12\pi (\text{cm}^2)$
　 (2) $(2\pi \times 4) \times 6 + (2\pi \times 2) \times 6 = 72\pi (\text{cm}^2)$
　 (3) $2 \times 12\pi + 72\pi = 96\pi (\text{cm}^2)$

3 (1) $\pi \times 8^2 - \pi \times 3^2 = 55\pi (\text{cm}^2)$
　 (2) $(2\pi \times 8) \times 10 + (2\pi \times 3) \times 10 = 220\pi (\text{cm}^2)$
　 (3) $2 \times 55\pi + 220\pi = 330\pi (\text{cm}^2)$

4 (1) $5 \times 7 - \pi \times 2^2 = 35 - 4\pi (\text{cm}^2)$
　 (2) $(5+7+5+7) \times 8 + (2\pi \times 2) \times 8$
　　 $= 192 + 32\pi (\text{cm}^2)$
　 (3) $2 \times (35-4\pi) + (192+32\pi)$
　　 $= 262 + 24\pi (\text{cm}^2)$

5 (1) $\pi \times 7^2 - \pi \times 3^2 = 40\pi (\text{cm}^2)$
　 (3) $40\pi \times 10 = 400\pi (\text{cm}^3)$

6 (1) $\pi \times 6^2 - \pi \times 5^2 = 11\pi (\text{cm}^2)$
　 (3) $11\pi \times 10 = 110\pi (\text{cm}^3)$

---

7 (1) $9 \times 6 - \pi \times 2^2 = 54 - 4\pi (\text{cm}^2)$
　 (3) $(54-4\pi) \times 6 = 324 - 24\pi (\text{cm}^3)$

8 회전시킬 때 생기는 회전체는 오른쪽 그림과 같이 속이 뚫린 원기둥이다.

(밑넓이)$= \pi \times 6^2 - \pi \times 2^2 = 32\pi (\text{cm}^2)$
(옆넓이)$= (2\pi \times 6) \times 8 + (2\pi \times 2) \times 8$
　　　　 $= 128\pi (\text{cm}^2)$
이므로
(겉넓이)$= 2 \times 32\pi + 128\pi = 192\pi (\text{cm}^2)$
(부피)$= 32\pi \times 8 = 256\pi (\text{cm}^3)$

본문 184쪽

다양한 입체도형의 겉넓이와 부피

원리확인

❶ 4, 3, 56π　**❷** 2, 6, 24π　**❸** 80π

❹ 4, 3, 48π　**❺** 2, 6, 24π　**❻** 72π

1 (1) 90π cm²   (2) 24π cm²   (3) 114π cm²

2 (1) 120π cm²   (2) 12π cm²   (3) 132π cm²

3 ④

4 (1) 100π cm³   (2) 45π cm³   (3) 145π cm³

5 (1) 96π cm³   (2) 12π cm³   (3) 108π cm³

6 ⑤　　　**7** (1) 112 cm²   (2) 68 cm³

8 (1) 190 cm²   (2) 138 cm³

9 (1) 118 cm²   (2) 76 cm³

---

1 (1) $2 \times (\pi \times 5^2) + (2\pi \times 5) \times 4 = 90\pi (\text{cm}^2)$
　 (2) $(2\pi \times 3) \times 4 = 24\pi (\text{cm}^2)$
　 (3) $90\pi + 24\pi = 114\pi (\text{cm}^2)$

2 (1) $2 \times (\pi \times 5^2) + (2\pi \times 5) \times 7 = 120\pi (\text{cm}^2)$
　 (2) $(2\pi \times 2) \times 3 = 12\pi (\text{cm}^2)$
　 (3) $120\pi + 12\pi = 132\pi (\text{cm}^2)$

3 (아래쪽 기둥의 겉넓이)
　 $= 2 \times (\pi \times 10^2) + (2\pi \times 10) \times 6 = 320\pi (\text{cm}^2)$
　 (위쪽 기둥의 옆넓이)$= (2\pi \times 4) \times 5 = 40\pi (\text{cm}^2)$이므로
　 (입체도형의 겉넓이)$= 320\pi + 40\pi = 360\pi (\text{cm}^2)$

4
(1) $(\pi \times 5^2) \times 4 = 100\pi(\text{cm}^3)$

(2) $(\pi \times 3^2) \times 5 = 45\pi(\text{cm}^3)$

(3) $100\pi + 45\pi = 145\pi(\text{cm}^3)$

5
(1) $(\pi \times 4^2) \times 6 = 96\pi(\text{cm}^3)$

(2) $(\pi \times 2^2) \times 3 = 12\pi(\text{cm}^3)$

(3) $96\pi + 12\pi = 108\pi(\text{cm}^3)$

6
$(\text{입체도형의 부피}) = (\pi \times 8^2) \times 6 + (\pi \times 3^2) \times 5$
$= 429\pi(\text{cm}^3)$

7
(1) $(4 \times 4) \times 2 + (4+4+4+4) \times 5 = 32+80$
$= 112(\text{cm}^2)$

(2) $(4 \times 4 \times 5) - (2 \times 2 \times 3) = 68(\text{cm}^3)$

8
(1) $(3 \times 10) \times 2 + (3+10+3+10) \times 5 = 60+130$
$= 190(\text{cm}^2)$

(2) $(3 \times 10 \times 5) - (1 \times 6 \times 2) = 138(\text{cm}^3)$

9
(1) $(5 \times 5 - 2 \times 3) \times 2 + (5+5+5+5) \times 4 = 38+80$
$= 118(\text{cm}^2)$

(2) $(5 \times 5 \times 4) - (2 \times 3 \times 4) = 76(\text{cm}^3)$

---

05 밑면이 부채꼴인 기둥의 겉넓이와 부피

본문 186쪽

원리확인

❶ 2, 2π

❷ 2π, 10, 20π+40

❸ 2π, 20π+40, 24π+40

❹ 10

❺ 2π, 10, 20π

1 (1) $(36\pi+144)\text{ cm}^2$ (2) $72\pi\text{ cm}^3$

2 (1) $(56\pi+96)\text{ cm}^2$ (2) $96\pi\text{ cm}^3$

3 (1) $(14\pi+20)\text{ cm}^2$ (2) $10\pi\text{ cm}^3$

1
(1) $2 \times \left(\pi \times 6^2 \times \dfrac{60}{360}\right)$
$+ \left\{\left(2\pi \times 6 \times \dfrac{60}{360}\right) \times 12 + 12 \times 6 + 12 \times 6\right\}$
$= 12\pi + 24\pi + 72 + 72$
$= 36\pi + 144(\text{cm}^2)$

(2) $\left(\pi \times 6^2 \times \dfrac{60}{360}\right) \times 12 = 72\pi(\text{cm}^3)$

2
(1) $2 \times \left(\dfrac{1}{2} \times 6 \times 4\pi\right) + (4\pi \times 8 + 6 \times 8 + 6 \times 8)$
$= 24\pi + 32\pi + 48 + 48 = 56\pi + 96(\text{cm}^2)$

(2) $\left(\dfrac{1}{2} \times 6 \times 4\pi\right) \times 8 = 96\pi(\text{cm}^3)$

3
(1) $2 \times \left(\pi \times 2^2 \times \dfrac{1}{2}\right) + \left\{\left(2\pi \times 2 \times \dfrac{1}{2}\right) \times 5 + 4 \times 5\right\}$
$= 4\pi + 10\pi + 20$
$= 14\pi + 20(\text{cm}^2)$

(2) $\left(\pi \times 2^2 \times \dfrac{1}{2}\right) \times 5 = 10\pi(\text{cm}^3)$

TEST 8. 입체도형의 겉넓이와 부피(1)

본문 187쪽

1 ③   **2** $80\pi\text{ cm}^3$ **3** ②   **4** ④

5 ⑤   **6** $(64\pi+120)\text{ cm}^2$, $120\pi\text{ cm}^3$

1
$(\text{겉넓이}) = 2 \times \left(\dfrac{1}{2} \times 6 \times 4\right) + \{(5+6+5) \times 7\}$
$= 136(\text{cm}^2)$

2
밑면인 원의 반지름의 길이를 r cm라고 하면
$2\pi r = 8\pi$, $r = 4$
따라서 $(\text{부피}) = (\pi \times 4^2) \times 5 = 80\pi(\text{cm}^3)$

3
$(\text{부피}) = (\pi \times 5^2 - \pi \times 3^2) \times 10$
$= 160\pi(\text{cm}^3)$

4
주어진 평면도형을 회전시킬 때 생기는 입체도형은 오른쪽 그림과 같다.

(아래쪽 원기둥의 부피)
$= \pi \times 7^2 \times 5 = 245\pi(\text{cm}^3)$
$(\text{위쪽 원기둥의 부피}) = \pi \times 3^2 \times 4 = 36\pi(\text{cm}^3)$이므로
$(\text{입체도형의 부피}) = 245\pi + 36\pi = 281\pi(\text{cm}^3)$

5
$(\text{겉넓이}) = (7 \times 7) \times 6 = 294(\text{cm}^2)$

6
$(\text{겉넓이}) = 2 \times \left(\pi \times 6^2 \times \dfrac{120}{360}\right)$
$+ \left\{\left(2\pi \times 6 \times \dfrac{120}{360}\right) \times 10 + 6 \times 10 + 6 \times 10\right\}$
$= 24\pi + (40\pi + 60 + 60) = 64\pi + 120(\text{cm}^2)$
$(\text{부피}) = \left(\pi \times 6^2 \times \dfrac{120}{360}\right) \times 10 = 120\pi(\text{cm}^3)$

9 입체도형의 겉넓이와 부피(2)

01

본문 190쪽

각뿔의 겉넓이와 부피

원리확인

❶ 5 (1) 6, 36　(2) 5, 60　(3) 36, 60, 96
❷ (1) 4, 5, 10　(2) 6　(3) 10, 6, 20

1 (1) 25 cm²　(2) 90 cm²　(3) 115 cm²
2 (1) 36 cm²　(2) 96 cm²　(3) 132 cm²
3 (1) 49 cm²　(2) 168 cm²　(3) 217 cm²
4 (1) 16 cm²　(2) 40 cm²　(3) 56 cm²
5 (1) 100 cm²　(2) 260 cm²　(3) 360 cm²
6 (1) 36 cm²　(2) 108 cm²　(3) 144 cm²
☺ 1, 삼각형　　　　　　7 80 cm²　8 120 cm²
9 297 cm²　10 ②
11 (1) 12 cm²　(2) 6 cm　(3) 24 cm³
12 (1) 20 cm²　(2) 9 cm　(3) 60 cm³
13 (1) 36 cm²　(2) 9 cm　(3) 108 cm³
14 (1) 16 cm²　(2) 5 cm　(3) $\frac{80}{3}$ cm³
15 (1) 42 cm²　(2) 8 cm　(3) 112 cm³
16 (1) 80 cm²　(2) 12 cm　(3) 320 cm³
☺ 각기둥, $\frac{1}{3}$　　　　17 75 cm³　18 112 cm³
19 75 cm³　20 ⑤

1　(1) $5 \times 5 = 25 (\mathrm{cm}^2)$

(2) $\left(\frac{1}{2} \times 5 \times 9\right) \times 4 = 90 (\mathrm{cm}^2)$

(3) $25 + 90 = 115 (\mathrm{cm}^2)$

2　(1) $6 \times 6 = 36 (\mathrm{cm}^2)$

(2) $\left(\frac{1}{2} \times 6 \times 8\right) \times 4 = 96 (\mathrm{cm}^2)$

(3) $36 + 96 = 132 (\mathrm{cm}^2)$

3　(1) $7 \times 7 = 49 (\mathrm{cm}^2)$

(2) $\left(\frac{1}{2} \times 7 \times 12\right) \times 4 = 168 (\mathrm{cm}^2)$

(3) $49 + 168 = 217 (\mathrm{cm}^2)$

4　(1) $4 \times 4 = 16 (\mathrm{cm}^2)$

(2) $\left(\frac{1}{2} \times 4 \times 5\right) \times 4 = 40 (\mathrm{cm}^2)$

(3) $16 + 40 = 56 (\mathrm{cm}^2)$

5　(1) $10 \times 10 = 100 (\mathrm{cm}^2)$

(2) $\left(\frac{1}{2} \times 10 \times 13\right) \times 4 = 260 (\mathrm{cm}^2)$

(3) $100 + 260 = 360 (\mathrm{cm}^2)$

6　(1) $6 \times 6 = 36 (\mathrm{cm}^2)$

(2) $\left(\frac{1}{2} \times 6 \times 9\right) \times 4 = 108 (\mathrm{cm}^2)$

(3) $36 + 108 = 144 (\mathrm{cm}^2)$

7　(밑넓이) $= 4 \times 4 = 16 (\mathrm{cm}^2)$

(옆넓이) $= \left(\frac{1}{2} \times 4 \times 8\right) \times 4 = 64 (\mathrm{cm}^2)$이므로

(겉넓이) $= 16 + 64 = 80 (\mathrm{cm}^2)$

8　(밑넓이) $= 6 \times 6 = 36 (\mathrm{cm}^2)$

(옆넓이) $= \left(\frac{1}{2} \times 6 \times 7\right) \times 4 = 84 (\mathrm{cm}^2)$이므로

(겉넓이) $= 36 + 84 = 120 (\mathrm{cm}^2)$

9　(밑넓이) $= 9 \times 9 = 81 (\mathrm{cm}^2)$

(옆넓이) $= \left(\frac{1}{2} \times 9 \times 12\right) \times 4 = 216 (\mathrm{cm}^2)$이므로

(겉넓이) $= 81 + 216 = 297 (\mathrm{cm}^2)$

10　(밑넓이) $= 4 \times 4 = 16 (\mathrm{cm}^2)$

(옆넓이) $= \left(\frac{1}{2} \times 4 \times x\right) \times 4 = 8x (\mathrm{cm}^2)$

겉넓이가 $112\ \mathrm{cm}^2$이므로

$16 + 8x = 112,\ 8x = 96$

따라서 $x = 12$

11　(1) $\frac{1}{2} \times 4 \times 6 = 12 (\mathrm{cm}^2)$

(3) $\frac{1}{3} \times 12 \times 6 = 24 (\mathrm{cm}^3)$

12　(1) $\frac{1}{2} \times 5 \times 8 = 20 (\mathrm{cm}^2)$

(3) $\frac{1}{3} \times 20 \times 9 = 60 (\mathrm{cm}^3)$

13　(1) $6 \times 6 = 36 (\mathrm{cm}^2)$

(3) $\frac{1}{3} \times 36 \times 9 = 108 (\mathrm{cm}^3)$

14 (1) $4 \times 4 = 16(\text{cm}^2)$

(3) $\dfrac{1}{3} \times 16 \times 5 = \dfrac{80}{3}(\text{cm}^3)$

15 (1) $6 \times 7 = 42(\text{cm}^2)$

(3) $\dfrac{1}{3} \times 42 \times 8 = 112(\text{cm}^3)$

16 (1) $10 \times 8 = 80(\text{cm}^2)$

(3) $\dfrac{1}{3} \times 80 \times 12 = 320(\text{cm}^3)$

17 (밑넓이)$= \dfrac{1}{2} \times 5 \times 9 = \dfrac{45}{2}(\text{cm}^2)$

(높이)$= 10\,\text{cm}$이므로

(부피)$= \dfrac{1}{3} \times \dfrac{45}{2} \times 10 = 75(\text{cm}^3)$

18 (밑넓이)$= 8 \times 6 = 48(\text{cm}^2)$

(높이)$= 7\,\text{cm}$이므로

(부피)$= \dfrac{1}{3} \times 48 \times 7 = 112(\text{cm}^3)$

19 (밑넓이)$= 5 \times 5 = 25(\text{cm}^2)$

(높이)$= 9\,\text{cm}$이므로

(부피)$= \dfrac{1}{3} \times 25 \times 9 = 75(\text{cm}^3)$

20 정사각뿔의 높이를 $x\,\text{cm}$라 하면

(밑넓이)$= 10 \times 10 = 100(\text{cm}^2)$이므로

(부피)$= \dfrac{1}{3} \times 100 \times x = 500,\ x = 15$

따라서 정사각뿔의 높이는 $15\,\text{cm}$이다.

02

본문 194쪽

원뿔의 겉넓이와 부피

원리확인

❶ $9, 5$ (1) $5, 25\pi$ (2) $5, 9, 45\pi$ (3) $25\pi, 45\pi, 70\pi$

❷ $7, 3$ (1) $3, 9\pi$ (2) $3, 7, 21\pi$ (3) $9\pi, 21\pi, 30\pi$

❸ (1) $3, 9\pi$ (2) 4 (3) $9\pi, 4, 12\pi$

❹ (1) $6, 36\pi$ (2) 8 (3) $36\pi, 8, 96\pi$

1 (1) $16\pi\,\text{cm}^2$ (2) $36\pi\,\text{cm}^2$ (3) $52\pi\,\text{cm}^2$

2 (1) $25\pi\,\text{cm}^2$ (2) $60\pi\,\text{cm}^2$ (3) $85\pi\,\text{cm}^2$

3 (1) $9\pi\,\text{cm}^2$ (2) $18\pi\,\text{cm}^2$ (3) $27\pi\,\text{cm}^2$

4 $126\pi\,\text{cm}^2$ **5** $75\pi\,\text{cm}^2$ **6** $200\pi\,\text{cm}^2$ ☺ 원, 부채꼴

---

7 $20\pi\,\text{cm}^2$ (✎ $8, 90, 2, 2, 2, 8, 20\pi$) **8** $36\pi\,\text{cm}^2$

9 $\dfrac{85}{4}\pi\,\text{cm}^2$ ☺ 호, 둘레

10 $64\pi\,\text{cm}^2$ (✎ $120, 4, 12, 4, 4, 12, 64\pi$)

11 $90\pi\,\text{cm}^2$ **12** $45\pi\,\text{cm}^2$ **13** ③

14 (1) $25\pi\,\text{cm}^2$ (2) $12\,\text{cm}$ (3) $100\pi\,\text{cm}^3$

15 (1) $9\pi\,\text{cm}^2$ (2) $4\,\text{cm}$ (3) $12\pi\,\text{cm}^3$

16 (1) $25\pi\,\text{cm}^2$ (2) $9\,\text{cm}$ (3) $75\pi\,\text{cm}^3$

17 $147\pi\,\text{cm}^3$ **18** $8\pi\,\text{cm}^3$

19 $144\pi\,\text{cm}^3$ **20** ②

1 (1) $\pi \times 4^2 = 16\pi(\text{cm}^2)$

(2) $\dfrac{1}{2} \times (2\pi \times 4) \times 9 = 36\pi(\text{cm}^2)$

(3) $16\pi + 36\pi = 52\pi(\text{cm}^2)$

2 (1) $\pi \times 5^2 = 25\pi(\text{cm}^2)$

(2) $\dfrac{1}{2} \times (2\pi \times 5) \times 12 = 60\pi(\text{cm}^2)$

(3) $25\pi + 60\pi = 85\pi(\text{cm}^2)$

3 (1) $\pi \times 3^2 = 9\pi(\text{cm}^2)$

(2) $\dfrac{1}{2} \times (2\pi \times 3) \times 6 = 18\pi(\text{cm}^2)$

(3) $9\pi + 18\pi = 27\pi(\text{cm}^2)$

4 (밑넓이)$= \pi \times 6^2 = 36\pi(\text{cm}^2)$

(옆넓이)$= \dfrac{1}{2} \times (2\pi \times 6) \times 15 = 90\pi(\text{cm}^2)$이므로

(겉넓이)$= 36\pi + 90\pi = 126\pi(\text{cm}^2)$

5 (밑넓이)$= \pi \times 5^2 = 25\pi(\text{cm}^2)$

(옆넓이)$= \dfrac{1}{2} \times (2\pi \times 5) \times 10 = 50\pi(\text{cm}^2)$이므로

(겉넓이)$= 25\pi + 50\pi = 75\pi(\text{cm}^2)$

6 (밑넓이)$= \pi \times 8^2 = 64\pi(\text{cm}^2)$

(옆넓이)$= \dfrac{1}{2} \times (2\pi \times 8) \times 17 = 136\pi(\text{cm}^2)$이므로

(겉넓이)$= 64\pi + 136\pi = 200\pi(\text{cm}^2)$

8 밑면의 반지름의 길이를 $r\,\text{cm}$라 하면

$2\pi \times 9 \times \dfrac{120}{360} = 2\pi r$이므로 $r = 3$

따라서 구하는 겉넓이는

$\pi \times 3^2 + \dfrac{1}{2} \times (2\pi \times 3) \times 9 = 36\pi(\text{cm}^2)$

9 밑면의 반지름의 길이를 r cm라 하면

$2\pi \times 6 \times \dfrac{150}{360} = 2\pi r$이므로 $r = \dfrac{5}{2}$

따라서 구하는 겉넓이는

$\pi \times \left(\dfrac{5}{2}\right)^2 + \dfrac{1}{2} \times \left(2\pi \times \dfrac{5}{2}\right) \times 6 = \dfrac{85}{4}\pi(\text{cm}^2)$

11 원뿔의 모선의 길이를 l cm라 하면

$2\pi \times l \times \dfrac{240}{360} = 2\pi \times 6$이므로 $l = 9$

따라서 구하는 겉넓이는

$\pi \times 6^2 + \dfrac{1}{2} \times (2\pi \times 6) \times 9 = 90\pi(\text{cm}^2)$

12 원뿔의 모선의 길이를 l cm라 하면

$2\pi \times l \times \dfrac{90}{360} = 2\pi \times 3$이므로 $l = 12$

따라서 구하는 겉넓이는

$\pi \times 3^2 + \dfrac{1}{2} \times (2\pi \times 3) \times 12 = 45\pi(\text{cm}^2)$

13 모선의 길이를 l cm라 하면

$(\text{밑넓이}) = \pi \times 5^2 = 25\pi(\text{cm}^2)$

$(\text{옆넓이}) = \dfrac{1}{2} \times (2\pi \times 5) \times l = 5\pi l(\text{cm}^2)$

겉넓이가 65π cm²이므로

$25\pi + 5\pi l = 65\pi$에서 $5\pi l = 40\pi$, $l = 8$

따라서 모선의 길이는 8 cm이다.

14 (1) $\pi \times 5^2 = 25\pi(\text{cm}^2)$

(3) $\dfrac{1}{3} \times 25\pi \times 12 = 100\pi(\text{cm}^3)$

15 (1) $\pi \times 3^2 = 9\pi(\text{cm}^2)$

(3) $\dfrac{1}{3} \times 9\pi \times 4 = 12\pi(\text{cm}^3)$

16 (1) $\pi \times 5^2 = 25\pi(\text{cm}^2)$

(3) $\dfrac{1}{3} \times 25\pi \times 9 = 75\pi(\text{cm}^3)$

17 $(\text{밑넓이}) = \pi \times 7^2 = 49\pi(\text{cm}^2)$

$(\text{높이}) = 9$ cm이므로

$(\text{부피}) = \dfrac{1}{3} \times 49\pi \times 9 = 147\pi(\text{cm}^3)$

18 $(\text{밑넓이}) = \pi \times 2^2 = 4\pi(\text{cm}^2)$

$(\text{높이}) = 6$ cm이므로

$(\text{부피}) = \dfrac{1}{3} \times 4\pi \times 6 = 8\pi(\text{cm}^3)$

19 $(\text{밑넓이}) = \pi \times 6^2 = 36\pi(\text{cm}^2)$

$(\text{높이}) = 12$ cm이므로

$(\text{부피}) = \dfrac{1}{3} \times 36\pi \times 12 = 144\pi(\text{cm}^3)$

20 직선 l을 회전축으로 하여 1회전 시킬 때 생기는 입체도형은 오른쪽 그림과 같은 원뿔이다.

$(\text{밑넓이}) = \pi \times 6^2 = 36\pi(\text{cm}^2)$

$(\text{높이}) = 8$ cm이므로

$(\text{부피}) = \dfrac{1}{3} \times 36\pi \times 8 = 96\pi(\text{cm}^3)$

---

03 본문 198쪽

뿔대의 겉넓이와 부피

원리확인

❶ 5 (1) 6, 180 (2) 6, 5, 180 (3) 180, 180, 360
(4) 12, 8, 384 (5) 6, 48 (6) 384, 48, 336

❷ 4 (1) 4, 80π (2) 8, 10, 4, 5, 60π
(3) 80π, 60π, 140π (4) 8, 6, 128π (5) 4, 3, 16π
(6) 128π, 16π, 112π

1 138 cm² **2** 240 cm² **3** 164π cm² **4** 82π cm²
5 224 cm³ **6** 78 cm³ **7** 84π cm³ **8** 228π cm³

1 $(\text{두 밑넓이의 합}) = 7^2 + 3^2 = 58(\text{cm}^2)$

$(\text{옆넓이}) = \left\{\dfrac{1}{2} \times (3+7) \times 4\right\} \times 4 = 80(\text{cm}^2)$이므로

$(\text{겉넓이}) = 58 + 80 = 138(\text{cm}^2)$

2 $(\text{두 밑넓이의 합}) = 8^2 + 6^2 = 100(\text{cm}^2)$

$(\text{옆넓이}) = \left\{\dfrac{1}{2} \times (6+8) \times 5\right\} \times 4 = 140(\text{cm}^2)$이므로

$(\text{겉넓이}) = 100 + 140 = 240(\text{cm}^2)$

3 $(\text{두 밑넓이의 합}) = \pi \times 8^2 + \pi \times 4^2 = 80\pi(\text{cm}^2)$

$(\text{옆넓이}) = \dfrac{1}{2} \times (2\pi \times 8) \times 14 - \dfrac{1}{2} \times (2\pi \times 4) \times 7$
$= 84\pi(\text{cm}^2)$

이므로

$(\text{겉넓이}) = 80\pi + 84\pi = 164\pi(\text{cm}^2)$

4 $(\text{두 밑넓이의 합}) = \pi \times 5^2 + \pi \times 3^2 = 34\pi(\text{cm}^2)$

$(\text{옆넓이}) = \dfrac{1}{2} \times (2\pi \times 5) \times 15 - \dfrac{1}{2} \times (2\pi \times 3) \times 9$
$= 48\pi(\text{cm}^2)$

이므로

(겉넓이)$=34\pi+48\pi=82\pi(\text{cm}^2)$

5 (큰 각뿔의 부피)$=\dfrac{1}{3}\times(8\times8)\times12=256(\text{cm}^3)$

(작은 각뿔의 부피)$=\dfrac{1}{3}\times(4\times4)\times6=32(\text{cm}^3)$이므로

(부피)$=256-32=224(\text{cm}^3)$

6 (큰 각뿔의 부피)$=\dfrac{1}{3}\times(5\times5)\times10=\dfrac{250}{3}(\text{cm}^3)$

(작은 각뿔의 부피)$=\dfrac{1}{3}\times(2\times2)\times4=\dfrac{16}{3}(\text{cm}^3)$이므로

(부피)$=\dfrac{250}{3}-\dfrac{16}{3}=78(\text{cm}^3)$

7 (큰 원뿔의 부피)$=\dfrac{1}{3}\times(\pi\times6^2)\times8=96\pi(\text{cm}^3)$

(작은 원뿔의 부피)$=\dfrac{1}{3}\times(\pi\times3^2)\times4=12\pi(\text{cm}^3)$

이므로

(부피)$=96\pi-12\pi=84\pi(\text{cm}^3)$

8 (큰 원뿔의 부피)$=\dfrac{1}{3}\times(\pi\times9^2)\times12=324\pi(\text{cm}^3)$

(작은 원뿔의 부피)$=\dfrac{1}{3}\times(\pi\times6^2)\times8=96\pi(\text{cm}^3)$

이므로

(부피)$=324\pi-96\pi=228\pi(\text{cm}^3)$

5 (겉넓이)$=4\pi\times6^2=144\pi(\text{cm}^2)$

6 (겉넓이)$=4\pi\times7^2=196\pi(\text{cm}^2)$

7 구의 반지름의 길이를 r cm라 하면

$4\pi r^2=256\pi$, $r^2=64$

$r>0$이므로 $r=8$

따라서 구의 반지름의 길이는 8 cm이다.

9 (부피)$=\dfrac{4}{3}\pi\times3^3=36\pi(\text{cm}^3)$

10 (부피)$=\dfrac{4}{3}\pi\times4^3=\dfrac{256}{3}\pi(\text{cm}^3)$

11 (부피)$=\dfrac{4}{3}\pi\times6^3=288\pi(\text{cm}^3)$

12 (부피)$=\dfrac{4}{3}\pi\times5^3=\dfrac{500}{3}\pi(\text{cm}^3)$

13 (부피)$=\dfrac{4}{3}\pi\times1^3=\dfrac{4}{3}\pi(\text{cm}^3)$

14 직선 l을 회전축으로 하여 1회전 시킬 때 생기는 입체도형은 오른쪽 그림과 같은 구이다.

(부피)$=\dfrac{4}{3}\pi\times\left(\dfrac{5}{2}\right)^3=\dfrac{125}{6}(\text{cm}^3)$

04

본문 200쪽

구의 겉넓이와 부피

1 16π cm² (✎2, 16π) **2** 36π cm² **3** 64π cm²

4 100π cm² **5** 144π cm² **6** 196π cm² ☺ $4\pi r^2$, πr^2, 4

7 ③   **8** $\dfrac{32}{3}\pi$ cm³ (✎2, $\dfrac{32}{3}\pi$) **9** 36π cm³

10 $\dfrac{256}{3}\pi$ cm³   **11** 288π cm³

12 $\dfrac{500}{3}\pi$ cm³   **13** $\dfrac{4}{3}\pi$ cm³ ☺ 1, 2

14 ④

2 (겉넓이)$=4\pi\times3^2=36\pi(\text{cm}^2)$

3 (겉넓이)$=4\pi\times4^2=64\pi(\text{cm}^2)$

4 (겉넓이)$=4\pi\times5^2=100\pi(\text{cm}^2)$

05

본문 202쪽

잘라낸 구의 겉넓이와 부피

1 (1) 27π cm² (✎3, 3, 18π, 9π, 27π)

　 (2) 18π cm³ (✎3, 18π)

2 (1) 48π cm² (2) $\dfrac{128}{3}\pi$ cm³

3 (1) 108π cm² (2) 144π cm³

☺ πr^2, $4\pi r^2$, $3\pi r^2$

4 16π cm² (✎2, 3, 12π, 2, 2, 4π, 12π, 4π, 16π)

5 144π cm² **6** 128π cm² **7** 17π cm²

8 80π cm² **9** 8π cm³ (✎2, 3, 8π)

10 9π cm³ **11** 252π cm³   **12** $\dfrac{256}{3}\pi$ cm³

2 (1) $\frac{1}{2} \times (4\pi \times 4^2) + \pi \times 4^2 = 32\pi + 16\pi = 48\pi(\text{cm}^2)$

(2) $\frac{1}{2} \times \left(\frac{4}{3}\pi \times 4^3\right) = \frac{128}{3}\pi(\text{cm}^3)$

3 (1) $\frac{1}{2} \times (4\pi \times 6^2) + \pi \times 6^2 = 72\pi + 36\pi = 108\pi(\text{cm}^2)$

(2) $\frac{1}{2} \times \left(\frac{4}{3}\pi \times 6^3\right) = 144\pi(\text{cm}^3)$

5 (곡면의 넓이)$= (4\pi \times 6^2) \times \frac{3}{4} = 108\pi(\text{cm}^2)$

(단면의 넓이)$= \left(\pi \times 6^2 \times \frac{1}{2}\right) \times 2 = 36\pi(\text{cm}^2)$이므로

(겉넓이)$= 108\pi + 36\pi = 144\pi(\text{cm}^2)$

6 (곡면의 넓이)$= (4\pi \times 8^2) \times \frac{1}{4} = 64\pi(\text{cm}^2)$

(단면의 넓이)$= \left(\pi \times 8^2 \times \frac{1}{2}\right) \times 2 = 64\pi(\text{cm}^2)$이므로

(겉넓이)$= 64\pi + 64\pi = 128\pi(\text{cm}^2)$

7 (곡면의 넓이)$= (4\pi \times 2^2) \times \frac{7}{8} = 14\pi(\text{cm}^2)$

(단면의 넓이)$= \left(\pi \times 2^2 \times \frac{1}{4}\right) \times 3 = 3\pi(\text{cm}^2)$이므로

(겉넓이)$= 14\pi + 3\pi = 17\pi(\text{cm}^2)$

8 (곡면의 넓이)$= (4\pi \times 8^2) \times \frac{1}{8} = 32\pi(\text{cm}^2)$

(단면의 넓이)$= \left(\pi \times 8^2 \times \frac{1}{4}\right) \times 3 = 48\pi(\text{cm}^2)$이므로

(겉넓이)$= 32\pi + 48\pi = 80\pi(\text{cm}^2)$

9 (부피)$= \left(\frac{4}{3}\pi \times 2^3\right) \times \frac{3}{4} = 8\pi(\text{cm}^3)$

10 (부피)$= \left(\frac{4}{3}\pi \times 3^3\right) \times \frac{1}{4} = 9\pi(\text{cm}^3)$

11 (부피)$= \left(\frac{4}{3}\pi \times 6^3\right) \times \frac{7}{8} = 252\pi(\text{cm}^3)$

12 (부피)$= \left(\frac{4}{3}\pi \times 8^3\right) \times \frac{1}{8} = \frac{256}{3}\pi(\text{cm}^3)$

06

두 입체도형을 붙였을 때 겉넓이와 부피

1 80π cm^2 (✎ 2π, 4, 6, 4, 5, 4, 24π, 40π, 16π, 80π)

2 36π cm^2　**3** 155π cm^2　**4** 20π cm^2　**5** 66π cm^2

6 112π cm^3 (✎ 4, 6, 4, 32π, 80π, 112π)

7 30π cm^3　**8** $\dfrac{850}{3}\pi$ cm^3　　　**9** 16π cm^3

10 81π cm^3　**11** $\dfrac{448}{3}\pi$ cm^3　　　**12** 159π cm^3

13 ③

2 (겉넓이)$= \frac{1}{2} \times (2\pi \times 3) \times 5 + \frac{1}{2} \times (2\pi \times 3) \times 7$

$= 15\pi + 21\pi = 36\pi(\text{cm}^2)$

3 (겉넓이)$= \frac{1}{2} \times (4\pi \times 5^2) + (2\pi \times 5) \times 8 + \pi \times 5^2$

$= 50\pi + 80\pi + 25\pi = 155\pi(\text{cm}^2)$

4 (겉넓이)$= \frac{1}{2} \times (4\pi \times 2^2) + \frac{1}{2} \times (2\pi \times 2) \times 6$

$= 8\pi + 12\pi = 20\pi(\text{cm}^2)$

5 (겉넓이)$= \frac{1}{2} \times (4\pi \times 3^2) + (2\pi \times 3) \times 5 + \frac{1}{2} \times (4\pi \times 3^2)$

$= 18\pi + 30\pi + 18\pi = 66\pi(\text{cm}^2)$

7 (부피)$= \frac{1}{3} \times (\pi \times 3^2) \times 4 + \frac{1}{3} \times (\pi \times 3^2) \times 6$

$= 12\pi + 18\pi = 30\pi(\text{cm}^3)$

8 (부피)$= \frac{1}{2} \times \left(\frac{4}{3}\pi \times 5^3\right) + (\pi \times 5^2) \times 8$

$= \frac{250}{3}\pi + 200\pi = \frac{850}{3}\pi(\text{cm}^3)$

9 (부피)$= \frac{1}{2} \times \left(\frac{4}{3}\pi \times 2^3\right) + \frac{1}{3} \times (\pi \times 2^2) \times 8$

$= \frac{16}{3}\pi + \frac{32}{3}\pi = 16\pi(\text{cm}^3)$

10 (부피)$= \frac{1}{2} \times \left(\frac{4}{3}\pi \times 3^3\right) + (\pi \times 3^2) \times 5 + \frac{1}{2} \times \left(\frac{4}{3}\pi \times 3^3\right)$

$= 18\pi + 45\pi + 18\pi = 81\pi(\text{cm}^3)$

11 (부피)$= \frac{1}{2} \times \left(\frac{4}{3}\pi \times 2^3\right) + \frac{1}{2} \times \left(\frac{4}{3}\pi \times 6^3\right)$

$= \frac{16}{3}\pi + 144\pi = \frac{448}{3}\pi(\text{cm}^3)$

12 $(부피)=\dfrac{1}{3}\times(\pi\times3^2)\times5+\dfrac{1}{2}\times\left(\dfrac{4}{3}\pi\times6^3\right)$

$\qquad\quad=15\pi+144\pi=159\pi(\text{cm}^3)$

13 직선 l을 회전축으로 하여 1회전 시킬 때 생기는 회전체는 오른쪽 그림과 같다.

$(겉넓이)$

$=\dfrac{1}{2}\times(2\pi\times3)\times5+(2\pi\times3)\times4$

$\qquad\qquad\qquad+\dfrac{1}{2}\times(2\pi\times3)\times5$

$=15\pi+24\pi+15\pi=54\pi(\text{cm}^2)$

$(부피)=\dfrac{1}{3}\times(\pi\times3^2)\times4+(\pi\times3^2)\times4$

$\qquad\qquad\qquad+\dfrac{1}{3}\times(\pi\times3^2)\times4$

$=12\pi+36\pi+12\pi=60\pi(\text{cm}^3)$

07

본문 206쪽

여러 가지 입체도형의 부피의 활용

1 $\dfrac{32}{3}\,\text{cm}^3\left(\text{✐ }4,\ 4,\ 8,\ 4,\ 8,\ 4,\ \dfrac{32}{3}\right)$　　2 $\dfrac{125}{6}\,\text{cm}^3$

3 $32\,\text{cm}^3$　　4 $\dfrac{35}{2}\,\text{cm}^3$　　5 $\dfrac{21}{2}\,\text{cm}^3$　　6 $\dfrac{32}{3}\,\text{cm}^3$

7 $27\,\text{cm}^3$ (✐ $6,\ 3,\ 27$)　　8 $192\,\text{cm}^3$　　9 $10\,\text{cm}^3$

10 $\dfrac{32}{3}\,\text{cm}^3$　　11 8 (✐ $6,\ 2,\ 72\pi,\ 3,\ 9\pi h,\ 72\pi,\ 9\pi h,\ 8$)

12 4　　　　13 12

14 $\dfrac{24}{5}\left(\text{✐ }12,\ 72,\ 4,\ 6,\ 3,\ 15h,\ 72,\ 15h,\ \dfrac{24}{5}\right)$

15 $\dfrac{4}{3}$　　　16 2　　　17 $432\pi\,\text{cm}^3$

18 $144\pi\,\text{cm}^3$　　　19 $288\pi\,\text{cm}^3$

20 $3:1:2$

---

2 $(밑면의 넓이)=\dfrac{1}{2}\times5\times5=\dfrac{25}{2}(\text{cm}^2)$

$(높이)=5\,\text{cm}$이므로

$(부피)=\dfrac{1}{3}\times\dfrac{25}{2}\times5=\dfrac{125}{6}(\text{cm}^3)$

3 $(밑면의 넓이)=\dfrac{1}{2}\times4\times6=12(\text{cm}^2)$

$(높이)=8\,\text{cm}$이므로

$(부피)=\dfrac{1}{3}\times12\times8=32(\text{cm}^3)$

4 $(밑면의 넓이)=\dfrac{1}{2}\times5\times3=\dfrac{15}{2}(\text{cm}^2)$

$(높이)=7\,\text{cm}$이므로

$(부피)=\dfrac{1}{3}\times\dfrac{15}{2}\times7=\dfrac{35}{2}(\text{cm}^3)$

5 $(밑면의 넓이)=\dfrac{1}{2}\times3\times3=\dfrac{9}{2}(\text{cm}^2)$

$(높이)=7\,\text{cm}$이므로

$(부피)=\dfrac{1}{3}\times\dfrac{9}{2}\times7=\dfrac{21}{2}(\text{cm}^3)$

6 $(밑면의 넓이)=\dfrac{1}{2}\times4\times4=8(\text{cm}^2)$

$(높이)=4\,\text{cm}$이므로

$(부피)=\dfrac{1}{3}\times8\times4=\dfrac{32}{3}(\text{cm}^3)$

8 $(물의 부피)=\dfrac{1}{3}\times\left(\dfrac{1}{2}\times12\times12\right)\times8=192(\text{cm}^3)$

9 $(물의 부피)=\dfrac{1}{3}\times\left(\dfrac{1}{2}\times3\times4\right)\times5=10(\text{cm}^3)$

10 $(물의 부피)=\dfrac{1}{3}\times\left(\dfrac{1}{2}\times4\times8\right)\times2=\dfrac{32}{3}(\text{cm}^3)$

12 $(A의 부피)=(\pi\times2^2)\times8=32\pi(\text{cm}^3)$

$(B의 부피)=\left(\pi\times4^2\times\dfrac{1}{2}\right)\times h=8\pi h(\text{cm}^3)$

$32\pi=8\pi h$이므로 $h=4$

13 $(A의 부피)=\left(\dfrac{4}{3}\pi\times6^3\right)\times\dfrac{1}{2}=144\pi(\text{cm}^3)$

$(B의 부피)=\dfrac{1}{3}\times(\pi\times6^2)\times h=12\pi h(\text{cm}^3)$

$144\pi=12\pi h$이므로 $h=12$

15 $(A의 물에 담긴 부피)=\dfrac{1}{3}\times(\pi\times4^2)\times9=48\pi(\text{cm}^3)$

$(B의 물에 담긴 부피)=(\pi\times6^2)\times h=36\pi h(\text{cm}^3)$

$48\pi=36\pi h$이므로 $h=\dfrac{4}{3}$

16 $(A의 물에 담긴 부피)=\dfrac{1}{3}\times\left(\dfrac{1}{2}\times8\times6\right)\times5=40(\text{cm}^3)$

$(B의 물에 담긴 부피)=(4\times5)\times h=20h(\text{cm}^3)$

$40=20h$이므로 $h=2$

17 $(원기둥의 부피)=(\pi\times6^2)\times12=432\pi(\text{cm}^3)$

18 (원뿔의 부피)$=\dfrac{1}{3}\times(\pi\times6^2)\times12=144\pi(\text{cm}^3)$

19 (구의 부피)$=\dfrac{4}{3}\pi\times6^3=288\pi(\text{cm}^3)$

20 $432\pi:144\pi:288\pi=3:1:2$

TEST 9. 입체도형의 겉넓이와 부피(2)
본문 209쪽

1 ③　　　　**2** ③　　　　**3** $1300\pi\ \text{cm}^3$

4 ④　　　　**5** $2016\pi\ \text{cm}^3$　　**6** ④

1 (밑넓이)$=8\times8=64(\text{cm}^2)$

(옆넓이)$=\left(\dfrac{1}{2}\times8\times7\right)\times4=112(\text{cm}^2)$이므로

(겉넓이)$=64+112=176(\text{cm}^2)$

2 (밑넓이)$=\pi\times3^2=9\pi(\text{cm}^2)$

(옆넓이)$=\dfrac{1}{2}\times(2\pi\times3)\times l=3\pi l(\text{cm}^2)$

$9\pi+3\pi l=54\pi$에서 $3\pi l=45\pi$

따라서 $l=15$

3 직선 l을 회전축으로 하여 1회전 시 킬 때 생기는 회전체는 오른쪽 그림 과 같으므로

(부피)$=\dfrac{1}{3}\times(\pi\times15^2)\times18$

$\qquad\qquad-\dfrac{1}{3}\times(\pi\times5^2)\times6$

$\qquad=1350\pi-50\pi=1300\pi(\text{cm}^3)$

4 (겉넓이)$=\dfrac{1}{2}\times(4\pi\times2^2)+\pi\times2^2$

$\qquad\qquad=8\pi+4\pi=12\pi(\text{cm}^2)$

5 (부피)$=\left(\dfrac{4}{3}\pi\times12^3\right)\times\dfrac{7}{8}=2016\pi(\text{cm}^3)$

6 (부피)$=$(사각뿔의 부피)$+$(사각기둥의 부피)

$\qquad=\dfrac{1}{3}\times(4\times4)\times3+(4\times4)\times8$

$\qquad=16+128=144(\text{cm}^3)$

---

10 자료의 정리와 해석(1)
Ⅳ.통계

01
본문 212쪽

줄기와 잎 그림

원리확인

❶ 십, 일　　　　❷ 2

1 8, 3, 3, 7, 1

2

6	2 5 7 8
7	0 3 5 6 7
8	2 6 8 8
9	4 6 6

☺ 자료

3

1	5 8
2	0 4 5 6 7 9
3	2 5 5 6 8
4	0 3 4 9
5	4 5 8

4

16	2 4 6 8
17	2 2 5 7 8
18	0 2 4
19	0 3

5 (1) 7, 8, 8, 9　(2) 4　(3) 20명　(4) 4명

6 (1) 3　(2) 22명　(3) 5명

7 (1) 47점　(2) 11명　(3) 38점　(4) 25점

8 (1) 8명　(2) 73세　(3) 46세

9 (1) 33　(2) 8명　(3) 21

10 ④

11 (1) 12명　(2) 11명　(3) 7　(4) 35점　(5) 8명

12 (1) 17명, 16명　(2) 1반　(3) 1반　(4) 43시간

13 ⑤

5 (3) 전체 잎의 개수가 $4+12+4=20$이므로 은서네 반 전 체 학생 수는 20명이다.

(4) 줄기가 5인 잎이 4개이므로 아버지 연세가 50세 이상 인 학생 수는 4명이다.

6 (2) 전체 잎의 개수가 $5+6+7+4=22$이므로 명준이네 반 전체 학생 수는 22명이다.

(3) 줄기가 0인 잎이 5개이므로 통학 시간이 10분 미만인 학생 수는 5명이다.

7 (2) 줄기가 1인 잎이 4개, 줄기가 2인 잎이 7개이므로 과학 수행 평가 점수가 30점 미만인 학생 수는
4+7=11(명)

8 (1) 줄기가 6인 잎이 4개, 줄기가 7인 잎이 4개이므로 60세 이상인 성인의 수는 4+4=8(명)

10 ② 전체 잎의 개수가 4+6+5+5=20이므로 전체 회원 수는 20명이다.
④ 독서 시간이 30시간 이상인 회원 수는 5명이므로 전체의 $\frac{5}{20} \times 100 = 25(\%)$
⑤ 독서 시간이 가장 적은 회원과 가장 많은 회원의 독서 시간의 합은 4+39=43(시간)
따라서 옳지 않은 것은 ④이다.

11 (1) 시현이네 반 남학생 수는 2+5+3+2=12(명)
(2) 시현이네 반 여학생 수는 1+3+4+3=11(명)
(3) 줄기가 6인 잎이 2+1=3(개), 줄기가 7인 잎이 5+3=8(개), 줄기가 8인 잎이 3+4=7(개), 줄기가 9인 잎이 2+3=5(개)이므로 잎이 가장 많은 줄기는 7이다.
(4) 수학 성적이 가장 높은 학생의 점수는 98점, 가장 낮은 학생의 점수는 63점이므로 점수의 차는 98-63=35(점)
(5) 수학 성적이 88점 이상인 남학생 수는 1+2=3(명), 여학생 수는 2+3=5(명)이므로 수학 성적이 88점 이상인 학생 수는 3+5=8(명)

12 (1) 1반의 학생 수는 4+5+3+5=17(명),
2반의 학생 수는 5+3+4+4=16(명)
(3) 컴퓨터 사용 시간이 21시간 이하인 1반의 학생 수는 4+2=6(명), 2반의 학생 수는 5명이므로 1반이 더 많다.

13 남자 중 등산 횟수가 가장 많은 회원의 등산 횟수는 28회이고, 여자 중 등산 횟수가 가장 적은 회원의 등산 횟수는 3회이므로 등산 횟수의 차는 28-3=25(회)

도수분포표

1 3, 5, 6, 4   **2** 8, 7, 8, 4, 3

3

계급	도수
140이상 ~ 150미만	5
150 ~ 160	7
160 ~ 170	5
170 ~ 180	3

4

계급	도수
0이상 ~ 10미만	8
10 ~ 20	8
20 ~ 30	4
30 ~ 40	3
40 ~ 50	3
50 ~ 60	1

5 (1) 3, 3 (2) 4 (3) 4 (4) 3, 6 (5) 20 (6) 6, 8, 14

6 (1) 2권 (2) 5 (3) 2권 이상 4권 미만 (4) 3명
(5) 5명 (6) 13명 (7) 4권 이상 6권 미만

7 (1) 5명 (2) 4 (3) 25명 이상 30명 미만 (4) 3일
(5) 4일 (6) 13일 (7) 15명 이상 20명 미만

8 (1) 9 (2) 5명 (3) 12명 (4) 30점 이상 40점 미만
(5) 20점 이상 30점 미만 (6) 10 %

☺ 100

9 (1) 11 (2) 7 (3) 19 (4) 350 g 이상 400 g 미만
(5) 250 g 이상 300 g 미만 (6) 50 %

6 (1) 계급의 크기는 4-2=2(권)
(2) 계급은 0권 이상 2권 미만, 2권 이상 4권 미만, 4권 이상 6권 미만, 6권 이상 8권 미만, 8권 이상 10권 미만의 5개이다.
(4) 도수가 가장 작은 계급은 0권 이상 2권 미만인 계급이고, 이 계급에 속하는 학생 수는 3명이다.
(5) 읽은 책이 5권인 학생이 속하는 계급은 4권 이상 6권 미만이므로 구하는 도수는 5명이다.
(6) 읽은 책이 0권 이상 2권 미만인 학생 수는 3명, 2권 이상 4권 미만인 학생 수는 10명이므로 읽은 책이 4권 미만인 학생 수는 3+10=13(명)
(7) 읽은 책이 6권 이상인 학생 수는 8+4=12(명)
4권 이상 6권 미만인 계급의 도수가 5명이므로 읽은 책이 15번째로 많은 학생이 속하는 계급은 4권 이상 6권 미만이다.

7 (1) 계급의 크기는 15-10=5(명)
(2) 계급은 10명 이상 15명 미만, 15명 이상 20명 미만, 20

명 이상 25명 미만, 25명 이상 30명 미만의 4개이다.

(4) 도수가 가장 작은 계급은 10명 이상 15명 미만이고, 이 계급의 날의 수는 3일이다.

(5) 방문자 수가 15명인 날이 속하는 계급은 15명 이상 20명 미만이므로 구하는 도수는 4일이다.

(6) 방문자 수가 20명 이상 25명 미만인 날의 수는 5일, 25명 이상 30명 미만인 날의 수는 8일이므로 방문자 수가 20명 이상인 날의 수는 5+8=13(일)

(7) 방문자 수가 20명 미만인 날의 수는 3+4=7(명) 따라서 방문자 수가 7번째로 적은 날이 속하는 계급은 15명 이상 20명 미만이다.

8 (1) 전체 학생 수가 30명이므로
$$2+5+11+A+3=30$$
따라서 $A=9$

(3) 게임 점수가 30점 이상 40점 미만인 학생 수는 9명, 40점 이상 50점 미만인 학생 수는 3명이므로 게임 점수가 30점 이상인 학생 수는 9+3=12(명)

(5) 게임 점수가 20점 미만인 학생 수는 2+5=7(명) 20점 이상 30점 미만인 계급의 도수가 11명이므로 게임 점수가 10번째로 낮은 학생이 속하는 계급은 20점 이상 30점 미만이다.

(6) 게임 점수가 40점 이상 50점 미만인 학생 수가 3명이고 전체 학생 수가 30명이므로
$$\frac{3}{30}\times100=10(\%)$$

9 (1) 전체 사과의 개수가 50이므로
$$8+A+14+7+10=50$$
따라서 $A=11$

(3) 무게가 150 g 이상 200 g 미만인 사과의 개수는 8, 200 g 이상 250 g 미만인 사과의 개수는 11이므로 무게가 250 g 미만인 사과의 개수는 8+11=19

(5) 무게가 300 g 이상인 사과의 개수는 7+10=17 250 g 이상 300 g 미만인 계급의 도수가 14개이므로 무게가 20번째로 무거운 사과가 속하는 계급은 250 g 이상 300 g 미만이다.

(6) 무게가 200 g 이상 300 g 미만인 사과의 개수는 11+14=25이고, 전체 사과의 개수는 50이므로
$$\frac{25}{50}\times100=50(\%)$$

히스토그램

5 (1) 가로, 10, 5　(2) 개수, 6　(3) 세로, 9　(4) 20, 25

(5) 6, 9, 15　(6) 5, 11, 40

☺ 도수, 계급, 크기

6 (1) 1시간　(2) 5　(3) 4명　(4) 4시간 이상 5시간 미만

(5) 12명　(6) 20명

☺ 개수, 크기, 도수

7 (1) 40명　(2) 12권 이상 15권 미만　(3) 18명

(4) 9권 이상 12권 미만　(5) 15권 이상 18권 미만

(6) 5 %

8 (1) 30　(2) 280 g 이상 300 g 미만　(3) 10

(4) 260 g 이상 280 g 미만　(5) 30 %

9 (1) ○　(2) ○　(3) ×　(4) ×　(5) ○

10 ⑤　　　11 (1) 50　(2) 30　(3) 150　(4) 15

☺ 크기, 도수, 크기, 도수

12 (1) 500　(2) 130　(3) 20　(4) 110

13 ②　　　14 10명　　15 14봉지　16 11명

17 (1) 32명　(2) 8명　(3) 12명

18 (1) 4일　(2) 30일　(3) 9일

6 (1) (계급의 크기)=(직사각형의 가로의 길이)
$$=5-4=1(시간)$$

(2) (계급의 개수)=(직사각형의 개수)=5

(3) (6시간 이상 7시간 미만인 계급의 도수)
=(해당 계급의 직사각형의 세로의 길이)=4(명)

(5) 하루 수면 시간이 7시간 이상 8시간 미만인 학생 수는 7명, 8시간 이상 9시간 미만인 학생 수는 5명이므로 하루 수면 시간이 7시간 이상 9시간 미만인 학생 수는 7+5=12(명)

(6) 선호네 반 전체 학생 수는 1+3+4+7+5=20(명)

7 (1) 독서 동호회 전체 회원 수는
$$2+5+8+10+9+6=40(명)$$
(3) 대여한 책이 6권 이상 9권 미만인 회원 수는 8명, 9권 이상 12권 미만인 회원 수는 10명이므로 대여한 책이 6권 이상 12권 미만인 회원 수는 $8+10=18(명)$
(6) 대여한 책이 0권 이상 3권 미만인 회원 수가 2명이고 전체 회원 수가 40명이므로
$$\frac{2}{40}\times100=5(\%)$$

8 (1) 한 상자에 들어 있는 사과의 개수는
$$3+2+7+8+6+4=30$$
(3) 무게가 300 g 이상 320 g 미만인 사과의 개수는 6, 320 g 이상 340 g 미만인 사과의 개수는 4이므로 무게가 300 g 이상인 사과의 개수는 $6+4=10$
(4) 무게가 260 g 미만인 사과의 개수는 $3+2=5$
260 g 이상 280 g 미만인 계급의 도수가 7개이므로 무게가 7번째로 가벼운 사과가 속하는 계급은 260 g 이상 280 g 미만이다.
(5) 무게가 240 g 이상 280 g 미만인 사과의 개수는 $2+7=9$이고 전체 사과의 개수가 30이므로
$$\frac{9}{30}\times100=30(\%)$$

9 (1) 중학교 1학년 전체 학생 수는
$$3+5+7+8+9+6+2=40(명)$$
(3) 체험학습을 12일 이상 신청한 학생 수는 $6+2=8(명)$
(4) 체험학습을 3번째로 적게 신청한 학생이 속하는 계급은 2일 이상 4일 미만이다.
(5) 체험학습을 6일 미만 신청한 학생 수는 $3+5=8(명)$이므로 전체의 $\frac{8}{40}\times100=20(\%)$

10 ⑤ 만족도가 2점 미만인 이용자는 6명이므로 전체의
$$\frac{6}{40}\times100=15(\%)$$
따라서 옳지 않은 것은 ⑤이다.

11 (1) (직사각형의 넓이)=(계급의 크기)×(계급의 도수)
$$=5\times10=50$$
(2) 이 계급의 도수는 6명이므로
(직사각형의 넓이)=(계급의 크기)×(계급의 도수)
$$=5\times6=30$$
(3) 도수의 총합이 $3+6+10+6+3+2=30(명)$이므로
(모든 직사각형의 넓이의 합)
=(계급의 크기)×(도수의 총합)
$$=5\times30=150$$

(4) 점수가 34점인 학생이 속하는 계급은 30점 이상 35점 미만이고 이 계급의 도수는 3명이므로
(직사각형의 넓이)=(계급의 크기)×(그 계급의 도수)
$$=5\times3=15$$

12 (1) 도수의 총합이 $2+5+9+13+11+7+3=50(명)$이므로
(모든 직사각형의 넓이의 합)
=(계급의 크기)×(도수의 총합)
$$=10\times50=500$$
(2) 도수가 가장 큰 계급은 30세 이상 40세 미만이고 이때의 도수는 13명이므로
(직사각형의 넓이)=(계급의 크기)×(계급의 도수)
$$=10\times13=130$$
(3) 도수가 가장 작은 계급은 0세 이상 10세 미만이고 이때의 도수는 2명이므로
(직사각형의 넓이)=(계급의 크기)×(계급의 도수)
$$=10\times2=20$$
(4) 도수가 가장 큰 계급의 직사각형의 넓이는 130, 도수가 가장 작은 계급의 직사각형의 넓이는 20이므로 넓이의 차는
$$130-20=110$$

13 도수가 가장 큰 계급의 직사각형의 넓이는 $10\times10=100$이고, 도수가 가장 작은 계급의 직사각형의 넓이는 $10\times2=20$이므로 그 합은
$$100+20=120$$

14 도수의 총합이 40명이므로 구하는 계급의 도수는
$$40-(4+9+11+6)=10(명)$$

15 도수의 총합이 35봉지이므로 구하는 계급의 도수는
$$35-(3+3+7+5+3)=14(봉지)$$

16 도수의 총합이 45명이므로 구하는 계급의 도수는
$$45-(4+7+8+7+6+2)=11(명)$$

17 (1) 전체 학생 수를 x명이라 하면 키가 170 cm 이상 180 cm 미만인 학생 4명이 전체의 12.5 %이므로
$$x\times\frac{12.5}{100}=4 \quad\text{즉 } x=32$$
따라서 준희네 반 전체 학생 수는 32명
(2) 전체 학생 수가 32명이므로 키가 160 cm 이상 170 cm 미만인 학생 수는
$$32-(2+7+11+4)=8(명)$$
(3) $8+4=12(명)$

18 (2) 전체 날의 수를 x일이라 하면 기온이 23℃ 이상 24℃ 미만인 6일이 전체의 20 %이므로 $x \times \dfrac{20}{100} = 6$

즉 $x = 30$

따라서 조사한 전체 날의 수는 30일이다.

(3) 전체 날의 수가 30일이므로 기온이 20℃ 이상 21℃ 미만인 날의 수는 $30 - (2+6+4+6+3) = 9$(일)

---

04 본문 226쪽

도수분포다각형

3 (1) 10, 10 (2) 6 (3) 3 (4) 30, 40 (5) 4, 5
　(6) 3, 4, 23

4 (1) 2시간 (2) 6 (3) 7명 (4) 13시간 이상 15시간 미만
　(5) 13명 (6) 34명

5 (1) 25명 (2) 30 m 이상 35 m 미만 (3) 8명
　(4) 7명 (5) 25 m 이상 30 m 미만 (6) 40 %

6 (1) × (2) ○ (3) ○ (4) × (5) ×

7 ①　　　　**8** (1) 300 (2) 300

☺ 히스토그램, 크기, 도수

9 300　　**10** 1450　　**11** 3300

12 11명　　**13** (1) 14송이 (2) 40 %　☺ 총합, 도수

14 (1) 6명 (2) 24명 (3) 8명

15 (1) 3명 (2) 30명 (3) 5명

4 (1) 계급의 크기는 $5-3 = 2$(시간)

(5) 댄스 연습 시간이 3시간 이상 5시간 미만인 회원 수는 5명, 5시간 이상 7시간 미만인 회원 수는 8명이므로 댄스 연습 시간이 3시간 이상 7시간 미만인 회원 수는 $5+8 = 13$(명)

(6) 댄스 동호회 전체 회원 수는 $5+8+10+7+3+1 = 34$(명)

5 (1) 종현이네 반 전체 학생 수는 $3+5+7+6+4 = 25$(명)

(3) 공 던지기 기록이 15 m 이상 20 m 미만인 학생 수는 3명, 20 m 이상 25 m 미만인 학생 수는 5명이므로 기록이 25 m 미만인 학생 수는 $3+5 = 8$(명)

(4) 공 던지기 기록이 28 m인 학생이 속하는 계급은 25 m 이상 30 m 미만이므로 이 계급의 도수는 7명이다.

(5) 공 던지기 기록이 25 m 미만인 학생 수는 8명이고, 25 m 이상 30 m 미만인 계급의 도수가 7명이므로 기록이 11번째로 짧은 학생이 속하는 계급은 25 m 이상 30 m 미만이다.

(6) 공 던지기 기록이 30 m 이상인 학생 수는 $6+4 = 10$(명)이므로 전체의 $\dfrac{10}{25} \times 100 = 40$(%)

6 (1) 유진이네 반 전체 학생 수는 $2+3+5+11+4+3 = 28$(명)

(3) 점수가 40점 이상 60점 미만인 학생 수는 $2+3 = 5$(명)

(4) 점수가 6번째로 낮은 학생이 속하는 계급은 60점 이상 70점 미만이다.

(5) 점수가 80점 이상인 학생 수는 $4+3 = 7$(명)이므로 전체의 $\dfrac{7}{28} \times 100 = 25$(%)

7 ① 계급의 개수는 5이다.

⑤ 전체 관람객은 $8+10+14+11+7 = 50$(명)이고, 나이가 40세 이상인 관람객은 $11+7 = 18$(명)이므로 전체의 $\dfrac{18}{50} \times 100 = 36$(%)

따라서 옳지 않은 것은 ①이다.

8 (1) 도수의 총합이 $2+8+12+5+3 = 30$(명)이므로
(히스토그램에서 모든 직사각형의 넓이의 합)
　= (계급의 크기) × (도수의 총합) $= 10 \times 30 = 300$

(2) (도수분포다각형과 가로축으로 둘러싸인 부분의 넓이)
　= (히스토그램에서 모든 직사각형의 넓이의 합)
　$= 300$

9 도수의 총합이 $8+5+6+9+2 = 30$(명)이므로
(도수분포다각형과 가로축으로 둘러싸인 부분의 넓이)
= (계급의 크기) × (도수의 총합)
$= 10 \times 30 = 300$

10 도수의 총합이 $3+7+10+7+2 = 29$(그루)이므로
(도수분포다각형과 가로축으로 둘러싸인 부분의 넓이)
= (계급의 크기) × (도수의 총합)
$= 50 \times 29 = 1450$

11 도수의 총합이 $4+8+10+6+5 = 33$(명)이므로
(도수분포다각형과 가로축으로 둘러싸인 부분의 넓이)
= (계급의 크기) × (도수의 총합)
$= 100 \times 33 = 3300$

12 도수의 총합이 30명이므로 구하는 계급의 도수는
$30-(3+5+8+2+1)=11$(명)

13 (1) 도수의 총합이 35송이이므로 구하는 계급의 도수는
$35-(6+7+5+3)=14$(송이)

(2) $\dfrac{14}{35}\times100=40(\%)$

14 (2) 전체 학생 수를 x명이라 하면 $x\times\dfrac{25}{100}=6$

즉 $x=24$

따라서 전체 학생 수는 24명이다.

(3) 도수의 총합이 24명이므로 앉은키가 82 cm 이상 86 cm 미만인 학생 수는

$24-(3+4+6+3)=8$(명)

15 (2) 전체 학생 수를 x명이라 하면 $x\times\dfrac{10}{100}=3$

즉 $x=30$

따라서 전체 학생 수는 30명이다.

(3) 도수의 총합이 30명이므로 봉사 활동 시간이 20시간 이상 25시간 미만인 학생 수는

$30-(4+8+10+3)=5$(명)

5 전체 학생 수를 x명이라 하면 점수가 20점 미만인 학생 수가 9명이므로

$x\times\dfrac{36}{100}=9$, 즉 $x=25$

따라서 점수가 20점 이상 30점 미만인 학생 수는

$25-(9+5+2+1)=8$(명)

6 도수의 총합이 30명이므로 구하는 계급의 도수는
$30-(2+5+8+4+1)=10$(명)

TEST **10. 자료의 정리와 해석**(1)   본문 231쪽

1 ④	**2** 1	**3** 30 %
4 ②, ⑤	**5** 8명	**6** 10명

1 전체 잎의 개수가 $4+7+6+3=20$이므로 한얼이네 반 전체 학생 수는 20명이다.

2 계급의 크기는 $10-5=5$(시간)이므로 $a=5$
계급의 개수는 4이므로 $b=4$
따라서 $a-b=5-4=1$

3 홈런을 15개 이상 친 선수는 $6+3=9$(명)이므로 전체의
$\dfrac{9}{30}\times100=30(\%)$

4 ② 도수가 가장 큰 계급은 150 cm 이상 155 cm 미만이다.
④ 전체 학생 수는 $4+10+12+8+4+2=40$(명)
⑤ 모든 직사각형의 넓이의 합은 $5\times40=200$
따라서 옳지 않은 것은 ②, ⑤이다.

01

본문 234쪽

상대도수

원리확인

❶ 2, 0.2 ❷ 30, 60, 0.6 ❸ 27, 0.27

1 (1) ○ (2) ○ (3) × (4) ○ (5) ○

2 (1) 0.15 (2) 0.5 (3) 0.2 (4) 0.36

3 (1) 72 (2) 8 (3) 20 (4) 7

😊 도수, 도수

4 (1) 50 (2) 15 (3) 40 (4) 20 (5) 25 (6) 32

5 ③

1 (제주도를 방문한 남자 회원 수)$=60 \times 0.7=42$(명)

(제주도를 방문한 여자 회원 수)$=40 \times 0.8=32$(명)

따라서 (상대도수)$=\dfrac{42+32}{60+40}=\dfrac{74}{100}=0.74$

2 (1) (상대도수)$=\dfrac{3}{20}=0.15$

(2) (상대도수)$=\dfrac{9}{18}=0.5$

(3) (상대도수)$=\dfrac{12}{60}=0.2$

(4) (상대도수)$=\dfrac{18}{50}=0.36$

3 (1) (도수)$=100 \times 0.72=72$

(2) (도수)$=40 \times 0.2=8$

(3) (도수)$=25 \times 0.8=20$

(4) (도수)$=50 \times 0.14=7$

4 (1) (전체 도수)$=\dfrac{10}{0.2}=\dfrac{100}{2}=50$

(2) (전체 도수)$=\dfrac{6}{0.4}=\dfrac{60}{4}=15$

(3) (전체 도수)$=\dfrac{14}{0.35}=\dfrac{1400}{35}=40$

(4) (전체 도수)$=\dfrac{1}{0.05}=\dfrac{100}{5}=20$

(5) (전체 도수)$=\dfrac{3}{0.12}=\dfrac{300}{12}=25$

(6) (전체 도수)$=\dfrac{8}{0.25}=\dfrac{800}{25}=32$

02

본문 236쪽

상대도수의 분포표

원리확인

8, 10, 0.5, 1

1 0.08, 0.12, 0.2, 0.28, 0.32

2 0.1, 0.15, 0.3, 0.25, 0.2

3 0.05, 0.1, 0.25, 0.4, 0.2

4 2, 6, 5, 4, 3   **5** 3, 5, 7, 9, 1

6 2, 7, 21, 10, 8, 2   😊 1

7 (1) 0.28 (2) 28 % (3) 28 % (4) 40 %

8 (1) 0.08 (2) 12 (3) 26 % (4) 0.3 (5) 44 %

9 (1) 20명 (2) $A=0.35$, $B=1$ (3) 65 % (4) 30 %

(5) 0.2

10 (1) 120명 (2) $A=1$, $B=0.2$, $C=36$ (3) 35 %

(4) 0.25 (5) 55 %

11 (1) ○ (2) × (3) ○ (4) × (5) ○ (6) ×

12 ⑤

7 (2) 지하철 탑승 횟수가 3회 이상 6회 미만인 계급의 상대도수는 0.28이므로 전체의 $0.28 \times 100=28$(%)

(3) 지하철 탑승 횟수가 9회 이상인 계급의 상대도수는 $0.22+0.06=0.28$이므로 전체의 $0.28 \times 100=28$(%)

(4) 지하철 탑승 횟수가 6회 미만인 계급의 상대도수는 $0.12+0.28=0.4$이므로 전체의 $0.4 \times 100=40$(%)

8 (1) $A=\dfrac{4}{50}=0.08$

(2) $B=0.24 \times 50=12$

(3) 가족과 대화한 시간이 40분 미만인 계급의 상대도수는 $0.08+0.18=0.26$이므로 전체의 $0.26 \times 100=26$(%)

(4) 가족과 대화한 시간이 40분 이상 60분 미만인 계급의 도수는 $0.3 \times 50=15$(명)

따라서 가족과 대화한 시간이 15번째로 적은 학생이 속하는 계급은 40분 이상 60분 미만이므로 구하는 상대도수는 0.3이다.

(5) 가족과 대화한 시간이 80분 이상 100분 미만인 계급의 상대도수는 $\dfrac{10}{50}=0.2$

따라서 가족과 대화한 시간이 60분 이상인 계급의 상대도수는 $0.24+0.2=0.44$이므로 전체의 $0.44 \times 100=44$(%)

9 (1) 예진이네 반 전체 학생 수는 $\dfrac{6}{0.3}=20$(명)

(2) $A=\dfrac{7}{20}=0.35$, $B=0.05\times20=1$

(3) 수학 점수가 70점 미만인 계급의 상대도수는

0.35+0.3=0.65이므로 전체의 $0.65\times100=65(\%)$

(4) 수학 점수가 70점 이상 80점 미만인 계급의 상대도수

는 $\dfrac{4}{20}=0.2$

따라서 수학 점수가 70점 이상 90점 미만인 계급의 상

대도수는 0.2+0.1=0.3이므로 전체의

$0.3\times100=30(\%)$

(5) 수학 점수가 80점 이상 90점 미만인 계급의 도수는

$0.1\times20=2$(명)

따라서 수학 성적이 4번째로 좋은 학생이 속하는 계급

은 70점 이상 80점 미만이므로 구하는 상대도수는 0.2

이다.

10 (1) 지현이네 학교 전체 학생 수는 $\dfrac{18}{0.15}=120$(명)

(2) 상대도수의 총합은 1이므로 $A=1$

$B=\dfrac{24}{120}=0.2$, $C=0.3\times120=36$

(3) 뮤지컬 관람 횟수가 15회 이상인 계급의 상대도수는

0.2+0.15=0.35이므로 전체의 $0.35\times100=35(\%)$

(4) 뮤지컬 관람 횟수가 5회 미만인 계급의 도수는

$0.1\times120=12$(명)

따라서 뮤지컬 관람 횟수가 20번째로 적은 학생이 속

하는 계급은 5회 이상 10회 미만이므로 구하는 상대도

수는 $\dfrac{30}{120}=0.25$

(5) 뮤지컬 관람 횟수가 5회 이상 15회 미만인 계급의 상

대도수는 0.25+0.3=0.55이므로 전체의

$0.55\times100=55(\%)$

11 (2) 하나의 도수분포표에서 상대도수가 같으면 도수도 같다.

(4) 도수가 가장 큰 계급은 상대도수도 가장 크다.

(6) 어떤 계급의 도수는 전체 도수와 그 계급의 상대도수

를 곱한 값이다.

12 전체 토끼 수는 $\dfrac{12}{0.24}=50$(마리)

따라서 수명이 8년 이상 12년 미만인 계급의 상대도수는

$\dfrac{18}{50}=0.36$, 12년 이상 16년 미만인 계급의 상대도수는

$\dfrac{14}{50}=0.28$이므로 수명이 8년 이상인 토끼는 전체의

$(0.36+0.28)\times100=64(\%)$

상대도수의 분포를 나타낸 그래프

☺ 도수, 상대도수

3 (1) 40점 이상 50점 미만　(2) 12명　(3) 20 %

(4) 32 %　(5) 64명

4 (1) 120 cm 이상 140 cm 미만　(2) 28명　(3) 15 %

(4) 20 %　(5) 16명

5 (1) 40명　(2) 4명　(3) 8명　(4) 10명

(5) 40권 이상 50권 미만

6 (1) 150명　(2) 51명　(3) 27명　(4) 39명

(5) 60분 이상 90분 미만

7 (1) 0.35　(2) 7명　　**8** (1) 0.45　(2) 27명

9 (1) 0.3　(2) 400명　　**10** (1) 0.34　(2) 50명

3 (1) 도수와 상대도수는 서로 정비례하므로 도수가 가장 작

은 계급은 상대도수가 가장 작다. 따라서 구하는 계급

은 40점 이상 50점 미만이다.

(2) 영어 점수가 40점 이상 50점 미만인 계급의 상대도수

는 0.06이므로 구하는 학생 수는 $0.06\times200=12$(명)

(3) 영어 점수가 60점 이상 70점 미만인 계급의 상대도수

는 0.2이므로 전체의 $0.2\times100=20(\%)$

(4) 영어 점수가 80점 이상인 계급의 상대도수는

0.18+0.14=0.32이므로 전체의 $0.32\times100=32(\%)$

(5) 영어 점수가 80점 이상인 계급의 상대도수는 0.32이므

로 구하는 학생 수는 $0.32\times200=64$(명)

4 (1) 도수와 상대도수는 서로 정비례하므로 도수가 가장 큰

계급은 상대도수가 가장 크다. 따라서 구하는 계급은

120 cm 이상 140 cm 미만이다.

(2) 기록이 120 cm 이상 140 cm 미만인 계급의 상대도수

는 0.35이므로 구하는 학생 수는 $0.35\times80=28$(명)

(3) 기록이 140 cm 이상 160 cm 미만인 계급의 상대도수

는 0.15이므로 전체의 $0.15\times100=15(\%)$

(4) 기록이 100 cm 미만인 계급의 상대도수는

0.05+0.15=0.2이므로 전체의 $0.2\times100=20(\%)$

(5) 기록이 100 cm 미만인 계급의 상대도수는 0.2이므로

구하는 학생 수는 $0.2\times80=16$(명)

5 (1) 구입한 도서가 20권 이상 30권 미만인 계급의 상대도수가 0.15이므로

(전체 회원 수)$=\dfrac{6}{0.15}=40$(명)

(2) 구입한 도서가 10권 이상 20권 미만인 계급의 상대도수는 0.1이므로 구하는 도수는 $0.1\times40=4$(명)

(3) 구입한 도서가 50권 이상 60권 미만인 계급의 상대도수는 0.2이므로 구하는 회원 수는 $0.2\times40=8$(명)

(4) 구입한 도서가 30권 미만인 계급의 상대도수는

$0.1+0.15=0.25$이므로 구하는 회원 수는

$0.25\times40=10$(명)

(5) 구입한 도서가 50권 이상 60권 미만인 회원 수는 8명, 40권 이상 50권 미만인 회원 수는 $0.25\times40=10$(명) 이므로 구입한 도서가 11번째로 많은 회원이 속하는 계급은 40권 이상 50권 미만이다.

6 (1) 청취 시간이 90분 이상 120분 미만인 계급의 상대도수가 0.22이므로

(전체 직원 수)$=\dfrac{33}{0.22}=150$(명)

(2) 청취 시간이 60분 이상 90분 미만인 계급의 상대도수는 0.34이므로 구하는 도수는 $0.34\times150=51$(명)

(3) 청취 시간이 30분 이상 60분 미만인 계급의 상대도수는 0.18이므로 구하는 직원 수는 $0.18\times150=27$(명)

(4) 청취 시간이 120분 이상인 계급의 상대도수는

$0.12+0.08+0.06=0.26$이므로 구하는 직원 수는

$0.26\times150=39$(명)

(5) 청취 시간이 30분 이상 60분 미만인 직원 수는 27명, 60분 이상 90분 미만인 직원 수는 51명이므로 청취 시간이 46번째로 짧은 직원이 속하는 계급은 60분 이상 90분 미만이다.

7 (1) 구하는 계급의 상대도수는

$1-(0.15+0.25+0.2+0.05)=0.35$

(2) 구하는 학생 수는 $0.35\times20=7$(명)

8 (1) 구하는 계급의 상대도수는

$1-(0.05+0.25+0.15+0.1)=0.45$

(2) 구하는 회원 수는 $0.45\times60=27$(명)

9 (1) 구하는 계급의 상대도수는

$1-(0.12+0.26+0.18+0.14)=0.3$

(2) (전체 학생 수)$=\dfrac{120}{0.3}=400$(명)

10 (1) 구하는 계급의 상대도수는

$1-(0.06+0.1+0.3+0.2)=0.34$

(2) (전체 회원 수)$=\dfrac{17}{0.34}=50$(명)

04 도수의 총합이 다른 두 자료의 비교

본문 244쪽

1 (1)

0.04	0.1
0.16	0.18
0.2	0.3
0.32	0.26
0.28	0.16

 ,

(2) 1학년 (3) 2학년 (4) 1학년

2 (1) A 중학교 (2) A 중학교 (3) 128명 (4) 168명

(5) B 중학교

3 (1) 남학생 (2) 여학생 (3) 90명 (4) 36명 (5) 여학생

4 (1) × (2) ○ (3) ○ (4) × (5) ○

☺ 상대도수

5 (1) ○ (2) × (3) × (4) ○ (5) ○

1 (2) 60회 이상 70회 미만인 계급의 상대도수는 1학년이 0.32, 2학년이 0.26이므로 1학년이 2학년보다 높다.

(3) 60회 미만인 계급의 상대도수는 1학년이

$0.04+0.16+0.2=0.4$이고, 2학년이

$0.1+0.18+0.3=0.58$이므로 2학년이 1학년보다 높다.

(4) 1학년의 그래프가 2학년의 그래프보다 전체적으로 오른쪽으로 치우쳐 있으므로 줄넘기를 상대적으로 1학년이 더 많이 하였다.

2 (1) 6시간 이상 8시간 미만인 계급의 상대도수는 A 중학교가 0.4, B 중학교가 0.3이므로 A 중학교가 B 중학교보다 높다.

(2) 6시간 미만인 계급의 상대도수는 A 중학교가

$0.12+0.2=0.32$이고, B 중학교가 $0.04+0.1=0.14$ 이므로 A 중학교가 B 중학교보다 높다.

(3) A 중학교에서 6시간 이상 10시간 미만인 계급의 상대도수는 $0.4+0.24=0.64$이므로 구하는 학생 수는

$0.64\times200=128$(명)

(4) B 중학교에서 8시간 이상인 계급의 상대도수는
0.36+0.2=0.56이므로 구하는 학생 수는
0.56×300=168(명)

(5) B 중학교의 그래프가 A 중학교의 그래프보다 전체적으로 오른쪽으로 치우쳐 있으므로 휴대전화를 상대적으로 B 중학교가 더 많이 사용하였다.

3 (1) 30분 이상 40분 미만인 계급의 상대도수는 남학생이 0.3, 여학생이 0.28이므로 남학생이 여학생보다 높다.

(2) 40분 이상인 계급의 상대도수는 남학생이 0.1, 여학생이 0.48+0.14=0.62이므로 여학생이 남학생보다 높다.

(3) 남학생에서 30분 미만인 계급의 상대도수는
0.18+0.42=0.6이므로 구하는 남학생 수는
0.6×150=90(명)

(4) 여학생에서 20분 이상 40분 미만인 계급의 상대도수는
0.08+0.28=0.36이므로 구하는 여학생 수는
0.36×100=36(명)

(5) 여학생의 그래프가 남학생의 그래프보다 전체적으로 오른쪽으로 치우쳐 있으므로 통학 시간은 상대적으로 여학생이 더 오래 걸린다.

4 (1) 도수의 총합은 알 수 없다.

(4) 도수의 총합을 알 수 없으므로 읽은 책이 4권 이상 6권 미만인 학생 수를 알 수 없다.

5 (1) 상대도수의 총합은 1로 같다.

(3) 상대도수는 도수에 정비례하므로 1학년에서 도수가 가장 큰 계급은 50 kg 이상 55 kg 미만이다.

(4) 2학년에서 50 kg 미만인 계급의 상대도수는
0.1+0.16=0.26이므로 전체의 0.26×100=26(%)

3 전체 근무자 수는 $\dfrac{10}{0.2}=50$(명)이므로
$A=0.16\times50=8$, $B=\dfrac{13}{50}=0.26$
따라서 $A+B=8+0.26=8.26$

4 (순댓국을 좋아하는 남학생 수)=0.4×30=12(명)
(순댓국을 좋아하는 여학생 수)=0.35×20=7(명)
이므로 (상대도수)=$\dfrac{12+7}{30+20}=\dfrac{19}{50}=0.38$

5 70회 이상 75회 미만인 계급의 상대도수는 0.25이므로 전체 방문자의 수는
$\dfrac{20}{0.25}=80$(명)

6 40점 이상 50점 미만인 계급의 상대도수는
$1-(0.08+0.3+0.4+0.04)=0.18$
이므로 구하는 계급의 도수는
0.18×200=36(명)

TEST
11. 자료의 정리와 해석(2)
본문 247쪽

1 ②	**2** ⑤	**3** ④
4 0.38	**5** 80명	**6** 36명

1 (상대도수)=$\dfrac{4}{25}=0.16$

2 5시간 미만인 계급의 상대도수는 0.15+0.2=0.35이므로 구하는 학생 수는
0.35×40=14(명)

개념 확장

최상위수학

수학적 사고력 확장을 위한
심화 학습 교재

심화 완성

개념부터
심화까지

수학은 개념이다